Le manuel de réanimation néonatale, *5e édition*

RÉDACTEUR EN CHEF
John Kattwinkel, MD, FAAP

RÉDACTEUR EN CHEF DE LA CONCEPTION DIDACTIQUE
Jerry Short, Ph. D.

RÉDACTEURS EN CHEF ADJOINTS
David Boyle, MD, FAAP
William A. Engle, MD, FAAP
Jay P. Goldsmith, MD, FAAP
Louis P. Halamek, MD, FAAP
Jane E. McGowan, MD, FAAP
Barbara Nightengale, RNC, IPN
Jeffrey M. Perlman, MB, ChB, FAAP
Nalini Singhal, MD, FRCPC
Gary M.Weiner, MD, FAAP
Thomas E.Wiswell, MD, FAAP
Jeanette Zaichkin, RNC, MN

DIRECTRICE DE RÉDACTION
Wendy Marie Simon, MA, CAE

ILLUSTRATRICES MÉDICALES
Lauren Shavell
Barbara Siede

D'après un texte original de
Ronald S. Bloom, MD, FAAP
Catherine Cropley, IA, MN

Dévédérom interactif multimédia (en anglais)
du manuel de réanimation néonatale, 5e édition :
Rédacteurs en chef
Ken Tegtmeyer, MD, FAAP
Dana A. V. Braner, MD, FAAP
Louis P. Halamek, MD, FAAP
Jane E. McGowan, MD, FAAP
Susanna Lai, MHP
Collaborateurs
Laura M. Ibsen, MD, FAAP
Richard Hodo
Scott Runkel
Ptolemy Runkel

Renseignements ou commandes :

Société canadienne de pédiatrie
2305, boul. St. Laurent
Ottawa (Ontario)   K1G 4J8
Tél. : 613-526-9397
Téléc. : 613-526-3332
www.cps.ca

Cinquième édition, 2006
Quatrième édition, 2000
Troisième édition, 1994
Deuxième édition, 1990
Première édition, 1987

ISBN : 0-9781458-3-6
NRP201

1 2 3 4 5 6 7 8 9 10

Remerciements

Membres du comité directeur du PRN

David Boyle, MD, FAAP, coprésident, 2001–2005
Jeffrey M. Perlman, MB, ChB, FAAP, coprésident, 2004–2006
Jay P. Goldsmith, MD, FAAP, coprésident, 2005–2006
Marilyn Escobedo, MD, FAAP
Louis P. Halamek, MD, FAAP
George A. Little, MD, FAAP
Jane E. McGowan, MD, FAAP
Gary M.Weiner, MD, FAAP
Thomas E.Wiswell, MD, FAAP

Représentants

Jose Luis Gonzalez, MD, FACOG
American College of Obstetricians and Gynecologists
Barbara Nightengale, RNC, IPN
National Association of Neonatal Nurses
William A. Engle, MD, FAAP
Comité d'étude du fœtus et du nouveau-né de l'AAP
Nalini Singhal, MD, FRCPC
Fondation des maladies du cœur du Canada
Tim Myers, RRT-NPS
American Association for Respiratory Care

Le comité tient à remercier les réviseurs et collaborateurs suivants au présent manuel :

Comité d'étude du fœtus et du nouveau-né de l'*American Academy of Pediatrics*
Délégation néonatale de l'*International Liaison Committee on Resuscitation*
Jeffrey M. Perlman, MB, ChB, FAAP, coprésident
Sam Richmond, MD, coprésident
William Keenan, MD, FAAP, réviseur nommé par le conseil d'administration de l'AAP

Autorité des soins cardiovasculaires d'urgence de l'*American Heart Association*

Leon Chameides, MD, FAAP
Robert Hickey, MD, FAAP
Vinay Nadkarni, MD, FAAP
Mary Fran Hazinski, IA, M. Sc. I.

Sous-comité pédiatrique des soins cardiovasculaires d'urgence de l'*American Heart Association*

Arno Zaritsky, MD, FAAP, président, 2005–2006
Stephen M. Schexnayder, MD, FAAP, FCCM, président, 2003–2005
Dianne Atkins, MD, FAAP, FAHA
Robert Berg, MD, FAAP
Allan de Caen, MD, FRCPC
Ashrav Coovadia, MD
Douglas Diekema, MD, MPH, FAAP
Michael J. Gerardi, MD, FAAP, FACEP
Monica Kleinman, MD, FAAP
Lester T. Proctor, MD, FAAP
Ricardo A. Samson, MD, FAAP
Anthony Scalzo, MD, FAAP
L. R. Tres Scherer III, MD, FAAP, FACS
Elise W. van der Jagt, MD, MPH, FAAP
Colleen Halverson, IA, MS

Laboratoire des médias du *Doernbecher Children's Hospital*

Dana A. V. Braner, MD, FAAP
Ken Tegtmeyer, MD, FAAP
Susanna Lai, MPH
Richard Hodo

Personnel du maintien des fonctions vitales de l'AAP

Wendy Marie Simon, MA, CAE
Sheila Lazier, M. Éd.
Kimberly Liotus
Bonnie Molnar
Kristy Goddyn
Tina Patel
Eileen Schoen

Remerciements

Personnel de la commercialisation et des publications de l'AAP
Theresa Wiener
Sandi King

Préparatrice des textes
Jill Rubino

Président du groupe de travail de la formation du PRN
Gary M. Weiner, MD, FAAP

Matériel de formation connexe du *Manuel de réanimation néonatale, 5ᵉ édition* (en anglais)
Cases in Neonatal Resuscitation: Translating Knowledge and Skill Into Performance (vidéo sur dévédérom), Susan Niermeyer, MD, FAAP; Jeanette Zaichkin, RNC, MN; Gary M. Weiner, MD, FAAP; et Nalini Singhal, MD, FRCPC; rédacteurs en chef
Instructor's Manual for Neonatal Resuscitation, Jeanette Zaichkin, RNC, MN, rédactrice en chef
NRP Slide Presentation Kit, Jay P. Goldsmith, MD, FAAP, rédacteur en chef
NRP Written Evaluation Packet, Thomas E. Wiswell, MD, FAAP, et Jerry Short, Ph. D., rédacteurs en chef
NRP Reference Chart, Code Cart Cards et *Pocket Cards*, Marilyn Escobedo, MD, FAAP, rédactrice en chef

La Société canadienne de pédiatrie tient à remercier le comité directeur canadien du PRN (2000-2005) pour sa collaboration constante :

Nalini Singhal, MD, FRCPC, présidente
Khalid Aziz, MD, FRCPC, vice-président
Debra O'Flaherty, IA, B. Sc. I., M. Sc. I., secrétaire
Alfonso Solimano, MD, FRCPC, président sortant
Debbie Aylward IA, B. Sc. I., M. Sc. I., Ontario
Louis Beaumier, MD, FRCPC, Québec
Clare Bessell, IA, Terre-Neuve-et-Labrador
Jill Boulton, MD, FRCPC, Ontario
Kim Campbell, RM, Association canadienne des sages-femmes
Gerarda Cronin, MD, FRCPC, Manitoba
Roxanne Laforge, IA, B. Sc. I., BA, MS, Saskatchewan
Rob Martell, RRT, La Société canadienne des thérapeutes respiratoires
Ann Mitchell IA, B. Sc. I., M. Éd., Ontario
Ann Nwebube, MD, FRCPC, Manitoba
David Price, MD, CCFP, Collège des médecins de famille du Canada
Avash Singh, MD, FRCPC, Colombie-Britannique
Dora Stinson, MD, FRCPC, Nouvelle-Écosse, Île-du-Prince-Édouard

Traduction
Dominique Paré, Le bout de la langue

Révision, version française
Louis Beaumier, MD, FRCPC, Québec
Danielle Grenier, MD, FRCPC, Directrice des affaires médicales, Société canadienne de pédiatrie
Christian Lachance, MD, FRCPC, Québec
Jean Lachapelle, MD, FRCPC, Québec
Louise Painchaud

Indexatrice
Louise Saint-André, Communication Lapsus

iv

Table des matières

Préface

La naissance est un événement magnifique et miraculeux, mais c'est peut-être aussi l'événement le plus dangereux que la plupart d'entre nous vivront. Notre corps doit subir des rajustements physiologiques plus radicaux immédiatement après la naissance qu'il ne le fera jamais. Il est remarquable que plus de 90 % des bébés passent de la vie intra-utérine à la vie extra-utérine sans heurt, sans aide ou avec une aide minime. C'est pour les bébés qui constituent les quelques points de pourcentage restants que le Programme de réanimation néonatale a été conçu. En effet, même si, en pourcentage, peu de nouveau-nés ont besoin d'aide, ils sont tout de même nombreux en raison de l'abondance des naissances. Un bébé qui ne reçoit pas d'aide risque de présenter des problèmes qui le suivront toute sa vie, ou même de mourir. L'aspect le plus gratifiant d'une aide adroite offerte à un nouveau-né en détresse, c'est que les efforts sont plus susceptibles de réussir, contrairement à ce que révèlent les statistiques décourageantes associées aux tentatives de réanimation chez les adultes et les enfants plus âgés. Le temps que vous consacrez à apprendre à réanimer les nouveau-nés est du temps très bien employé.

Ce manuel a une longue histoire, et de nombreux pionniers de l'*American Academy of Pediatrics* (AAP) et de l'*American Heart Association* (AHA) sont responsables de son évolution. En 1966, la *National Academy of Sciences* a recommandé pour la première fois des lignes directrices nationales sur la réanimation. En 1978, le comité des soins cardiaques d'urgence de l'AHA a formé un groupe de travail sur la réanimation pédiatrique. Ce groupe a rapidement conclu que, pour réanimer des nouveau-nés, il faut adopter un point de vue différent de celui privilégié auprès des adultes, et il faut s'attarder à la ventilation plutôt qu'à la défibrillation cardiaque. La spécialité officielle de la néonatologie était alors en pleine évolution, et en 1985, l'AAP et l'AHA se sont conjointement engagées à élaborer un programme de formation visant l'enseignement des principes de réanimation néonatale. George Peckham et Leon Chameides sont les chefs de file pionniers de ces efforts. Un comité a été formé pour déterminer la structure du programme, et les textes rédigés par Ron Bloom et Cathy Cropley ont été sélectionnés pour servir de modèle au nouveau manuel du PRN.

Des chefs de file en pédiatrie, tels que Bill Keenan, Errol Alden, Ron Bloom et John Raye, ont mis sur pied une stratégie de diffusion du PRN. Au départ, cette stratégie consistait à former des conférenciers nationaux, composés d'au moins une équipe d'infirmières et de médecins de chaque État. Les professeurs nationaux enseignaient aux formateurs régionaux, qui formaient à leur tour les évaluateurs en milieu hospitalier. À la fin de 2005, près de deux millions de dispensateurs de soins des États-Unis avaient suivi la formation sur les techniques de réanimation néonatale. Le PRN sert également de modèle pour des programmes de réanimation similaires dans 92 autres pays.

Les éléments scientifiques du programme ont également connu une évolution importante. Si l'ABC de la réanimation (A. voies aériennes, B. respiration, C. circulation, D. médicaments) n'a pas changé depuis plusieurs décennies, l'information détaillée sur la manière et le moment d'accomplir chacune des étapes et sur ce qu'il faut adapter selon la personne à soigner, qu'il s'agisse d'un nourrisson, d'un enfant ou d'un adulte, a subi une évaluation et des changements constants. De plus, bien qu'en général, les recommandations soient formulées d'après l'avis d'experts dans le domaine, on s'est récemment concerté pour fonder les recommandations sur des données expérimentales ou expérentielles, tirées d'études exécutées en laboratoire, d'essais aléatoires et contrôlés en milieu hospitalier et de séries d'observation colligées systématiquement auprès de médecins.

L'AHA a vu à ce processus d'évaluation en favorisant des

conférences périodiques en réanimation cardiopulmonaire et en soins cardiaques d'urgence (CPR-ECC) tous les cinq à huit ans, afin de mettre au point des lignes directrices de réanimation dans tous les groupes d'âge et pour toutes les causes d'arrêt cardiopulmonaire. L'AAP s'est officiellement jointe à ce processus en 1992, pour l'élaboration des lignes directrices sur la réanimation des nouveau-nés et des enfants.

La plus récente activité de la CPR-ECC s'est étalée sur près de trois ans et a été effectuée en deux volets. D'abord, à compter de la fin 2002, l'*International Liaison Committee on Resuscitation* (ILCOR) a dressé la liste d'une série de questions sur des enjeux controversés en réanimation. Chaque membre de l'ILCOR a ensuite été mandaté pour élaborer des feuilles de travail à l'égard de chaque question. Les progrès des bases de données et des engins de recherche informatisés ont facilité l'analyse bibliographique et ont permis à l'AHA de colliger une base de données détaillée constituée de plus de 30 000 références de publications portant sur la réanimation. Les feuilles de travail ont fait l'objet d'un débat dans le cadre d'une série de conférences, après lesquelles on a publié un document, intitulé *International Consensus on Cardiopulmonary Resuscitation (CPR) and Emergency Cardiovascular Care (ECC) Science With Treatment*

Recommendations (CoSTR) (*Circulation*. 2005;112:III-91–III-99). Ensuite, chaque conseil de réanimation qui forme l'ILCOR a été mandaté pour élaborer des lignes directrices en matière de réanimation convenant aux ressources de santé de sa région du monde, mais respectueuses des principes scientifiques définis dans les CoSTR. Le volet néonatal des lignes directrices américaines sur le traitement ont été publiées dans *Circulation, Resuscitation* et *Pediatrics*, et est traduit à la fin du présent manuel. Par suite de ce processus, chaque nouvelle édition du PRN contient plus de recommandations probantes que de recommandations qui reflètent simplement la pratique courante. Nous vous invitons à examiner les données probantes et, surtout, à mener les futures études nécessaires pour mieux définir les pratiques optimales.

L'édition actuelle du PRN s'est enrichie dans plusieurs secteurs d'importance, en réponse aux commentaires recueillis auprès des évaluateurs et des anciens participants. Il est bien connu que les prématurés ont plus souvent besoin d'aide à la naissance et présentent des défis uniques afin d'éviter des complications susceptibles d'avoir des répercussions sur toute la vie. Dans les dernières éditions, nous abordions cette question tout au long du manuel, tandis que maintenant, les points sont abordés dans une leçon distincte

(leçon 8). Nous avons également écouté ceux qui se disaient préoccupés par le fait que, dans les éditions précédentes, il semblait sous-entendu que toutes les réanimations devraient et allaient avoir une issue positive, tandis qu'en réalité, certains très grands prématurés et les nourrissons ayant certaines malformations mourront malgré des compétences médicales optimales. Par conséquent, une autre leçon (leçon 9) a été ajoutée pour tenir compte des considérations éthiques et des soins aux nourrissons et aux familles de bébés qui meurent. Dans plusieurs des sept premières leçons, on a également modifié et restructuré le texte. Un nouveau formulaire pour consigner l'indice d'Apgar est ajouté à la leçon 1, la leçon 3 est restructurée afin que l'information relative aux deux types de ballon de réanimation et à l'insufflateur néonatal, plus récent, figure en annexe, et une description détaillée du masque laryngé est ajoutée en annexe de la leçon 5. La principale modification au contenu porte probablement sur la démarche relative à l'usage d'oxygène d'appoint. Selon le PRN, il est toujours recommandé d'utiliser de l'oxygène 100 % lorsqu'il faut administrer une ventilation en pression positive, mais on insiste moins sur l'importance de toujours utiliser de fortes concentrations d'oxygène, tandis que dans la leçon 8, il est recommandé d'utiliser un saturomètre et un mélangeur d'oxygène pendant la réanimation des grands prématurés. Une modification a été apportée à la recommandation relative à l'adrénaline, qui déroutera peut-être ceux qui étaient étudiants lors des éditions précédentes. En effet, dans les éditions précédentes, on enseignait que l'adrénaline s'administre mieux par sonde trachéale. Toutefois, des recherches récentes démontrent que l'absorption de l'adrénaline par les poumons est imprévisible et peut se traduire par des taux médicamenteux inefficaces. Dans une étude, on avance même qu'il peut falloir administrer jusqu'à dix fois la dose intraveineuse par voie trachéale pour obtenir le même taux sérique que par voie intraveineuse. C'est pourquoi, dans la présente édition, la voie intraveineuse est privilégiée, la voie trachéale n'étant utilisée qu'en attendant la mise en place de l'accès intraveineux. Les cliniciens devront être très attentifs à ne pas utiliser la nouvelle dose recommandée par voie trachéale lorsqu'ils administrent la dose par voie intraveineuse. D'autres modifications figurent un peu partout dans le manuel. Nous invitons donc même les anciens étudiants à lire le manuel en entier.

La production du PRN est rendue possible grâce aux efforts d'un grand nombre de personnes et de plusieurs organisations. Grâce à la relation coopérative entre l'AHA, l'AAP, l'ILCOR et le sous-comité de la pédiatrie de l'AHA, on a profité de l'infrastructure nécessaire pour élaborer des recommandations plus probantes et qui, par conséquent, sont approuvées sur la scène mondiale. Les membres du comité directeur du PRN, dont le nom figure au début du manuel, ont discuté inlassablement des données probantes et ont réussi à atteindre un consensus sur une multitude de recommandations, tout en demeurant sensibles aux répercussions pratiques des changements. Notamment, nous remercions Gary Weiner qui a fait la description du masque laryngé et rédigé les prémisses de la nouvelle leçon 9. Bill Engle a suggéré de réorganiser la leçon 3 et a ajouté la nouvelle description de l'insufflateur néonatal. Jane McGowan et Jeanette Zaichkin sont d'excellentes prérédactrices, Jeanette nous rappelant constamment comment les recommandations seront interprétées dans la vraie vie. Nous remercions Jill Rubino pour sa préparation de texte constante, Theresa Wiener pour ses compétences en production, et Barbara Siede pour ses nouvelles illustrations, car il a fallu en reprendre énormément à cause de l'horrible inondation à la Nouvelle-Orléans. Le présent manuel a jeté les bases du contenu du matériel connexe (en anglais), mais ce matériel a été rendu possible grâce aux compétences et au travail acharné de Lou Halamek (dévédérom et tournage des cas), Susan Niermeyer (vidéo), Ken Tegtmeyer et Dana Braner (dévédérom), Jeanette Zaichkin (manuel de l'évaluateur, vidéo et diapositives), Jay Goldsmith (diapositives), Nalini Singhal (étude de validation du mégacode) et Tom Wiswell (évaluations). Jerry Short a fourni ses compétences en conception pédagogique tout au long du programme. Les coprésidents, David Boyle, Jeffrey Perlman et Jay Goldsmith, ont fait montre d'excellentes qualités de chef. Jeff, notamment, connaissait pratiquement tous les articles jamais publiés sur tous les aspects de la réanimation néonatale. Je tiens également à remercier Sam Richmond, du Royaume-Uni, qui a souvent dépassé les obligations que lui conférait l'ILCOR pour suggérer une perspective internationale à de nombreux aspects de la présentation du PRN. Qui plus est, tous ceux qui ont participé à la production de ce projet complexe et ambitieux conviendront qu'une personne a pris les mesures nécessaires pour que chaque élément du projet s'imbrique bien, dans les délais impartis. Merci, Wendy Simon, pour tout ce que vous avez fait et que vous faites encore.

John Kattwinkel, MD, FAAP

Aperçu du cours du Programme de réanimation néonatale à l'intention du dispensateur

Les lignes directrices scientifiques de la réanimation néonatale

Le matériel du Programme de réanimation néonatale (PRN) se fonde sur les *Lignes directrices pour la réanimation cardiopulmonaire et les soins cardiovasculaires d'urgence en pédiatrie et en néonatologie* (*Circulation.* 2005;112(suppl):IV-188– IV-195) de l'*American Academy of Pediatrics* (AAP) et de l'*American Heart Association* (AHA). Les lignes directrices se fondent sur le consensus de l'*International Liaison Committee on Resuscitation* (ILCOR) en matière de déclaration scientifique, publié pour la première fois en novembre 2005. Ces lignes directrices sont traduites en annexe. Reportez-vous à ces pages si vous vous posez des questions sur les raisons d'être des recommandations actuelles du programme. Les feuilles de travail fondées sur les données probantes, préparées par des membres de l'ILCOR et qui ont servi de prémisses aux deux documents, peuvent être consultées, en anglais, dans la section scientifique du site Web du PRN élaboré par l'AAP, à www.aap.org/nrp.

Niveau de responsabilité

Le cours standard à l'intention du dispensateur du PRN se compose de neuf leçons. Cependant, vous ne devrez effectuer que les leçons reliées à votre niveau de responsabilité. Les responsabilités de réanimation varient selon l'hôpital. Par exemple, dans certains établissements, les infirmières peuvent être responsables d'intuber le nouveau-né, tandis que dans d'autres, le médecin ou l'inhalothérapeute s'en charge. Le nombre de leçons que vous devrez terminer dépend de votre niveau de responsabilité personnelle.

Avant d'entreprendre le cours, vous devez connaître vos responsabilités exactes. Si vous vous posez des questions sur votre niveau de responsabilité pendant la réanimation, consultez votre moniteur ou vos superviseurs.

Remarque particulière : La réanimation néonatale est plus efficace lorsqu'elle est effectuée par une équipe désignée et coordonnée. Il est important de connaître les responsabilités de réanimation néonatale des membres de l'équipe qui travaillent avec vous. Des exercices périodiques entre les membres de l'équipe favoriseront des soins coordonnés et efficaces au nouveau-né.

Terminer une leçon

Pour réussir une leçon, il faut obtenir la note de passage à l'évaluation écrite portant sur la leçon et réussir la feuille de contrôle de la performance (aux leçons 2 à 6) et le mégacode. Après avoir réussi au moins les leçons 1 à 4 <u>et</u> la leçon 9, les participants reçoivent une carte de réussite du cours. Cette vérification de la participation n'a pas lieu le jour du cours. Les évaluateurs distribueront les cartes après avoir reçu la liste des participants au cours et après que le personnel responsable du soutien des fonctions vitales de l'AAP l'aura traitée.

Terminer ne signifie pas être compétent

Le Programme de réanimation néonatale est un programme de formation qui présente les concepts et les compétences fondamentales de la réanimation néonatale. Ce n'est pas parce qu'elle a terminé le programme qu'une personne est compétente en réanimation néonatale. Chaque hôpital est responsable de déterminer le niveau de compétence et les capacités nécessaires pour assumer la responsabilité clinique de la réanimation néonatale.

Les pratiques de base

Les *Centers for Disease Control and Prevention* des États-Unis ont recommandé de respecter les pratiques de base dès qu'un risque d'exposition au sang ou à des liquides sanguins est élevé et qu'on ne connaît pas l'état infectieux potentiel du patient, comme c'est sûrement le cas en réanimation néonatale.

Tous les liquides des patients (sang, urine, selles, salive, vomissements, etc.) doivent être traités comme s'ils étaient infectés. Il faut porter des gants pendant la réanimation d'un nouveau-né, et l'intervenant ne devrait pas utiliser sa bouche pour aspirer dans un appareil d'aspiration. Il faut éviter la réanimation bouche-à-bouche et utiliser un ballon et masque de réanimation ou un insufflateur néonatal qui sera toujours disponible pendant la réanimation. Il faut porter un masque, des lunettes de protection ou un protecteur facial pendant les interventions susceptibles de produire des gouttes de sang ou d'autres liquides corporels. Il faut également porter une blouse et un tablier pendant les interventions qui risquent de produire des éclaboussures de sang ou d'autres liquides corporels. Les salles d'accouchement doivent être dotées de ballons de réanimation, de masques, de laryngoscopes, de sondes trachéales, d'appareils d'aspiration mécanique et de l'équipement de protection nécessaire.

Survol et principes de réanimation

Le Programme de réanimation néonatale (PRN) vous aidera à apprendre à réanimer les nouveau-nés. Grâce à l'étude de ce manuel et à la pratique des diverses manœuvres, vous apprendrez à devenir un précieux membre de l'équipe de réanimation.

Bon nombre de notions et de compétences sont enseignées dans le cadre du programme. Cependant, la principale notion du PRN, reprise tout au long de la formation, s'établit comme suit :

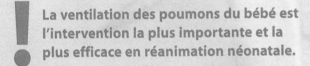

La ventilation des poumons du bébé est l'intervention la plus importante et la plus efficace en réanimation néonatale.

Les notions suivantes sont abordées dans la leçon 1 :

- **Les modifications physiologiques à la naissance**
- **La séquence des étapes à respecter pendant la réanimation**
- **Les facteurs de risque permettant de prévoir quels bébés auront besoin de réanimation**
- **Le matériel et le personnel nécessaires à la réanimation d'un nouveau-né**

Pourquoi un cours de réanimation néonatale?

L'asphyxie à la naissance représente environ 19 % des quelque cinq millions de décès néonatals chaque année de par le monde (Organisation mondiale de la santé, 1995). Bon nombre de ces nouveau-nés n'avaient pas accès à des mesures de réanimation convenables. Par conséquent, chaque année, le sort de milliers de nouveau-nés pourrait être plus favorable si les techniques de réanimation enseignées dans le cadre du présent programme étaient plus généralisées.

Quels bébés ont besoin d'être réanimés?

Environ 10 % des nouveau-nés ont besoin d'aide pour commencer à respirer à la naissance. Environ 1 % ont besoin de mesures de réanimation plus complexes pour survivre. En revanche, au moins 90 % des nouveau-nés passent de la vie intra-utérine à la vie extra-utérine sans difficulté. Ces bébés ont besoin d'une aide minime ou peuvent même se passer d'aide pour se mettre à respirer de manière spontanée et régulière et passer de la circulation fœtale à la circulation néonatale.

> **L'ABC de la réanimation**
>
> **A.** Voies aériennes
> (mettre en position et dégager)
>
> **B.** Respiration
> (stimuler à respirer)
>
> **C.** Circulation
> (évaluer la fréquence cardiaque et la coloration)

L'ABC de la réanimation est le même pour les bébés que pour les adultes. Il faut d'abord **A.** s'assurer que les voies aériennes sont ouvertes et dégagées, puis **B.** que le bébé respire de manière spontanée ou assistée. Enfin, **C.** il faut s'assurer de la bonne circulation du sang oxygéné. Les nouveau-nés sont mouillés après la naissance et risquent une perte de chaleur. Il faut donc s'appliquer à maintenir leur température corporelle tout au long de la réanimation.

La pyramide inversée suivante expose le lien entre les mesures de réanimation et le nombre de nouveau-nés qui en ont besoin. Au sommet se trouvent les mesures applicables à tous les nouveau-nés. À la base figurent celles dont quelques rares bébés auront besoin.

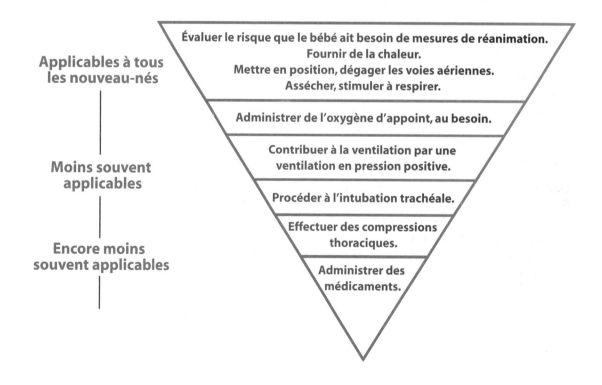

Une personne formée pour amorcer la réanimation néonatale devrait assister à chaque accouchement. On fera appel à d'autre personnel formé pour procéder à une réanimation complète.

Révision

(Les réponses figurent dans la section précédente et à la fin de la leçon.)

1. Environ _____ % des nouveau-nés ont besoin d'aide pour se mettre à respirer régulièrement.

2. Environ _____ % des nouveau-nés ont besoin de mesures de réanimation complexes pour survivre.

3. Les compressions thoraciques et l'administration de médicaments sont (rarement) (souvent) nécessaires pendant la réanimation des nouveau-nés.

Le Programme de réanimation néonatale est structuré comme suit :

Leçon 1 : Survol et principes de réanimation

Leçon 2 : Les étapes initiales de la réanimation

Leçon 3 : L'utilisation d'appareils de réanimation pour la ventilation en pression positive

Leçon 4 : Les compressions thoraciques

Leçon 5 : L'intubation trachéale

Leçon 6 : Les médicaments

Leçon 7 : Les considérations particulières

Leçon 8 : La réanimation des prématurés

Leçon 9 : L'éthique et les soins en fin de vie

Vous aurez de nombreuses occasions de vous exercer à procéder aux diverses étapes de la réanimation et d'utiliser le matériel de réanimation pertinent. Peu à peu, vous deviendrez plus habile et plus rapide. De plus, vous apprendrez à évaluer l'état du nouveau-né et à sélectionner les interventions à lui prodiguer tout au long de la réanimation.

Dans la prochaine section, vous étudierez les principes physiologiques fondamentaux en jeu pendant le passage du bébé de la vie intra-utérine à la vie extra-utérine. Si vous comprenez bien les principes physiologiques de la respiration et de la circulation chez le nouveau-né, vous saisirez toute l'importance d'effectuer rapidement les mesures de réanimation.

Comment le bébé reçoit-il l'oxygène avant la naissance?

L'oxygène est essentiel à la survie, tant avant qu'après la naissance. Avant la naissance, tout l'oxygène consommé par le fœtus traverse la membrane placentaire, du sang de la mère à celui du bébé.

Seule une petite fraction du sang fœtal circule dans les poumons du fœtus, qui n'assurent ni l'oxygénation, ni l'élimination du gaz carbonique. Par conséquent, le débit sanguin vers les poumons n'a pas d'importance pour maintenir une oxygénation fœtale et un équilibre acido-basique normaux. Les poumons du fœtus sont déployés dans l'utérus, mais les sacs alvéolaires (dans lesquels s'ouvriront les alvéoles pulmonaires) sont remplis de liquide plutôt que d'air. De plus, les artérioles qui irriguent les poumons du fœtus sont considérablement contractées, en partie en raison de la pression partielle d'oxygène (pO_2) peu élevée dans le fœtus (figure 1.1).

Avant la naissance, la plus grande partie du sang du cœur droit ne peut pénétrer dans les poumons, en raison de la résistance accrue au débit sanguin dans les vaisseaux contractés des poumons du fœtus. La majeure partie de ce sang emprunte donc la voie de moindre résistance, par le canal artériel jusque dans l'aorte (figure 1.2).

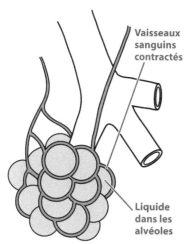

Figure 1.1. Alvéoles remplies de liquide et vaisseaux sanguins contractés dans les poumons avant la naissance.

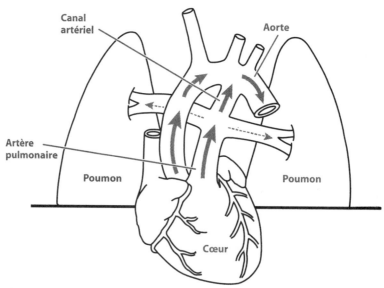

Figure 1.2. Dérivation du sang par le canal artériel sans passer par les poumons avant la naissance.

Après la naissance, le nouveau-né n'est plus relié au placenta. Ses poumons deviennent sa seule source d'oxygène. Ainsi, en quelques secondes, le liquide des alvéoles pulmonaires doit être absorbé, les poumons doivent se remplir d'air contenant de l'oxygène et les vaisseaux pulmonaires doivent se dilater pour accélérer le débit sanguin vers les alvéoles, afin que l'oxygène soit absorbé et transporté vers le reste de l'organisme.

Que se passe-t-il à la naissance pour que les poumons deviennent la source d'oxygène du bébé?

En temps normal, trois modifications majeures se produisent immédiatement après la naissance.

1. Le **liquide des alvéoles est absorbé** par les tissus pulmonaires et remplacé par de l'air (figure 1.3). Puisque l'air contient 21 % d'oxygène, l'air qui remplit les alvéoles fournit de l'oxygène qui se diffuse dans les vaisseaux sanguins entourant les alvéoles.

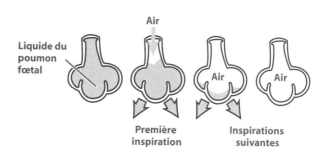

Figure 1.3. Remplacement du liquide par de l'air dans les alvéoles.

2. Les **artères et la veine ombilicales se contractent, puis sont oblitérées.** Le circuit placentaire de faible résistance est ainsi aboli, et la tension artérielle systémique augmente.

3. Par suite de la distension gazeuse et de l'oxygénation accrue des alvéoles, les **vaisseaux sanguins pulmonaires se dilatent et deviennent moins résistants au débit sanguin** (figure 1.4). Cette dilatation, combinée à l'augmentation de la tension artérielle systémique, rend la

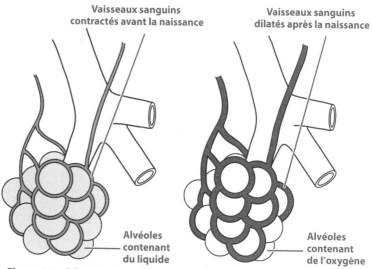

Figure 1.4. Dilatation des vaisseaux sanguins pulmonaires à la naissance.

tension des artères pulmonaires plus faible que celle de la circulation systémique, ce qui entraîne une augmentation considérable du débit sanguin pulmonaire et une diminution du débit par le canal artériel. L'oxygène des alvéoles est absorbé par le sang des vaisseaux pulmonaires, et le sang oxygéné revient au cœur gauche, pour être ensuite propulsé vers les tissus du nouveau-né.

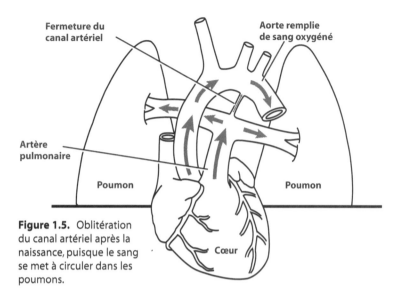

Fermeture du
canal artériel

Aorte remplie
de sang oxygéné

Artère
pulmonaire

Poumon

Poumon

Cœur

Figure 1.5. Oblitération du canal artériel après la naissance, puisque le sang se met à circuler dans les poumons.

Dans la plupart des cas, l'air fournit assez d'oxygène (21 %) pour déclencher la dilatation des vaisseaux sanguins pulmonaires. Tandis que l'oxygénation augmente et que les vaisseaux sanguins pulmonaires se dilatent, le canal artériel commence à se contracter. Le sang, détourné jusque-là dans le canal artériel, se met à circuler dans les poumons, où il s'enrichit d'oxygène qu'il transmet aux tissus de tout l'organisme (figure 1.5).

À la fin de cette transition normale, le bébé respire de l'air et utilise ses poumons pour obtenir de l'oxygène. La puissance de ses premiers cris et de ses premières respirations profondes suffit pour expulser le liquide de ses voies aériennes. L'oxygène et la distension gazeuse des poumons constituent les principaux stimuli pour dilater les vaisseaux sanguins pulmonaires. À mesure que le sang s'oxygène, la peau du nouveau-né passe du bleu gris au rose.

Bien que les étapes initiales de la transition normale se produisent dans les quelques minutes suivant la naissance, il peut falloir plusieurs heures ou même plusieurs jours pour que le processus s'achève. Par exemple, des études ont démontré que, pendant la période de transition normale des nouveau-nés à terme, il peut falloir jusqu'à dix minutes pour parvenir à une saturation en oxygène de 90 % ou plus. De plus, il peut falloir de 12 heures à 24 heures après la naissance pour obtenir une oblitération complète du canal artériel, et plusieurs mois pour constater la dilatation complète des vaisseaux pulmonaires.

Quels problèmes peuvent survenir pendant la transition?

Le bébé peut être en détresse avant le travail, pendant le travail ou après l'accouchement. Si le problème survient dans l'utérus, avant ou pendant le travail, il reflète généralement une atteinte de la circulation utérine ou placentaire. Le premier signe clinique peut se manifester par une décélération de la fréquence cardiaque fœtale, qui peut redevenir normale même après une atteinte circulatoire marquée. Les problèmes qui surviennent après la naissance risquent davantage de toucher les voies aériennes ou les poumons du nouveau-né. Suivent quelques-uns des problèmes qui peuvent perturber la transition normale :

- Les mouvements respiratoires du bébé peuvent être insuffisants pour expulser le liquide des alvéoles, ou d'autres substances, comme le méconium, peuvent empêcher l'air de pénétrer dans les alvéoles. Par conséquent, les poumons ne se remplissent pas d'air, ce qui empêche l'oxygène d'atteindre le sang circulant par les poumons (c'est l'hypoxémie).

- Une forte perte de sang peut se produire, ou l'hypoxémie et l'ischémie peuvent provoquer une baisse de la contractilité cardiaque ou une bradycardie, de sorte que la tension artérielle ne peut augmenter comme prévu (c'est l'hypotension systémique).

- Un échec de la distension gazeuse des poumons ou le manque d'oxygène peut entraîner une constriction soutenue des artérioles pulmonaires, ce qui réduit la circulation vers les poumons et l'oxygénation des tissus de l'organisme. Dans certains cas, il se peut que les artérioles pulmonaires ne se dilatent pas, même après que les poumons sont remplis d'air ou d'oxygène. On parle alors d'hypertension pulmonaire ou de circulation fœtale persistante.

Comment le bébé réagit-il à une interruption de la transition normale?

En règle générale, le nouveau-né fait de vigoureux efforts pour inspirer l'air. La pression ainsi exercée contribue à expulser le liquide pulmonaire fœtal des alvéoles dans les tissus pulmonaires avoisinants. Elle pousse également l'oxygène dans les artérioles pulmonaires, qui se dilatent. Si la séquence est interrompue, les artérioles pulmonaires peuvent demeurer contractées et les alvéoles, demeurer remplies de liquide au lieu d'air. Ainsi, le sang artériel systémique risque de ne pas être oxygéné.

Lorsque l'oxygénation est réduite, les artérioles des intestins, des reins, des muscles et de la peau se contractent tandis que la circulation vers le cœur et le cerveau demeure stable ou s'accroît pour maintenir l'oxygénation. Cette redistribution du sang contribue à préserver la fonction des organes vitaux. Cependant, si la carence en oxygène se poursuit, la fonction myocardique et le débit cardiaque se détériorent, la tension artérielle chute et la circulation diminue dans tous les organes. Cette insuffisance de l'irrigation sanguine et de l'oxygénation des tissus peut provoquer une atteinte cérébrale irréversible, une atteinte d'autres organes ou la mort.

On peut observer au moins l'une des manifestations cliniques suivantes chez le bébé en détresse :

- un manque de tonus musculaire causé par une oxygénation insuffisante du cerveau, des muscles et des autres organes;
- une dépression des efforts respiratoires imputable à l'oxygénation insuffisante du cerveau;
- une bradycardie (un ralentissement de la fréquence cardiaque) attribuable à une oxygénation insuffisante du muscle cardiaque ou du tronc cérébral;
- une hypotension artérielle découlant d'une oxygénation insuffisante du muscle cardiaque, d'une perte de sang ou d'un mauvais retour sanguin en provenance du placenta avant ou pendant l'accouchement;
- une tachypnée (des respirations rapides) causée par l'incapacité d'absorber le liquide des poumons fœtaux;
- une cyanose (une couleur bleutée) provoquée par une oxygénation insuffisante du sang.

Bon nombre de ces symptômes peuvent survenir en présence d'autres pathologies, telles qu'une infection, une hypoglycémie ou une dépression des efforts respiratoires du bébé résultant de l'administration de médicaments, comme des narcotiques ou des anesthésiques généraux, à la mère avant l'accouchement.

Comment savoir si le nouveau-né a été en détresse *in utero* ou pendant la période périnatale?

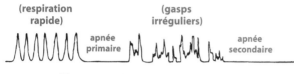

Figure 1.6. Apnée primaire et secondaire.

D'après des études de laboratoire, l'arrêt des efforts respiratoires représente la première manifestation d'une carence en oxygène. Quelques tentatives de respiration rapide sont suivies d'une période d'*apnée primaire* (figure 1.6), au cours de laquelle une stimulation, comme le fait d'assécher le nouveau-né ou de lui tapoter la plante des pieds, l'incitera à recommencer à respirer.

Cependant, si la carence en oxygène se poursuit pendant l'apnée primaire, le bébé fera plusieurs tentatives de gasps, puis entrera en *apnée secondaire* (figure 1.6). La stimulation ne rétablira *pas* sa respiration. Une ventilation assistée s'imposera pour renverser le processus déclenché par la carence en oxygène.

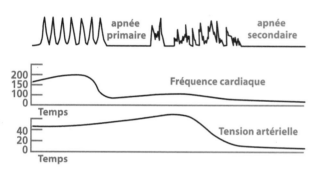

Figure 1.7. Altération de la fréquence cardiaque et de la tension artérielle pendant l'apnée.

La fréquence cardiaque se mettra à chuter à peu près en même temps que se manifestera l'apnée primaire. D'ordinaire, la tension artérielle sera préservée jusqu'à l'apparition de l'apnée secondaire (à moins qu'une perte de sang antérieure ait provoqué une hypotension) (figure 1.7).

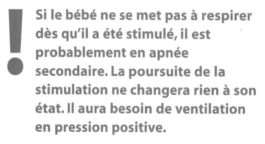

Si le bébé ne se met pas à respirer dès qu'il a été stimulé, il est probablement en apnée secondaire. La poursuite de la stimulation ne changera rien à son état. Il aura besoin de ventilation en pression positive.

La plupart du temps, le bébé vous sera présenté à peu près au milieu de la séquence décrite ci-dessus. Souvent, la détresse aura débuté avant ou pendant le travail. À la naissance, il sera donc difficile de déterminer depuis combien de temps le bébé est en détresse. L'examen physique ne vous permettra pas de distinguer une apnée primaire d'une apnée secondaire. Toutefois, la réaction respiratoire à la stimulation pourra vous aider à évaluer le temps écoulé depuis le début de l'événement. Si le bébé se met à respirer dès qu'il est stimulé, il était en apnée primaire. S'il ne respire pas sur-le-champ, il est en apnée secondaire. En général, plus la période d'apnée secondaire est longue, plus il faudra de temps avant la reprise de la respiration spontanée. Cependant, le graphique de la figure 1.8 démontre qu'une fois la ventilation déclenchée, la plupart des nouveau-nés en détresse verront leur fréquence cardiaque se rétablir très rapidement.

Si une ventilation en pression positive efficace ne provoque pas une rapide augmentation de la fréquence cardiaque, il se peut que la détresse ait été assez longue pour provoquer une détérioration de la fonction myocardique et une chute de la tension artérielle sous le taux critique. Dans ce cas, des compressions thoraciques et l'administration éventuelle de médicaments s'imposeront pour assurer la réanimation.

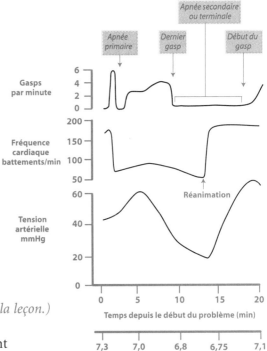

Révision

(Les réponses figurent dans la section précédente et à la fin de la leçon.)

4. Avant la naissance, les alvéoles pulmonaires du bébé sont (affaissées) (dilatées) et remplies (de liquide) (d'air).

5. L'air qui remplit les alvéoles du bébé pendant la transition normale renferme _____ % d'oxygène.

6. L'oxygène présent dans les poumons du bébé provoquera une (dilatation) (constriction) des artérioles pulmonaires afin que l'oxygène alvéolaire puisse être absorbé et distribué dans tous les organes.

7. Si un bébé ne se met pas à respirer par suite d'une stimulation, il faut conclure qu'il est en apnée _____ et procéder à _____.

8. Si un bébé manque d'oxygène et qu'il entre en apnée secondaire, sa fréquence cardiaque (augmentera) (chutera) et sa tension artérielle (augmentera) (chutera).

9. D'habitude, la reprise d'une ventilation suffisante assure une amélioration (lente) (rapide) (graduelle) de la fréquence cardiaque.

Figure 1.8. Séquence des événements physiologiques chez des modèles animaux de diverses espèces souffrant d'une asphyxie totale. Remarquez l'augmentation rapide de la fréquence cardiaque dès le début de la réanimation.

L'algorithme de la réanimation

L'algorithme de la réanimation de la page suivante décrit toutes les interventions du Programme de réanimation néonatale. Il débute à la naissance du bébé. Chacune des étapes de la réanimation figure dans un bloc (un encadré), sous lequel un point de décision vous aidera à établir s'il faut passer à l'étape suivante.

Étudiez l'algorithme tout en lisant la description de chaque étape et de chaque point de décision. L'algorithme sera repris au cours des prochaines leçons. Utilisez-le pour mémoriser les étapes de la réanimation.

Bloc d'évaluation initiale. À la naissance, vous devez vous poser quatre questions au sujet du nouveau-né. Ces questions sont inscrites dans le bloc d'évaluation de l'algorithme. Si vous répondez « non » à l'une des questions, vous devez passer aux étapes initiales de la réanimation.

Ⓐ Bloc A (voies aériennes). Il s'agit des premières mesures à prendre pour dégager les voies aériennes et entreprendre la réanimation du nouveau-né.

- Fournir de la chaleur.

- Mettre la tête en position pour ouvrir les voies aériennes; dégager les voies aériennes, au besoin.

- Assécher la peau, stimuler le bébé pour qu'il respire, remettre la tête en position pour ouvrir les voies aériennes.

Prenez note de la vitesse à laquelle vous évaluez l'état du bébé et vous effectuez les étapes initiales. Comme l'indique la ligne de temps, vous devriez réaliser ces blocs en une trentaine de secondes.

Évaluation de l'effet du bloc A. Vous évaluez l'état du nouveau-né au bout d'une trentaine de secondes. Vous devez évaluer simultanément sa respiration, sa fréquence cardiaque et sa coloration. Si le nouveau-né a des problèmes respiratoires (il est en apnée ou gaspe), si sa fréquence cardiaque est inférieure à 100 battements à la minute (battements/min), ou s'il est bleuté (cyanosé), vous devez passer à l'un des deux blocs B.

Ⓑ Bloc B (respiration). Si le bébé est apnéique ou que sa fréquence cardiaque est inférieure à 100 battements/min, vous stimulez sa respiration par une ventilation en pression positive. S'il est cyanosé, vous pouvez lui administrer de l'oxygène d'appoint.

Évaluation de l'effet du bloc B. Au bout d'une trentaine de secondes de ventilation ou d'oxygène d'appoint, vous réévaluez l'état du nouveau-né. Si sa fréquence cardiaque chute à moins de 60 battements/min, vous passez au bloc C.

Ⓒ Bloc C (circulation). Vous favorisez la circulation sanguine en entreprenant des compressions thoraciques tout en poursuivant la ventilation en pression positive.

Évaluation de l'effet du bloc C. Au bout d'une trentaine de secondes de compressions thoraciques et de ventilation en pression positive, vous réévaluez l'état du nouveau-né. Si sa fréquence cardiaque demeure inférieure à 60 battements/min, vous passez au bloc D.

Ⓓ Bloc D (médicaments). Vous administrez de l'adrénaline tout en poursuivant la ventilation en pression positive et les compressions thoraciques.

Évaluation de l'effet du bloc D. Si la fréquence cardiaque demeure inférieure à 60 battements/min, vous poursuivez et reprenez les interventions des blocs C et D, comme l'indique la flèche incurvée.

Assurez-vous d'exécuter chaque étape de manière correcte et efficace avant de passer à la suivante.

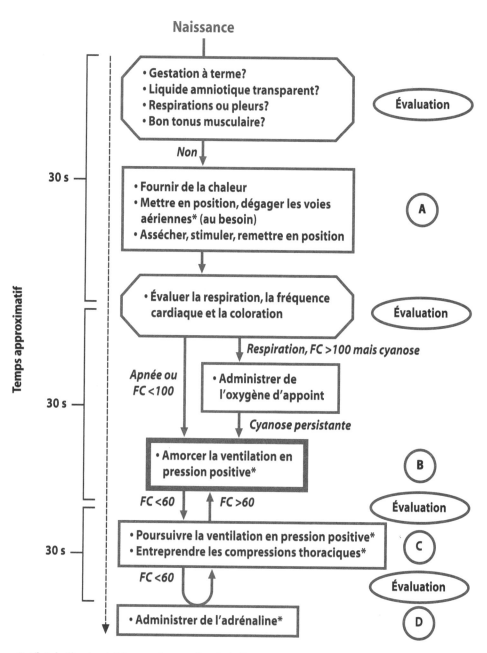

Naissance

• Gestation à terme?
• Liquide amniotique transparent?
• Respirations ou pleurs?
• Bon tonus musculaire?

Évaluation

Non

30 s

• Fournir de la chaleur
• Mettre en position, dégager les voies aériennes* (au besoin)
• Assécher, stimuler, remettre en position

A

• Évaluer la respiration, la fréquence cardiaque et la coloration

Évaluation

Respiration, FC >100 mais cyanose

Apnée ou FC <100

• Administrer de l'oxygène d'appoint

30 s

Cyanose persistante

• Amorcer la ventilation en pression positive*

B

FC <60   *FC >60*

Évaluation

• Poursuivre la ventilation en pression positive*
• Entreprendre les compressions thoraciques*

C

30 s

FC <60

Évaluation

• Administrer de l'adrénaline*

D

Temps approximatif

* L'intubation trachéale peut être envisagée à diverses étapes.

Lorsque la fréquence cardiaque dépasse 60 battements/min, les compressions thoraciques sont interrompues. La ventilation en pression positive se poursuit jusqu'à ce que la fréquence cardiaque dépasse 100 battements/min et que le bébé respire seul.

Remarquez les principaux points suivants au sujet de l'algorithme :

- Il faut retenir deux fréquences cardiaques : 60 battements/min et 100 battements/min. En général, une fréquence cardiaque inférieure à 60 battements/min signifie qu'il faut prendre de nouvelles mesures de réanimation, tandis qu'une fréquence cardiaque supérieure à 100 battements/min indique que les mesures de réanimation qui suivent le bloc A peuvent être interrompues, à moins que le patient soit apnéique.

- Les astérisques (*) indiquent à quelles étapes de la réanimation il peut être nécessaire de procéder à une intubation trachéale. Cette intervention sera abordée dans d'autres leçons.

- La ligne de temps figurant à la gauche de l'algorithme indique le temps prévu pour chaque étape de la réanimation. Si vous êtes certain de procéder à une réanimation efficace, ne vous attardez pas plus de 30 secondes à une étape lorsque l'état du nouveau-né ne s'améliore pas. Passez plutôt à l'étape suivante. Si vous avez l'impression que l'étape n'est pas efficace parce qu'elle est mal exécutée, il vous faudra peut-être plus de 30 secondes pour corriger le problème.

- Les principales interventions de la réanimation néonatale visent à ventiler les poumons du bébé (blocs A et B). Après les avoir réalisées, la fréquence cardiaque, la tension artérielle et la circulation pulmonaire devraient s'améliorer d'elles-mêmes. Cependant, si l'oxygénation sanguine et tissulaire est déficiente, il faudra peut-être soutenir le débit cardiaque en procédant aux compressions thoraciques et en administrant de l'adrénaline (blocs C et D) pour que le sang atteigne les poumons et s'oxygène.

Prenez le temps de vous familiariser avec l'algorithme et d'apprendre la séquence des interventions qui seront expliquées au cours des prochaines leçons. Mémorisez également les fréquences cardiaques qui indiquent s'il est nécessaire de passer à l'étape suivante.

Examinez les photos couleur figurant aux pages centrales A à F. À la figure A-1, le nouveau-né présente toutes les caractéristiques d'un bébé vigoureux né à terme, tandis qu'à la figure B-2, le manque de tonus musculaire et la coloration du nouveau-né indiquent qu'il a besoin d'une réanimation.

Comment établir l'ordre des interventions?

L'évaluation se fonde avant tout sur les trois signes suivants :

- la respiration,
- la fréquence cardiaque,
- la coloration.

Vous déciderez si une étape est efficace en évaluant chacun de ces trois signes. Même si vous devez les évaluer simultanément, une fréquence cardiaque très basse sera le principal signe pour déterminer s'il faut passer à l'étape suivante. Ce processus d'évaluation, de décision, puis d'intervention est repris fréquemment tout au long de la réanimation.

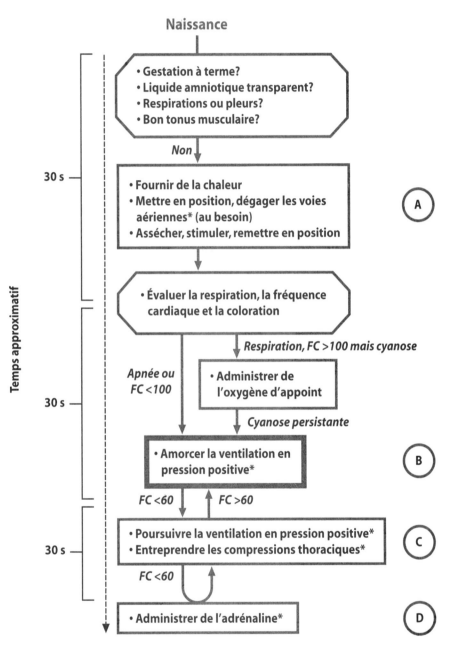

Naissance

- Gestation à terme?
- Liquide amniotique transparent?
- Respirations ou pleurs?
- Bon tonus musculaire?

Non

- Fournir de la chaleur
- Mettre en position, dégager les voies aériennes* (au besoin)
- Assécher, stimuler, remettre en position

A

- Évaluer la respiration, la fréquence cardiaque et la coloration

Respiration, FC >100 mais cyanose

Apnée ou FC <100

- Administrer de l'oxygène d'appoint

Cyanose persistante

- Amorcer la ventilation en pression positive*

B

FC <60 | *FC >60*

- Poursuivre la ventilation en pression positive*
- Entreprendre les compressions thoraciques*

C

FC <60

- Administrer de l'adrénaline*

D

30 s / *30 s* / *30 s*

Temps approximatif

* L'intubation trachéale peut être envisagée à diverses étapes.

Pourquoi l'indice d'Apgar n'est-il *pas* utilisé pour orienter la réanimation?

L'indice d'Apgar est une méthode de quantification objective de l'état du nouveau-né. Il transmet de l'information utile sur l'état général du nouveau-né et sur sa réaction aux manœuvres de réanimation. Cependant, il faut entreprendre la réanimation avant d'attribuer l'indice d'Apgar à une minute. C'est pourquoi *l'indice d'Apgar n'est pas utilisé pour établir s'il est nécessaire de procéder à la réanimation et pour sélectionner les mesures de réanimation nécessaires ou le moment de les entreprendre.* Les trois signes permettant de déterminer la manière et le moment de procéder à la réanimation (la respiration, la fréquence cardiaque et la coloration) font toutefois partie de l'indice d'Apgar. Deux autres éléments (le tonus musculaire et les réflexes à la stimulation) reflètent l'état neurologique du nouveau-né. Il convient de souligner que les valeurs de chaque élément de l'indice d'Apgar différeront si le bébé subit une réanimation. S'il y a lieu, il faut donc inscrire au dossier quelles mesures de réanimation sont effectuées à chaque nouveau calcul de l'indice d'Apgar.

D'ordinaire, l'indice d'Apgar est attribué à une minute et à cinq minutes de vie. Si, à cinq minutes de vie, l'indice est inférieur à sept, il faut reprendre le calcul toutes les cinq minutes pendant une période maximale de 20 minutes. Bien que l'indice d'Apgar ne soit pas un bon prédicteur de l'issue du bébé, la modification de l'indice à des moments séquentiels après la naissance peut refléter la qualité de la réaction du bébé aux efforts de réanimation. Les éléments de l'indice d'Apgar sont décrits à l'annexe de la présente leçon.

Comment se préparer à la réanimation?

À chaque accouchement, vous devriez être prêt à réanimer le nouveau-né, car le besoin d'intervention peut être tout à fait inattendu. C'est pour cette raison qu'au moins une personne compétente en réanimation néonatale devrait se consacrer exclusivement au nouveau-né. Il faudra faire appel à d'autre personnel si une réanimation plus complexe s'impose.

Grâce à un examen attentif des facteurs de risque, il est possible de dépister, avant l'accouchement, plus de la moitié des nouveau-nés qui auront besoin d'une réanimation. Si vous envisagez qu'un bébé aura besoin d'être réanimé, vous devez :

• exiger la présence de personnel compétent supplémentaire,
• préparer le matériel nécessaire.

Quels facteurs de risque sont liés au besoin de procéder à la réanimation néonatale?

Examinez cette liste de facteurs de risque.
Envisagez d'en afficher une copie à la salle de travail et à la salle d'accouchement.

Facteurs *antepartum*

Diabète gestationnel
Hypertension gestationnelle
Hypertension chronique
Anémie fœtale ou iso-immunisation
Antécédent de mortinaissance ou de décès néonatal
Saignements au cours du 2e ou du 3e trimestre
Infection chez la mère
Maladie cardiaque, rénale, pulmonaire, thyroïdienne ou neurologique chez la mère
Polyhydramnios
Oligoamnios
Rupture prématurée des membranes
Anasarque fœtoplacentaire

Naissance après terme
Grossesse multiple
Disproportion entre la durée de la grossesse et le poids prévu
Pharmacothérapie, p. ex. :
    magnésium
    bloqueurs adrénergiques
Consommation abusive d'alcool ou de drogues par la mère
Malformations ou anomalies fœtales
Mouvements fœtaux réduits
Absence de soins prénatals
Mère de moins de 16 ans ou de plus de 35 ans

Facteurs *intrapartum*

Césarienne d'urgence
Application de forceps ou d'une ventouse
Siège ou autre présentation anormale
Travail prématuré
Travail précipité
Chorioamnionite
Rupture prolongée des membranes (plus de 18 heures avant l'accouchement)
Travail prolongé (plus de 24 heures)
Deuxième stade du travail prolongé (plus de 2 heures)
Macrosomie

Bradycardie fœtale persistante
Fréquence cardiaque fœtale alarmante
Anesthésie générale
Hyperstimulation utérine
Administration de narcotiques à la mère dans les quatre heures précédant l'accouchement
Liquide amniotique méconial
Procidence du cordon
Décollement placentaire
Placenta praevia
Hémorragie *intrapartum*

Pourquoi le bébé prématuré est-il plus vulnérable?

Bon nombre des facteurs de risque peuvent favoriser une naissance avant 37 semaines de gestation. Les caractéristiques anatomiques et physiologiques du prématuré diffèrent considérablement de celles du bébé à terme. Elles s'établissent comme suit :

- Les poumons manquent de surfactant, ce qui peut compliquer la ventilation.
- Le cerveau est immature, ce qui peut réduire les efforts respiratoires.
- Les muscles sont faibles, ce qui peut compliquer la respiration spontanée.
- La peau est mince, le rapport entre la surface de la peau et la masse corporelle est élevé, ce qui contribue à une perte rapide de la chaleur.
- La probabilité d'infection à la naissance est plus élevée.
- Les vaisseaux sanguins du cerveau sont très fragiles et peuvent saigner en période de stress.
- La volémie est faible, ce qui rend le prématuré plus vulnérable à l'effet volémique de la perte sanguine.
- Les tissus immatures peuvent être plus facilement endommagés par une oxygénation excessive.

Ces caractéristiques, de même que d'autres aspects de la prématurité, devraient vous indiquer de planifier de l'aide supplémentaire en prévision d'un accouchement prématuré. Les détails et les précautions associés à la réanimation du prématuré seront présentés à la leçon 8.

Qui doit être présent à l'accouchement?

À chaque accouchement, au moins une personne capable d'amorcer une réanimation doit être disponible en tout temps pour se consacrer exclusivement au bébé. Cette personne ou un autre intervenant disponible devra posséder les compétences nécessaires pour effectuer une réanimation complète, y compris l'intubation trachéale et l'administration de médicaments. Il ne suffit pas que quelqu'un soit disponible sur appel (à la maison ou ailleurs dans l'hôpital) lorsque la réanimation du nouveau-né est prévue en salle d'accouchement. Si elle est nécessaire, il faudra l'entreprendre sans tarder.

Si on prévoit une naissance à haut risque et, par conséquent, une réanimation plus complexe, au moins deux personnes devront être présentes pour se consacrer exclusivement au bébé. L'une devra être pleinement compétente en réanimation et au moins une autre devra l'assister. Il faut pouvoir compter sur une « équipe de réanimation » dirigée par un chef désigné et dont chaque membre a un rôle défini. En cas de naissance multiple, il faut prévoir une équipe de réanimation par bébé.

Par exemple, en cas d'accouchement normal, une infirmière de la salle d'accouchement peut dégager les voies aériennes, assurer la stimulation tactile et évaluer la respiration et la fréquence cardiaque du nouveau-né. Si celui-ci ne réagit pas normalement, l'infirmière entreprend la ventilation en pression positive et demande de l'aide. Une autre personne l'aidera à évaluer l'efficacité de la ventilation. Un médecin ou une infirmière pleinement compétents en réanimation devra se trouver dans le voisinage, être disponible en tout temps pour pratiquer l'intubation trachéale, contribuer aux compressions thoraciques coordonnées à la ventilation et administrer des médicaments.

Si on prévoit une naissance à haut risque, la présence de deux, trois ou quatre personnes possédant divers degrés de compétence en réanimation pourrait s'imposer pendant l'accouchement. L'une d'elles, pleinement compétente en réanimation néonatale, sera le chef d'équipe et sera probablement responsable de mettre le bébé en position, de lui dégager les voies aériennes et de l'intuber, au besoin. Deux autres personnes l'aideront à mettre le bébé en position, à aspirer ses sécrétions, à l'assécher et à lui administrer de l'oxygène. Elles pourront lui administrer une ventilation en pression positive ou des compressions thoraciques, conformément aux directives du chef d'équipe. Une quatrième personne sera utile pour administrer les médicaments ou documenter la séquence des événements.

Il ne faut pas oublier que, pendant l'accouchement, le personnel est exposé à du sang et à des liquides organiques. La réanimation néonatale est très propice à la transmission d'agents infectieux. Il faut s'assurer que tout le personnel respecte les pratiques de base définies par la politique de l'hôpital et les règlements sur la santé et la sécurité au travail.

Quel matériel prévoir en salle d'accouchement?

Tout le matériel nécessaire à une réanimation complète, en bon état, doit se trouver dans la salle d'accouchement. Si on prévoit une naissance à haut risque, le matériel nécessaire doit être prêt à être utilisé. La liste complète du matériel de réanimation néonatale figure à l'annexe de la présente leçon.

Que faire après la réanimation?

L'état du bébé qui a été réanimé risque de se détériorer une fois ses signes vitaux devenus normaux. On a précisé plus tôt que plus la détresse du nouveau-né est prolongée, plus il lui faudra de temps pour réagir aux efforts de réanimation. Le PRN traite des trois types de soins postréanimation suivants :

Les soins de base : Près de 90 % des nouveau-nés sont des bébés vigoureux nés à terme, qui ne présentent aucun facteur de risque et dont le liquide amniotique est transparent. Ils n'ont pas besoin d'être séparés de leur mère après l'accouchement pour recevoir l'équivalent des étapes initiales de la réanimation. La thermorégulation peut être assurée par un contact direct du bébé sur la poitrine de sa mère, l'asséchage et l'emmaillotage dans une couverture sèche. Le contact direct avec la peau de la mère évite la perte de chaleur. Il est possible de dégager les voies aériennes supérieures du bébé, s'il en a besoin, en essuyant sa bouche et son nez. On peut ainsi procéder aux étapes initiales de la réanimation sous une forme modifiée, mais il faut assurer une observation constante de la respiration, de l'activité et de la coloration du bébé afin d'intervenir si la situation l'exige.

Les soins d'observation : Le bébé présentant des facteurs de risques *antepartum* ou *intrapartum*, qui a du méconium dans le liquide amniotique ou sur la peau, dont les efforts respiratoires sont faibles, dont l'activité est réduite et qui est cyanosé aura besoin d'un suivi plus étroit. Ces bébés devront être évalués et pris en charge sur une unité chauffante et recevoir les étapes initiales pertinentes. Ils risquent des complications reliées à leur détresse périnatale et doivent être évalués *fréquemment* pendant la période néonatale immédiate. Dans bien des cas, il faudra admettre le bébé dans une zone transitoire de l'unité néonatale, où l'accès au monitorage cardiorespiratoire est assuré et où il sera possible de vérifier souvent ses signes vitaux. Cependant, les parents devraient être autorisés et même encouragés à voir, à toucher et peut-être même à tenir leur bébé, selon son degré de stabilité.

Les soins postréanimation : Les bébés qui ont besoin d'une ventilation en pression positive ou d'une réanimation plus complexe peuvent avoir besoin de soins continus et sont très vulnérables à une détérioration récurrente de leur état ainsi qu'aux complications associées à une transition anormale. D'ordinaire, ces bébés doivent être traités dans un milieu où ils profiteront d'une évaluation et d'un monitorage constants. Il faudra peut-être les transférer à l'unité de soins intensifs néonatals. Les parents devraient profiter d'un accès facile à leur bébé. Les soins postréanimation seront détaillés à la leçon 7.

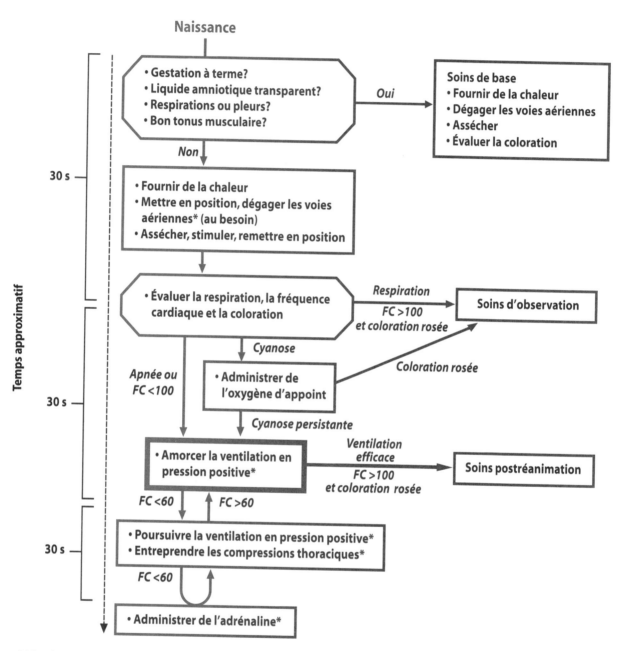

Naissance

- Gestation à terme?
- Liquide amniotique transparent?
- Respirations ou pleurs?
- Bon tonus musculaire?

Oui →

Soins de base
- Fournir de la chaleur
- Dégager les voies aériennes
- Assécher
- Évaluer la coloration

Non ↓

- Fournir de la chaleur
- Mettre en position, dégager les voies aériennes* (au besoin)
- Assécher, stimuler, remettre en position

- Évaluer la respiration, la fréquence cardiaque et la coloration

Respiration
FC >100 et coloration rosée → **Soins d'observation**

Cyanose ↓

- Administrer de l'oxygène d'appoint

Coloration rosée →

Apnée ou FC <100

Cyanose persistante ↓

- Amorcer la ventilation en pression positive*

Ventilation efficace
FC >100 et coloration rosée → **Soins postréanimation**

FC <60 | *FC >60*

- Poursuivre la ventilation en pression positive*
- Entreprendre les compressions thoraciques*

FC <60

- Administrer de l'adrénaline*

Temps approximatif

30 s

30 s

30 s

* L'intubation trachéale peut être envisagée à diverses étapes.

✔ **Révision**

(Les réponses figurent dans la section précédente et à la fin de la leçon.)

10. Remplir les parties manquantes de l'algorithme.

   A. Apnée ou fréquence cardiaque < _____

   B. Amorcer_____

   C. Fréquence cardiaque < _____

   D. Poursuivre la ventilation en pression positive et _____

   _____

   E. Fréquence cardiaque <_____

11. Il (faut) (ne faut pas) attendre les résultats de l'indice d'Apgar à une minute de vie pour entreprendre les manœuvres de réanimation.

12. La réanimation du prématuré peut poser des défis particuliers en raison :
   A. des vaisseaux sanguins cérébraux fragiles qui peuvent saigner.
   B. de poumons qui manquent de surfactant, ce qui complique la ventilation.
   C. d'un mauvais contrôle de la température.
   D. de la probabilité plus élevée d'infection.
   E. de toutes les réponses précédentes.

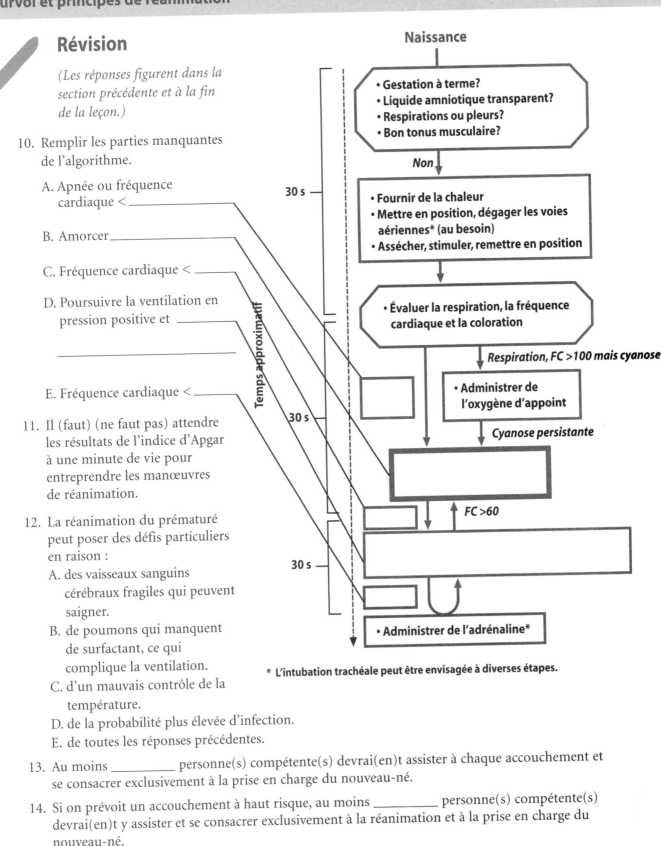

Naissance

- Gestation à terme?
- Liquide amniotique transparent?
- Respirations ou pleurs?
- Bon tonus musculaire?

Non

30 s

- Fournir de la chaleur
- Mettre en position, dégager les voies aériennes* (au besoin)
- Assécher, stimuler, remettre en position

- Évaluer la respiration, la fréquence cardiaque et la coloration

Respiration, FC >100 mais cyanose

- Administrer de l'oxygène d'appoint

Cyanose persistante

Temps approximatif

30 s

FC >60

30 s

- Administrer de l'adrénaline*

* L'intubation trachéale peut être envisagée à diverses étapes.

13. Au moins _____ personne(s) compétente(s) devrai(en)t assister à chaque accouchement et se consacrer exclusivement à la prise en charge du nouveau-né.

14. Si on prévoit un accouchement à haut risque, au moins _____ personne(s) compétente(s) devrai(en)t y assister et se consacrer exclusivement à la réanimation et à la prise en charge du nouveau-né.

15. Lorsqu'on prévoit l'accouchement d'un nouveau-né en détresse, le matériel de réanimation (doit) (ne doit pas) être prêt à être utilisé.

16. Une fillette qui baignait dans du liquide amniotique méconial et qui n'était pas vigoureuse à la naissance subit une aspiration trachéale de méconium. Elle se met à respirer et devient plus active. Elle devrait maintenant recevoir des soins (de base) (d'observation) (postréanimation).

Points à retenir

1. La plupart des nouveau-nés sont vigoureux. Environ 10 %
   seulement ont besoin d'une certaine aide, et seulement 1 % ont
   besoin d'interventions de réanimation majeures (intubation,
   compressions thoraciques ou administration de médicaments)
   pour survivre.

2. L'intervention la plus importante et la plus efficace en réanimation
   néonatale consiste à ventiler les poumons du bébé.

3. Une insuffisance de la ventilation pulmonaire du nouveau-né
   entraîne une constriction des artérioles pulmonaires qui empêche
   l'oxygénation du sang artériel systémique. L'insuffisance prolongée
   de l'irrigation sanguine et de l'oxygénation des organes du bébé
   peut entraîner une atteinte du cerveau et d'autres organes ou la
   mort.

4. Quand le fœtus ou le nouveau-né commence à manquer
   d'oxygène, les tentatives initiales de respiration rapide sont suivies
   par une période d'apnée primaire et une chute de la fréquence
   cardiaque, qui se rétabliront grâce à la stimulation tactile. Si la
   carence en oxygène se poursuit, le bébé entre en apnée secondaire,
   tandis que sa fréquence cardiaque et sa tension artérielle
   continuent de chuter. L'apnée secondaire ne cède pas à la
   stimulation tactile et exige le recours à la ventilation assistée.

5. L'amorce d'une ventilation en pression positive pendant l'apnée
   secondaire assure généralement une rapide amélioration de la
   fréquence cardiaque.

6. La majorité des réanimations néonatales peuvent être planifiées
   (mais pas toutes) grâce au dépistage des facteurs de risque
   antepartum et *intrapartum* associés à la réanimation néonatale.

7. Tous les nouveau-nés doivent subir une évaluation initiale pour
   déterminer s'ils ont besoin d'être réanimés.

8. Au moins une personne capable d'amorcer la réanimation doit
   assister à chaque accouchement pour se consacrer exclusivement
   au bébé. Cette personne ou un autre intervenant disponible en tout
   temps doit posséder les compétences nécessaires pour procéder
   à une réanimation complète. Lorsqu'une réanimation est prévue,
   d'autre personnel doit être présent dans la salle d'accouchement
   avant la naissance.

9. La réanimation doit être exécutée rapidement.
   • Au cours d'une étape, vous disposez d'une trentaine de secondes
     pour obtenir une réaction avant de décider s'il est nécessaire
     de passer à l'étape suivante.
   • L'évaluation et la prise de décision dépendent avant tout de
     la respiration, de la fréquence cardiaque et de la coloration.

Points à retenir — *suite*

10. Les étapes de la réanimation s'établissent comme suit :
    A. Étapes initiales
       - Fournir de la chaleur.
       - Mettre la tête en position et dégager les voies aériennes, au besoin.*
       - Assécher le bébé et le stimuler à respirer.
       - Évaluer sa respiration, sa fréquence cardiaque et sa coloration.
    B. Amorcer la ventilation en pression positive à l'aide d'un ballon de réanimation et d'oxygène d'appoint.*
    C. Entreprendre les compressions thoraciques tout en poursuivant la ventilation assistée.*
    D. Administrer de l'adrénaline tout en poursuivant la ventilation assistée et les compressions thoraciques.*

    * Envisager l'intubation trachéale lors de ces étapes.

Révision de la leçon 1

(Les réponses suivent.)

1. Environ _____ % des nouveau-nés ont besoin d'aide pour se mettre à respirer régulièrement.

2. Environ _____ % des nouveau-nés ont besoin de mesures de réanimation complexes pour survivre.

3. Les compressions thoraciques et l'administration de médicaments sont (rarement) (souvent) nécessaires pendant la réanimation des nouveau-nés.

4. Avant la naissance, les alvéoles pulmonaires du bébé sont (affaissées) (dilatées) et remplies (de liquide) (d'air).

5. L'air qui remplit les alvéoles du bébé pendant la transition normale renferme _____ % d'oxygène.

6. L'oxygène présent dans les poumons du bébé provoquera une (dilatation) (constriction) des artérioles pulmonaires afin que l'oxygène alvéolaire puisse être absorbé et distribué dans tous les organes.

7. Si un bébé ne se met pas à respirer par suite d'une stimulation, il faut conclure qu'il est en apnée _____ et procéder à _____.

8. Si un bébé manque d'oxygène et qu'il entre en apnée secondaire, sa fréquence cardiaque (augmentera) (chutera) et sa tension artérielle (augmentera) (chutera).

9. D'habitude, la reprise d'une ventilation suffisante assure une amélioration (lente) (rapide) (graduelle) de la fréquence cardiaque.

Révision de la leçon 1 — *suite*

10. Remplir les parties manquantes de l'algorithme.

    A. Apnée ou fréquence cardiaque < _____

    B. Amorcer _____

    C. Fréquence cardiaque < _____

    D. Poursuivre la ventilation en pression positive et _____

    _____

    E. Fréquence cardiaque < _____

11. Il (faut) (ne faut pas) attendre les résultats de l'indice d'Apgar à une minute de vie pour entreprendre les manœuvres de réanimation.

12. La réanimation du prématuré peut poser des défis particuliers en raison :
    A. des vaisseaux sanguins cérébraux fragiles qui peuvent saigner.
    B. de poumons qui manquent de surfactant, ce qui complique la ventilation.
    C. d'un mauvais contrôle de la température.
    D. de la probabilité plus élevée d'infection.
    E. de toutes les réponses précédentes.

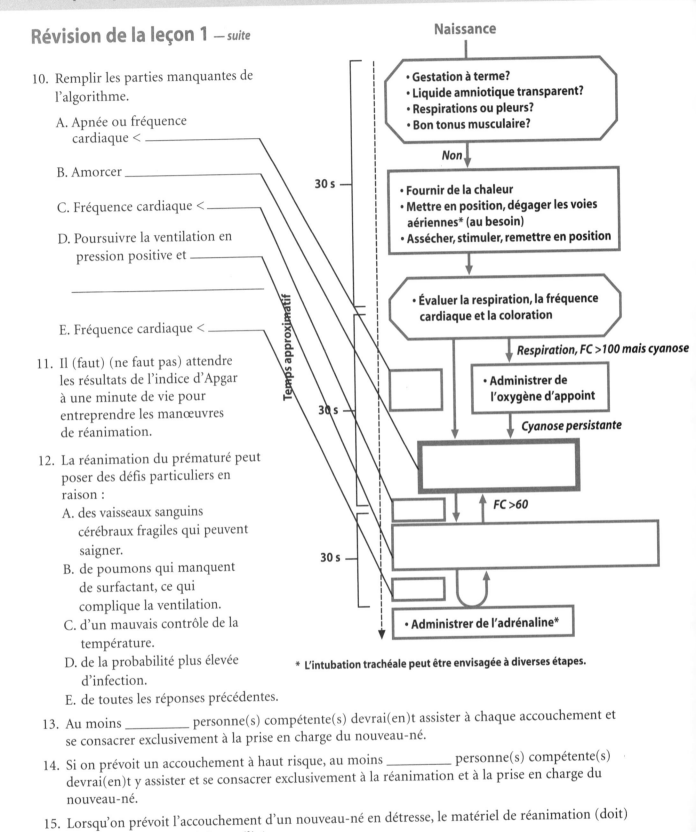

Naissance

- **Gestation à terme?**
- **Liquide amniotique transparent?**
- **Respirations ou pleurs?**
- **Bon tonus musculaire?**

Non

- **Fournir de la chaleur**
- **Mettre en position, dégager les voies aériennes* (au besoin)**
- **Assécher, stimuler, remettre en position**

- **Évaluer la respiration, la fréquence cardiaque et la coloration**

Respiration, FC >100 mais cyanose

- **Administrer de l'oxygène d'appoint**

Cyanose persistante

FC >60

- **Administrer de l'adrénaline***

Temps approximatif

30 s

30 s

30 s

* L'intubation trachéale peut être envisagée à diverses étapes.

13. Au moins _____ personne(s) compétente(s) devrai(en)t assister à chaque accouchement et se consacrer exclusivement à la prise en charge du nouveau-né.

14. Si on prévoit un accouchement à haut risque, au moins _____ personne(s) compétente(s) devrai(en)t y assister et se consacrer exclusivement à la réanimation et à la prise en charge du nouveau-né.

15. Lorsqu'on prévoit l'accouchement d'un nouveau-né en détresse, le matériel de réanimation (doit) (ne doit pas) être prêt à être utilisé.

16. Une fillette qui baignait dans du liquide amniotique méconial et qui n'était pas vigoureuse à la naissance subit une aspiration trachéale de méconium. Elle se met à respirer et devient plus active. Elle devrait maintenant recevoir des soins (de base) (d'observation) (postréanimation).

Réponses aux questions de la leçon 1

1. **10** %.

2. **1** %.

3. Les compressions thoraciques et l'administration de médicaments sont **rarement** nécessaires pendant la réanimation des nouveau-nés.

4. Avant la naissance, les alvéoles pulmonaires du bébé sont **dilatées** et remplies **de liquide**.

5. L'air qui remplit les alvéoles du bébé pendant la transition normale renferme **21 %** d'oxygène.

6. L'oxygène présent dans les poumons du bébé provoquera une **dilatation** des artérioles pulmonaires afin que l'oxygène alvéolaire puisse être absorbé et distribué dans tous les organes.

7. Il faut conclure qu'il est en apnée **secondaire** et procéder à **la ventilation en pression positive**.

8. La fréquence cardiaque du bébé **chutera**, et sa tension artérielle **chutera**.

9. D'habitude, la reprise d'une ventilation suffisante assure une amélioration **rapide** de la fréquence cardiaque.

10. A. Apnée ou fréquence cardiaque **<100 battements à la minute**.
    B. Amorcer **la ventilation en pression positive**.
    C. Fréquence cardiaque **<60 battements à la minute**.
    D. Poursuivre la ventilation en pression positive et **entreprendre les compressions thoraciques**.
    E. Fréquence cardiaque **<60 battements à la minute**.

11. Il **ne faut pas** attendre les résultats de l'indice d'Apgar à une minute de vie pour entreprendre les manœuvres de réanimation.

12. Les prématurés ont des vaisseaux sanguins cérébraux fragiles, des poumons immatures et un mauvais contrôle de la température et ils sont plus vulnérables aux infections. Par conséquent, **toutes les réponses précédentes** est la bonne réponse.

13. Au moins **une** personne compétente devrait assister à chaque accouchement.

14. Au moins **deux** personnes compétentes devraient assister à un accouchement à haut risque.

15. Le matériel **doit** être prêt à être utilisé si on prévoit que le nouveau-né sera en détresse à la naissance.

16. Puisque le bébé a subi une aspiration des voies aériennes, elle a besoin de soins **d'observation**.

Annexe

Fournitures et matériel nécessaires à la réanimation néonatale

Matériel d'aspiration

Poire d'aspiration
Appareil et tubulure pour aspiration mécanique
Cathéters d'aspiration de calibres 5F ou 6F, 8F, 10F, 12F ou 14F
Sonde pour gavage de calibre 8F et seringue de 20 mL
Aspirateur de méconium

Matériel de réanimation avec ballon et masque

Appareil pour effectuer la ventilation en pression positive, permettant d'administrer de l'oxygène à concentration de 90 % à 100 %
Masques pour nouveau-né et pour prématuré (à rebord coussiné, de préférence)
Source d'oxygène pourvue d'un débitmètre (débit maximal de 10 L/min) et tubulure

Matériel d'intubation

Laryngoscope muni de lames droites nº 0 (prématuré) et nº 1 (à terme)
Ampoules et piles de rechange pour le laryngoscope
Sondes trachéales d'un diamètre interne de 2,5 mm, 3,0 mm, 3,5 mm et 4,0 mm
Mandrin (facultatif)
Ciseaux
Adhésif ou dispositif de fixation de la sonde trachéale
Tampons d'alcool
Détecteur de CO_2 ou capnographe
Masque laryngé (facultatif)

Médicaments

Adrénaline à une concentration de 1:10 000 (0,1 mg/mL) — ampoules de 3 mL ou de 10 mL
Soluté cristalloïde isotonique (soluté physiologique ou lactacte Ringer) pour solution de remplissage — 100 mL ou 250 mL
Bicarbonate de sodium à 4,2 % (5 mEq/10 mL) — ampoules de 10 mL
Chlorhydrate de naloxone à 0,4 mg/mL — ampoules de 1 mL, ou à 1,0 mg/mL — ampoules de 2 mL
Solution de dextrose à 10 %, 250 mL
Soluté physiologique pour rinçage
Fournitures pour le cathétérisme du cordon ombilical
    Gants stériles
    Scalpel ou ciseaux
    Solution antiseptique
    Ruban à cordon
    Cathéters ombilicaux de calibre 3,5F et 5F
    Robinet à trois voies
Seringues de 1 mL, 3 mL, 5 mL, 10 mL, 20 mL et 50 mL
Aiguilles de calibre 25, 21 et 18 ou dispositif de ponction sans aiguille

Fournitures et matériel nécessaires à la réanimation néonatale — *suite*

Matériel divers

Gants et matériel de protection pertinent

Unité chauffante ou autre source de chaleur

Surface de réanimation ferme et capitonnée

Horloge avec aiguille des secondes (chronomètre facultatif)

Couvertures chaudes

Stéthoscope (de calibre néonatal, de préférence)

Adhésif de 1,25 cm ou 1,75 cm (1/2 po ou 3/4 po)

Moniteur cardiaque et électrodes ou saturomètre avec capteur (facultatif en salle d'accouchement)

Canules oropharyngées (calibres 0, 00 et 000 ou longueur de 30 mm, 40 mm et 50 mm)

Matériel destiné aux grands prématurés (facultatif)

Source d'air comprimé

Mélangeur d'oxygène pour mêler l'oxygène et l'air comprimé

Saturomètre avec capteur

Sac de plastique refermable de qualité alimentaire (3,75 L ou 1 gallon) ou pellicule plastique d'emballage

Coussin chauffant à activation chimique

Incubateur de transport pour conserver la température du bébé pendant le déplacement à l'unité néonatale

L'indice d'Apgar

L'indice d'Apgar décrit l'état du nouveau-né immédiatement après la naissance et, bien utilisé, il fournit un mécanisme standard pour consigner la transition entre la vie fœtale et la vie néonatale. Chacun des cinq signes reçoit une cote de 0, 1 ou 2. Ces cinq valeurs sont ensuite additionnées pour former l'indice d'Apgar. Les interventions de réanimation modifient les éléments de l'indice d'Apgar. C'est pourquoi les mesures de réanimation administrées au moment de l'attribution de l'indice doivent également être consignées. Le tableau suivant représente un modèle pour consigner l'indice d'Apgar et les manœuvres de réanimation après l'accouchement :

Âge gestationnel : _____ semaines

INDICE D'APGAR

SIGNE	0	1	2	1 minute	5 minutes	10 minutes	15 minutes	20 minutes
Coloration	Bleutée ou pâle	Acrocyanosée	Complètement rosée					
Fréquence cardiaque	Absente	<100 à la minute	>100 à la minute					
Réflexes à la stimulation	Absence de réaction	Grimace	Pleur ou retrait actif					
Tonus musculaire	Hypotonique	Certaine flexion	Mouvement actif					
Respiration	Absente	Pleur faible; hypoventilation	Bonne, pleur					
			TOTAL					

Commentaires :	Réanimation					
	Minutes	1	5	10	15	20
	Oxygène					
	Ventilation en pression positive et ventilation nasale spontanée en pression positive continue					
	Sonde trachéale					
	Compressions thoraciques					
	Adrénaline					

L'indice d'Apgar devrait être attribué à une minute et à cinq minutes de vie. Si, à cinq minutes de vie, l'indice est inférieur à sept, il faut reprendre l'indice d'Apgar toutes les cinq minutes pendant une période maximale de 20 minutes. Ces indices ne doivent pas orienter les interventions de réanimation, et il ne faut pas attendre l'indice d'Apgar à une minute pour entreprendre les étapes initiales auprès des nourrissons en détresse. Les indices doivent être consignés dans le dossier médical du bébé. Le relevé complet des événements survenus pendant la réanimation doit également inclure une description narrative des interventions pratiquées.

Les étapes initiales de la réanimation

Les notions suivantes sont abordées dans la leçon 2 :

- **Établir si un nouveau-né a besoin d'être réanimé**
- **Dégager les voies aériennes et prodiguer les étapes initiales de la réanimation**
- **Réanimer un nouveau-né en présence de méconium**
- **Administrer de l'oxygène à débit libre, au besoin**

Les deux cas ci-dessous illustrent l'utilisation possible des étapes initiales de l'évaluation et de la réanimation. À la lecture de chaque cas, imaginez-vous au sein de l'équipe de réanimation. Les étapes initiales sont détaillées dans le reste de la leçon.

Cas 1.
Une naissance sans problème

Une femme de 24 ans arrive à l'hôpital en travail actif. La grossesse est à terme, la rupture des membranes remonte à une heure et le liquide amniotique est transparent. Le col de l'utérus se dilate progressivement et, au bout de quelques heures, une petite fille naît par voie vaginale, en présentation céphalique.

Le cordon est pincé, puis coupé. On enlève les sécrétions transparentes contenues dans la bouche et le nez du bébé, qui commence à pleurer pendant qu'on l'assèche à l'aide d'une serviette chaude.

La fillette prend rapidement une coloration rosée, et son tonus musculaire est satisfaisant. On la dépose sur le ventre de sa mère pour la maintenir au chaud et pour qu'elle termine la transition à la vie extra-utérine.

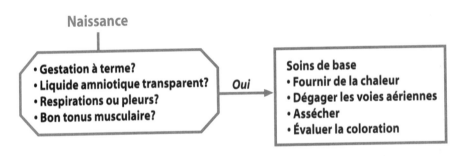

Naissance

- Gestation à terme?
- Liquide amniotique transparent?
- Respirations ou pleurs?
- Bon tonus musculaire?

Oui

Soins de base
- Fournir de la chaleur
- Dégager les voies aériennes
- Assécher
- Évaluer la coloration

Cas 2.
La réanimation d'un bébé en présence de méconium

Une femme multipare, à terme, arrive à l'hôpital en début de travail. Peu après son arrivée, ses membranes se rompent, et on observe du méconium épais semblable à de la « soupe aux pois » dans le liquide amniotique. Le monitorage de la fréquence cardiaque fœtale révèle des décélérations cardiaques tardives occasionnelles. On décide de poursuivre l'accouchement par voie vaginale.

À la naissance, le bébé manque de tonus, fait peu d'efforts respiratoires et présente une cyanose centrale. Il est déposé sur l'unité chauffante pendant qu'on retire le méconium de son oropharynx à l'aide d'un cathéter d'aspiration de gros calibre. On l'intube, puis on aspire le contenu de la sonde trachéale tout en la retirant lentement de la trachée, sans pour autant récupérer de méconium. Le bébé continue de faire peu d'efforts respiratoires.

On assèche ensuite le bébé à l'aide d'une serviette chaude. On stimule sa respiration en lui donnant des chiquenaudes sur la plante des pieds tout en remettant sa tête en position pour ouvrir ses voies aériennes. Le bébé se met immédiatement à respirer de manière plus efficace, et sa fréquence cardiaque dépasse les 120 battements à la minute (battements/min). Parce qu'il demeure cyanosé, on place un masque à oxygène près de son visage pour lui administrer de l'oxygène 100 %.

À la dixième minute de vie, le bébé respire régulièrement. On retire graduellement l'oxygène d'appoint. La fréquence cardiaque du bébé est de 150 battements/min, et sa coloration demeure rosée, sans oxygène d'appoint. Au bout de quelques minutes, il est déposé sur le ventre de sa mère pour poursuivre la transition à la vie extra-utérine. On continue à surveiller étroitement ses signes vitaux et son activité afin de s'assurer que son état ne se détériore pas.

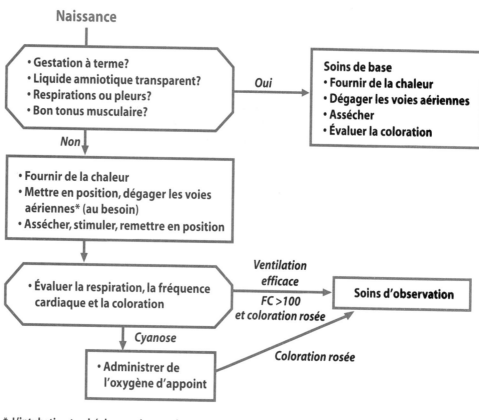

Naissance

- Gestation à terme?
- Liquide amniotique transparent?
- Respirations ou pleurs?
- Bon tonus musculaire?

Oui →

Soins de base
- Fournir de la chaleur
- Dégager les voies aériennes
- Assécher
- Évaluer la coloration

Non ↓

- Fournir de la chaleur
- Mettre en position, dégager les voies aériennes* (au besoin)
- Assécher, stimuler, remettre en position

↓

- Évaluer la respiration, la fréquence cardiaque et la coloration

Ventilation efficace FC >100 et coloration rosée → **Soins d'observation**

↓ *Cyanose*

- Administrer de l'oxygène d'appoint

Coloration rosée →

* L'intubation trachéale peut être envisagée à cette étape pour dégager le méconium de la trachée.

Comment déterminer si le bébé a besoin d'être réanimé?

- Gestation à terme?
- Liquide amniotique transparent?
- Respirations ou pleurs?
- Bon tonus musculaire?

• *Le bébé est-il à terme?*

Bien que plus de 90 % des bébés effectuent la transition à la vie extra-utérine sans aide, la majorité de ces bébés naissent à terme. Si le bébé est prématuré, la possibilité qu'il ait besoin d'une certaine réanimation augmente considérablement. Par exemple, les poumons des prématurés sont plus susceptibles d'être rigides et sous-développés. Les prématurés peuvent être dépourvus de la force musculaire nécessaire pour faire de solides efforts respiratoires initiaux et sont moins en mesure de conserver leur température corporelle après la naissance. Ainsi, ils devraient être évalués, séparés de leur mère et recevoir les étapes initiales de la réanimation sur une unité chauffante. Si le bébé n'est que légèrement prématuré et que ses signes vitaux sont stables, il peut être déposé sur le ventre de sa mère au bout de quelques minutes pour terminer la transition à la vie extra-utérine. La prise en charge du prématuré instable sera abordée à la leçon 8.

• *Le liquide amniotique est-il transparent?*

C'est une question capitale. Le liquide amniotique doit être transparent, sans trace de méconium. Les bébés très stressés *in utero* expulsent souvent du méconium dans le liquide amniotique. En présence de méconium et d'un bébé peu vigoureux, il faut procéder à une intubation trachéale pour retirer le méconium de la trachée avant l'apparition des mouvements respiratoires. Si le liquide amniotique est transparent ou si le bébé est vigoureux malgré la présence de méconium, l'aspiration trachéale sera inutile. Il ne faut pas prendre plus de quelques secondes après la naissance pour évaluer la situation.

• *Le bébé respire-t-il ou pleure-t-il?*

La respiration du bébé devient évidente lorsqu'on observe ses mouvements thoraciques. Un cri vigoureux indique également que le bébé respire. Ne vous laissez toutefois pas berner par un bébé qui gaspe. Les gasps désignent de brèves secousses inspiratoires uniques ou saccadées, qui se produisent en présence d'hypoxie ou d'ischémie. Ils sont révélateurs d'une profonde dépression neurologique et respiratoire.

 D'ordinaire, les gasps témoignent d'un problème grave et exigent la même intervention que si le bébé ne faisait aucun effort respiratoire (apnée).

• *Le tonus musculaire est-il satisfaisant?*

Les bébés à terme et en santé doivent être actifs, et leurs quatre membres doivent être fléchis.

Quelles sont les étapes initiales et comment faut-il les effectuer?

Si le bébé est vigoureux et à terme, il est possible d'effectuer les étapes initiales de la réanimation sous une forme modifiée, telles qu'elles sont décrites dans la leçon 1 (page 1-18, à la rubrique « Les soins de base »).

Après avoir opté pour la réanimation, vous devez amorcer toutes les étapes initiales en quelques secondes. Bien qu'on parle d'étapes « initiales » et qu'elles soient pratiquées dans un ordre précis, il faut les poursuivre tout au long du processus de réanimation.

> **Les étapes initiales**
> - Fournir de la chaleur
> - Mettre en position, dégager les voies aériennes (au besoin)
> - Assécher, stimuler, remettre en position

• *Fournir de la chaleur.*

Il faut déposer le bébé sur une unité chauffante afin que l'équipe de réanimation puisse le manipuler facilement et que la chaleur par rayonnement réduise les pertes de chaleur (figure 2.1). Il ne faut pas enrouler le bébé dans des couvertures ou des serviettes, mais le laisser nu, pour qu'il soit bien visible et que la chaleur de l'unité chauffante l'atteigne.

• *Mettre en position, le cou en légère extension.*

Il faut **coucher** le bébé sur le dos ou le côté, la tête en position de reniflement, c'est-à-dire en légère extension. Ainsi, son pharynx postérieur, son larynx et sa trachée sont bien alignés, ce qui favorise le libre passage de l'air. La position idéale pour procéder à une ventilation assistée au ballon et masque ou à une intubation trachéale demeure sur le dos. Il faut relever le nez du bébé vers le haut pour le placer en position de reniflement.

Figure 2.1. Unité chauffante pour réanimer les nouveau-nés.

Il faut s'assurer d'éviter l'hyperextension ou la flexion du cou, car ces deux positions peuvent nuire au passage de l'air (figure 2.2).

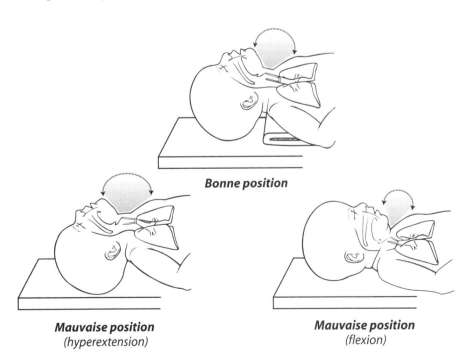

Bonne position

Mauvaise position
(hyperextension)

Mauvaise position
(flexion)

Figure 2.2. Bonne et mauvaises positions de la tête en vue de la réanimation.

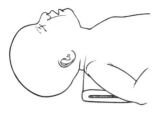

Figure 2.3. On peut placer un rouleau sous les épaules du bébé pour maintenir la position de reniflement.

Afin de maintenir la bonne position, vous pouvez placer une couverture ou une serviette roulée sous les épaules du bébé (figure 2.3). Ce rouleau peut être particulièrement utile si le bébé a l'occiput (arrière de la tête) proéminent à cause du modelage du crâne, de l'œdème ou de la prématurité.

• *Dégager les voies aériennes (au besoin).*

Après l'accouchement, le mode de dégagement des voies aériennes dépend :

1. de la présence de méconium,

2. du degré d'activité du nouveau-né.

Étudiez l'algorithme suivant pour comprendre comment aspirer le méconium des voies aériennes des nouveau-nés.

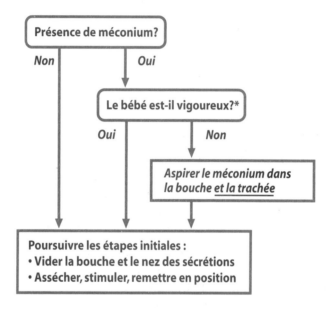

* Le terme vigoureux désigne des efforts respiratoires énergiques, un bon tonus musculaire et une fréquence cardiaque supérieure à 100 battements/min. La technique d'évaluation de la fréquence cardiaque est décrite plus tard au cours de la leçon.

Que faire en présence de méconium si le bébé n'*est pas* vigoureux?

Si le bébé dont le liquide amniotique contenait du méconium fait peu d'efforts respiratoires, manque de tonus musculaire ou a une fréquence cardiaque inférieure à 100 battements/min, il faut procéder à l'aspiration directe de la trachée immédiatement après sa naissance, avant l'apparition des mouvements respiratoires. Les étapes suivantes peuvent réduire le risque de syndrome d'aspiration méconiale, un très grave trouble respiratoire :

• Introduisez un laryngoscope et utilisez un cathéter d'aspiration de calibre 12F ou 14F pour nettoyer la bouche et le pharynx postérieur afin de bien voir la glotte (figure 2.4).

• Introduisez une sonde trachéale dans la trachée.

- Fixez la sonde trachéale à un appareil d'aspiration (un aspirateur spécial sera nécessaire) (figure 2.4).
- Procédez à l'aspiration tout en retirant lentement la sonde.
- Reprenez l'intervention, au besoin, jusqu'à ce qu'il ne reste à peu près plus de méconium ou que la fréquence cardiaque du bébé indique la nécessité d'une réanimation immédiate.

L'intubation trachéale et l'aspiration seront décrites à la leçon 5. Les personnes qui peuvent amorcer la réanimation mais qui ne procéderont pas à l'intubation doivent tout de même savoir prêter assistance aux autres intervenants pendant l'intubation trachéale. Ce rôle sera également expliqué à la leçon 5.

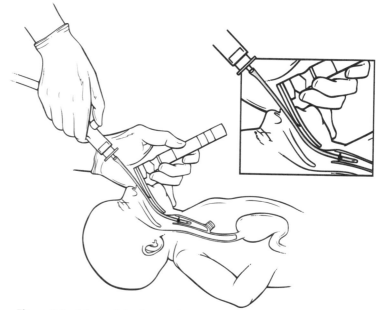

Figure 2.4. Il faut voir la glotte au laryngoscope avant d'aspirer le méconium contenu dans la trachée à l'aide d'une sonde trachéale (voir la leçon 5).

Remarque : Il a déjà été recommandé de procéder à l'aspiration trachéale selon l'épaisseur du méconium (épais ou liquide). Il peut être raisonnable de penser qu'un méconium épais est plus dangereux que s'il est liquide, mais aucune étude clinique ne justifie d'orienter les lignes directrices relatives à l'aspiration selon l'épaisseur du méconium.

Par ailleurs, on a déjà proposé plusieurs techniques pour éviter que le bébé aspire du méconium, telles que la compression du thorax, l'insertion d'un doigt dans la bouche du bébé ou l'occlusion externe des voies aériennes. Aucune de ces techniques n'a fait l'objet d'évaluations de recherche rigoureuses, et toutes peuvent blesser le bébé. Elles ne sont donc pas recommandées.

Que faire en présence de méconium si le bébé *est* vigoureux?

Si le bébé dont le liquide amniotique contenait du méconium fait des efforts respiratoires normaux, a un tonus musculaire normal et une fréquence cardiaque supérieure à 100 battements/min, une poire ou un cathéter d'aspiration de gros calibre suffit pour aspirer les sécrétions et le méconium de la bouche et du nez. Cette intervention est décrite dans la section suivante.

Révision

(Les réponses figurent dans la section précédente et à la fin de la leçon.)

1. Le nouveau-né à terme, qui n'a pas de trace de méconium sur la peau ou dans le liquide amniotique, qui respire bien et qui a un bon tonus musculaire (a) (n'a pas) besoin d'être réanimé.

2. Le nouveau-né dont le liquide amniotique contient du méconium et qui **n'est pas vigoureux** (a) (n'a pas) besoin de subir une aspiration à l'aide d'un laryngoscope et d'une sonde trachéale. Le nouveau-né dont le liquide amniotique contient du méconium et qui **est vigoureux** (a) (n'a pas) besoin de subir une aspiration à l'aide d'un laryngoscope et d'une sonde trachéale.

3. Au moment de décider si un bébé a besoin de subir une aspiration trachéale, quelles sont les trois caractéristiques qui définissent un bébé « vigoureux »?

   1) _____

   2) _____

   3) _____

4. Pour dégager le méconium contenu dans l'oropharynx avant d'insérer une sonde trachéale, il faut utiliser un cathéter d'aspiration de calibre _____F ou _____F.

5. Sur laquelle des illustrations suivantes le bébé est-il dans la bonne position avant l'aspiration?

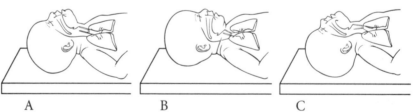

A   B   C

6. Un nouveau-né couvert de méconium respire bien, a un tonus musculaire normal, une fréquence cardiaque de 120 battements à la minute et une coloration rosée. Il faut :

   _____ introduire un laryngoscope et utiliser une sonde trachéale pour aspirer le contenu de sa trachée.

   _____ aspirer le contenu de sa bouche et de son nez à l'aide d'une poire ou d'un cathéter d'aspiration.

Comment dégager les voies aériennes en l'absence de méconium?

Pour enlever les sécrétions des voies aériennes, on peut essuyer le nez et la bouche du nouveau-né à l'aide d'une serviette ou utiliser une poire ou un cathéter d'aspiration. Si les sécrétions buccales du nouveau-né sont abondantes, tournez-lui la tête sur le côté. Elles s'accumuleront dans le creux de la joue, où il sera plus facile de les enlever.

Si du liquide semble bloquer les voies aériennes, utilisez une poire ou un cathéter d'aspiration fixé à un appareil d'aspiration mural. La pression d'aspiration doit alors être réglée pour que la lecture de la pression négative (vacuum) corresponde à environ 100 mmHg lorsque la tubulure est bloquée.

Il faut aspirer les sécrétions de la bouche avant celles du nez pour s'assurer que le nouveau-né n'ait rien à aspirer s'il gaspe pendant l'aspiration du nez. Vous pouvez vous rappeler que « la bouche vient avant le nez » en vous disant que, dans l'alphabet, la lettre « b » vient avant la lettre « n » (figure 2.5). Si les sécrétions de la bouche et du nez du nouveau-né ne sont pas enlevées avant qu'il se mette à respirer, elles risquent d'être aspirées dans la trachée et les poumons et de provoquer de graves troubles respiratoires.

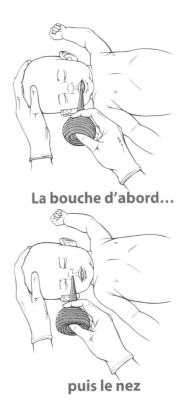

La bouche d'abord...

puis le nez

Figure 2.5. Aspirer d'abord le contenu de la bouche, puis du nez (la lettre « b » vient avant la lettre « n »).

> ❗ **Avertissement : Assurez-vous de ne pas procéder à une aspiration trop vigoureuse ou trop profonde, surtout si vous utilisez un cathéter. Si vous stimulez le pharynx postérieur pendant les quelques minutes suivant la naissance, vous risquez de provoquer une réaction vagale entraînant une bradycardie ou une apnée prononcées. D'ordinaire, une utilisation brève et modérée de la poire d'aspiration suffit pour enlever les sécrétions.**

En cas de bradycardie, il faut interrompre l'aspiration pour réévaluer la fréquence cardiaque.

L'aspiration, ajoutée au dégagement des voies aériennes afin de permettre le passage de l'air dans les poumons, entraîne aussi une certaine *stimulation*. Dans certains cas, cette stimulation suffit pour déclencher la respiration du nouveau-né.

Une fois les voies aériennes dégagées, que faire pour éviter la perte de chaleur et pour stimuler la respiration?

• *Assécher, stimuler la respiration, remettre en position.*
Souvent, le fait de mettre le bébé en position et d'aspirer ses sécrétions assurera une stimulation suffisante pour déclencher la respiration. L'assèchement du corps et de la tête procure également une stimulation et contribue à prévenir la perte de chaleur. Si deux personnes s'occupent du bébé, la deuxième peut l'assécher pendant que la première le met en position et dégage ses voies aériennes.

Lorsque vous vous préparez à une réanimation, vous devez vous munir de serviettes absorbantes et chaudes. Le bébé est d'abord déposé sur l'une de ces serviettes, qui absorbera la majeure partie des liquides. Il faut ensuite retirer la serviette et poursuivre l'assèchement et la stimulation avec d'autres serviettes propres et chaudes.

À compter du moment où vous asséchez le bébé, assurez-vous de lui maintenir la tête en position de reniflement pour que ses voies aériennes demeurent dégagées (figure 2.6).

Bien assécher.

Retirer les serviettes mouillées.

Remettre la tête en position.

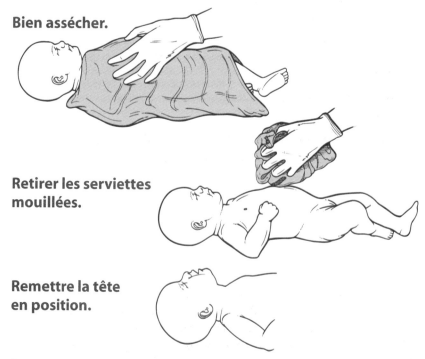

Figure 2.6. Assécher le bébé et retirer les serviettes mouillées pour éviter la perte de chaleur, puis lui remettre la tête en position pour maintenir ses voies aériennes dégagées.

Quelles autres formes de stimulation peuvent aider le bébé à respirer?

Tant l'assèchement que l'aspiration stimulent le nouveau-né. Dans bien des cas, ces mesures suffisent pour favoriser les efforts respiratoires. Si le nouveau-né respire mal, il est possible de tenter *brièvement* d'utiliser d'autres formes de stimulation tactile pour favoriser les efforts respiratoires.

Il est important de connaître les bonnes méthodes de stimulation tactile. Celles-ci peuvent être utiles non seulement pour inciter un bébé à commencer à respirer pendant les étapes initiales de la réanimation, mais également pour favoriser la poursuite de la respiration après une ventilation en pression positive.

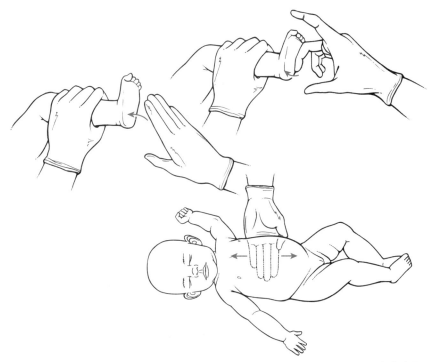

Figure 2.7. Méthodes acceptables pour stimuler les mouvements respiratoires du bébé.

Les formes de stimulation tactile convenables et sécuritaires du nouveau-né sont :

- de petites tapes ou des chiquenaudes sur la plante des pieds,
- une friction légère du dos, du tronc ou des membres (figure 2.7).

! **Une stimulation trop vigoureuse n'est d'aucun secours et peut même provoquer de graves blessures. Ne secouez pas le bébé.**

Souvenez-vous que si le nouveau-né est en apnée primaire, n'importe quelle forme de stimulation déclenchera les mouvements respiratoires. S'il est en apnée secondaire, aucune forme de stimulation ne sera efficace. Par conséquent, une ou deux tapes ou chiquenaudes sur la plante des pieds ou une ou deux frictions du dos devraient suffire. Si le nouveau-né demeure apnéique, il faut amorcer immédiatement la ventilation en pression positive, tel qu'il sera décrit à la leçon 3.

! **Vous perdrez un temps précieux si vous procédez à une stimulation tactile prolongée chez un nouveau-né qui ne respire pas. En cas d'apnée persistante, optez pour une ventilation en pression positive.**

Quelles formes de stimulation peuvent être dangereuses?

Certaines formes de stimulation tactile ont déjà été utilisées auprès des bébés apnéiques, mais elles peuvent les blesser. Elles sont donc à éviter.

Formes de stimulation dangereuses	Conséquences potentielles
Tapes dans le dos ou sur les fesses	Ecchymoses
Compression du thorax	Fractures, pneumothorax, détresse respiratoire, décès
Flexion forcée des cuisses sur l'abdomen	Rupture du foie ou de la rate
Dilatation du sphincter anal	Déchirure du sphincter anal
Compresses ou bain d'eau chaude ou froide	Hyperthermie, hypothermie, brûlures
Secousses	Lésions cérébrales

Révision

(Les réponses figurent dans la section précédente et à la fin de la leçon.)

7. Au moment d'aspirer le contenu du nez et de la bouche du bébé, il faut d'abord aspirer _____,
   puis _____.

8. Cochez les bonnes façons de stimuler un nouveau-né :

   _____ Tape sur le dos   _____ Tape sur la plante des pieds

   _____ Friction du dos   _____ Compression de la cage thoracique

9. Lorsqu'un bébé est en apnée secondaire, la stimulation seule (suffit) (ne suffit pas) à favoriser la respiration.

10. Un nouveau-né ne respire pas après quelques secondes de stimulation. La mesure suivante consiste à :

    _____ essayer d'autres formes de stimulation.

    _____ amorcer la ventilation en pression positive.

Que faire lorsque le bébé est réchauffé, mis en position, que ses voies aériennes sont dégagées, qu'il est asséché, stimulé et remis en position?

Évaluer l'état du nouveau-né

Vous devez ensuite évaluer l'état du nouveau-né pour établir si la poursuite de la réanimation s'impose. Vous devez évaluer certains signes vitaux :

• *La respiration*

L'excursion thoracique doit être régulière. Le rythme et la profondeur des respirations doivent également augmenter après une stimulation tactile de quelques secondes.

 Souvenez-vous que les gasps sont des respirations inefficaces, qui exigent le même type d'intervention que l'apnée.

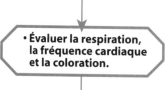

• Évaluer la respiration, la fréquence cardiaque et la coloration.

• *La fréquence cardiaque*

La fréquence cardiaque doit être supérieure à 100 battements/min. Le moyen le plus rapide et le plus simple de l'évaluer consiste à tâter le pouls à la base du cordon ombilical, au point d'insertion sur l'abdomen (figure 2.8). Il arrive cependant que les vaisseaux ombilicaux soient contractés au point que le pouls ne soit pas perceptible. Si vous n'arrivez pas à prendre le pouls, auscultez le battement cardiaque du côté gauche du thorax à l'aide d'un stéthoscope. Si vous sentez le pouls ou entendez le battement cardiaque, tapez-en le rythme sur le lit du bébé pour que les autres intervenants puissent en prendre connaissance.

Pour obtenir une évaluation rapide du nombre de battements à la minute, vous pouvez compter les battements pendant six secondes, puis multiplier le résultat par dix.

• *La coloration*

Le bébé doit avoir les lèvres et le tronc de couleur rosée. Une fois la fréquence cardiaque et la ventilation bien établies, il ne faut constater aucune *cyanose centrale*, qui serait indicatrice d'une hypoxémie.

Figure 2.8. Palpez la base du cordon et auscultez le bébé pour évaluer sa fréquence cardiaque.

Que faire en présence d'une respiration ou d'une fréquence cardiaque anormale?

! **La ventilation assistée est la mesure la plus importante et la plus efficace pour réanimer un nouveau-né en détresse.**

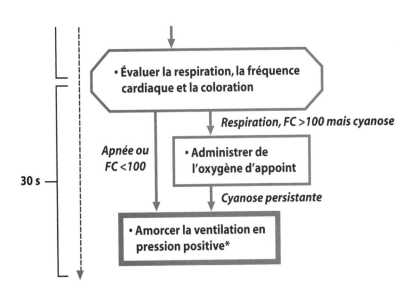

* L'intubation trachéale peut s'imposer si la ventilation en pression positive au masque n'est pas efficace.

Quel que soit le signe vital anormal, presque tous les nouveau-nés en détresse réagissent à l'amorce ou à l'amélioration de la ventilation. Prenez quelques instants pour réduire la perte de chaleur au minimum, dégager les voies aériennes et tenter de stimuler les mouvements respiratoires spontanés. Si le bébé demeure apnéique, vous devez ensuite assurer une ventilation assistée. Pour ce faire, vous appliquerez une ventilation en pression positive dans les voies aériennes à l'aide d'un ballon et d'un masque ou d'un insufflateur néonatal, tel qu'il sera décrit à la leçon 3.

Tout le processus de réanimation précédent ne doit pas dépasser 30 secondes (peut-être un peu plus s'il a fallu aspirer le méconium contenu dans la trachée).

! **Il est peu utile, sinon inutile, d'administrer de l'oxygène à débit libre ou de poursuivre la stimulation tactile chez un nouveau-né qui ne respire pas ou dont la fréquence cardiaque est inférieure à 100 battements/min, sans compter que ces mesures ne font que retarder l'amorce d'un traitement approprié.**

Que faire si le bébé respire mais qu'il présente une cyanose centrale?

La couleur de la peau d'un bébé qui passe du bleu au rose constitue l'indicateur le plus rapide et le plus visible d'une bonne respiration et d'une bonne circulation. Pour obtenir une évaluation optimale, on examine la partie centrale du corps. La cyanose provoquée par un manque d'oxygène dans le sang se manifeste par une coloration bleutée des lèvres, de la langue et du tronc. Il arrive que des nouveau-nés en santé souffrent de cyanose centrale, mais ils prennent une coloration rosée dans les quelques secondes suivant la naissance. Même les bébés qui deviendront très pigmentés sembleront « rosés » s'ils sont bien oxygénés après la naissance. L'acrocyanose, qui se définit par une coloration bleutée limitée aux mains et aux pieds, peut persister plus longtemps. D'ordinaire, une acrocyanose sans cyanose centrale n'indique pas un faible taux d'oxygène dans le sang du bébé et ne doit pas être traitée par l'administration d'oxygène. **Il ne faut intervenir qu'en cas de cyanose centrale.** À la page centrale A se trouvent des photos couleur d'un cas de cyanose centrale par rapport à un cas d'acrocyanose (figures A-2 et A-4).

> À la page A, au centre du livre, se trouvent des photos couleur de cas de cyanose centrale et d'acrocyanose.

Si le bébé respire mais est d'une coloration bleutée, il faut lui administrer de l'oxygène d'appoint. Il peut également être nécessaire d'administrer de l'oxygène d'appoint en cas de respiration assistée au ballon et au masque ou à l'insufflateur néonatal, tel qu'il sera décrit à la leçon 3.*

* **Remarque :** D'après certaines données probantes, la réanimation à l'aide d'air ambiant (oxygène 21 %) est tout aussi efficace que si on utilise de l'oxygène pur (oxygène 100 %). Toutefois, tant qu'on ne possédera pas plus de données probantes à cet effet, l'administration d'oxygène d'appoint dès qu'un bébé devant être réanimé est cyanosé ou qu'il a besoin de ventilation en pression positive pour obtenir une fréquence cardiaque normale continuera d'être la recommandation du programme de réanimation néonatale. Cette controverse sera approfondie aux leçons 3 et 8.

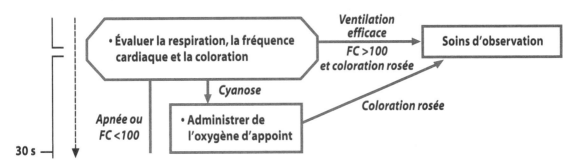

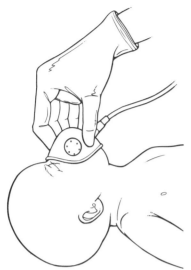

Figure 2.9. Le masque à oxygène est tenu près du visage du bébé, pour lui administrer de l'oxygène presque pur.

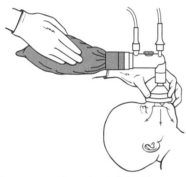

Figure 2.10. L'oxygène à débit libre est administré à l'aide d'un ballon d'anesthésie avec masque. Tenez le masque près du visage, mais pas au point de laisser la pression s'accumuler.

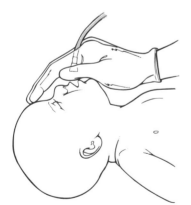

Figure 2.11. Oxygène administré au moyen d'une tubulure tenue dans la main arrondie au-dessus du visage du bébé.

• *Administrer de l'oxygène d'appoint.*

Il n'est pas toujours nécessaire d'administrer de l'oxygène d'appoint au début de la réanimation. Toutefois, il est possible de corriger la cyanose d'un bébé plus rapidement pendant la réanimation en lui administrant une forte concentration d'oxygène. L'oxygène en provenance de la tubulure de l'appareil mural ou portatif est pur. Lorsqu'il sort de la tubulure ou du masque, il se mélange à l'air ambiant, qui ne contient que 21 % d'oxygène. La concentration d'oxygène qui pénètre dans le nez du bébé est déterminée par la quantité d'oxygène pur qui sort de la tubulure ou du masque (d'ordinaire, au moins 5 L/min) et par la quantité d'air ambiant auquel il est mélangé avant d'atteindre le bébé. Plus le masque est près du visage, plus la concentration d'oxygène respiré par le bébé est élevée (figure 2.9).

L'oxygène à débit libre se traduit par l'insufflation d'oxygène au-dessus du nez du bébé afin qu'il respire de l'air enrichi en oxygène. Pour ce faire, on peut utiliser l'un des appareils suivants pendant une courte période :

• un masque à oxygène,

• un ballon d'anesthésie avec masque,

• un insufflateur néonatal,

• une tubulure à oxygène.

Le masque à oxygène, un ballon d'anesthésie avec masque ou un insufflateur néonatal, dont il sera question à la leçon 3, sont les meilleurs appareils pour administrer une forte concentration d'oxygène à débit libre. Quelle que soit la méthode utilisée, le masque doit être placé très près du visage, pour que l'oxygène administré soit le plus concentré possible, mais pas au point que la pression augmente dans le masque (figures 2.9 et 2.10).

 Il est impossible d'administrer de l'oxygène à débit libre de manière fiable au moyen d'un masque fixé à un ballon autogonflable (voir la leçon 3).

S'il n'y a pas de masque à portée de la main, placez un entonnoir ou mettez la main arrondie au-dessus de la bouche du bébé et autour de la tubulure à oxygène pour que l'oxygène demeure concentré lorsqu'il pénètre dans les voies aériennes du bébé (figure 2.11).

Si le bébé continue d'avoir besoin d'oxygène d'appoint, comment l'administrer?

Après la réanimation, lorsque vous avez stabilisé les mouvements respiratoires et la fréquence cardiaque et que vous avez établi que le nouveau-né a besoin d'oxygène d'appoint sur une base continue, vous devez déterminer la concentration d'oxygène nécessaire par saturométrie et gazométrie artérielle. Les prématurés sont particulièrement vulnérables aux lésions causées par un excès d'oxygène. À la leçon 8, vous découvrirez que l'oxygène mélangé et la saturométrie sont recommandés pour rajuster la concentration d'oxygène pendant la réanimation des bébés très prématurés.

L'oxygène comprimé en provenance d'un dispositif mural ou d'une bonbonne est très froid et très sec. Pour prévenir la perte de chaleur et l'assèchement des muqueuses respiratoires, il faut réchauffer et humidifier l'oxygène s'il est administré sur une longue période. Cependant, pendant la réanimation, on peut administrer de l'oxygène sec et froid pendant les quelques minutes nécessaires pour stabiliser l'état du nouveau-né.

Évitez d'administrer de l'oxygène froid et sec à fort débit (au-dessus d'environ 10 L/min), car la perte de chaleur par convection peut entraîner de graves problèmes. D'habitude, un débit de 5 L/min d'oxygène suffit pendant la réanimation.

Comment savoir quand arrêter d'administrer de l'oxygène?

Lorsque le nouveau-né ne présente plus de cyanose centrale, il faut retirer progressivement l'oxygène d'appoint conformément aux indications du saturomètre ou jusqu'à ce que la coloration du nouveau-né demeure rosée lorsqu'il respire l'air ambiant.

Les nouveau-nés qui deviennent cyanosés pendant le retrait de l'oxygène devraient continuer à recevoir de l'oxygène jusqu'à ce que leurs lèvres, leur langue et leur tronc perdent leur coloration bleutée. Il faut alors procéder à une gazométrie artérielle et à une saturométrie dans les plus brefs délais pour que la concentration d'oxygène sanguin soit rétablie dans la plage normale.

Si la cyanose persiste malgré l'administration d'oxygène à débit libre, le bébé souffre peut-être d'une grave maladie pulmonaire, et il peut être indiqué de tenter une ventilation en pression positive (voir la leçon 3). Si la ventilation est bien exécutée et que le bébé demeure cyanosé, il faut envisager un diagnostic de cardiopathie cyanogène congénitale ou d'hypertension pulmonaire persistante du nouveau-né (voir la leçon 7).

Révision

(Les réponses figurent dans la section précédente et à la fin de la leçon.)

11. Un nouveau-né respire mais est cyanosé. Quelles sont vos premières interventions?
    (Cochez toutes les réponses applicables.)

    _____ Déposer le bébé sur une unité chauffante.

    _____ Retirer toutes les serviettes mouillées.

    _____ Aspirer le contenu de sa bouche et de son nez.

    _____ Lui administrer de l'oxygène à débit libre.

    _____ L'assécher et le stimuler.

12. Parmi les illustrations suivantes, laquelle (lesquelles) correspond(ent) à la bonne manière d'administrer de l'oxygène à débit libre à un bébé cyanosé qui respire bien?

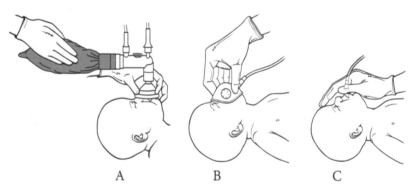

A   B   C

Points à retenir

1. En présence de méconium, si le bébé *n'est pas vigoureux*, il faut aspirer le contenu de la trachée avant de passer aux étapes suivantes. S'il *est vigoureux*, il faut aspirer seulement le contenu de la bouche et du nez avant de poursuivre la réanimation, au besoin.

2. Le terme « vigoureux » désigne un nouveau-né qui fait des efforts respiratoires énergiques, a un bon tonus musculaire et une fréquence cardiaque supérieure à 100 battements à la minute.

3. Pour dégager les voies aériennes, il faut placer le nouveau-né en position de reniflement.

4. Les formes de stimulation tactile convenables du nouveau-né sont :

   • de petites tapes ou des chiquenaudes sur la plante des pieds,

   • une friction légère du dos, du tronc ou des membres.

5. Vous perdrez un temps précieux si vous procédez à une stimulation tactile prolongée chez un nouveau-né apnéique. En cas d'apnée persistante, amorcez rapidement la ventilation en pression positive.

6. L'administration d'oxygène à débit libre est indiquée en cas de cyanose centrale. Les modes d'administration acceptables d'oxygène à débit libre sont :

   • un masque à oxygène maintenu très près du visage du bébé,

   • un masque fixé à un ballon d'anesthésie ou à un insufflateur néonatal placé près de la bouche et du nez du bébé,

   • une tubulure à oxygène tenue dans la main arrondie, au-dessus de la bouche et du nez du bébé.

7. Il est impossible d'administrer l'oxygène à débit libre de manière fiable au moyen d'un masque fixé à un ballon autogonflable.

8. Les décisions et les mesures prises pendant la réanimation du nouveau-né dépendent de :
   • sa respiration   • sa fréquence cardiaque   • sa coloration

9. Pour déterminer la fréquence cardiaque du nouveau-né, il suffit de compter le nombre de battements en six secondes, puis de multiplier le résultat par dix. Par exemple, si vous calculez huit battements en six secondes, vous pouvez annoncer une fréquence cardiaque de 80 battements à la minute.

Révision de la leçon 2

(Les réponses suivent.)

1. Le nouveau-né à terme, qui n'a pas de trace de méconium sur la peau ou dans le liquide amniotique, qui respire bien et qui a un bon tonus musculaire (a) (n'a pas) besoin d'être réanimé.

2. Le nouveau-né dont le liquide amniotique contient du méconium et qui **n'est pas vigoureux** (a) (n'a pas) besoin de subir une aspiration à l'aide d'un laryngoscope et d'une sonde trachéale. Le nouveau-né dont le liquide amniotique contient du méconium et qui **est vigoureux** (a) (n'a pas) besoin de subir une aspiration à l'aide d'un laryngoscope et d'une sonde trachéale.

3. Au moment de décider si un bébé a besoin de subir une aspiration trachéale, quelles sont les trois caractéristiques qui définissent un bébé « vigoureux »?

   1) _____

   2) _____

   3) _____

4. Pour dégager le méconium contenu dans l'oropharynx avant d'insérer une sonde trachéale, il faut utiliser un cathéter d'aspiration de calibre _____F ou _____F.

5. Sur laquelle des illustrations suivantes le bébé est-il dans la bonne position avant l'aspiration?

A   B   C

6. Un nouveau-né couvert de méconium respire bien, a un tonus musculaire normal, une fréquence cardiaque de 120 battements à la minute et une coloration rosée. Il faut :

   _____ introduire un laryngoscope et utiliser une sonde trachéale pour aspirer le contenu de sa trachée.

   _____ aspirer le contenu de sa bouche et de son nez à l'aide d'une poire ou d'un cathéter d'aspiration.

Révision de la leçon 2 — *suite*

7. Au moment d'aspirer le contenu du nez et de la bouche du bébé,
   il faut d'abord aspirer _____,
   puis _____.

8. Cochez les bonnes façons de stimuler un nouveau-né :

   _____ Tape sur le dos   _____ Tape sur la plante des pieds

   _____ Friction du dos   _____ Compression de la cage thoracique

9. Lorsqu'un bébé est en apnée secondaire, la stimulation seule
   (suffit) (ne suffit pas) à favoriser la respiration.

10. Un nouveau-né ne respire pas après quelques secondes de
    stimulation. La mesure suivante consiste à :

    _____ essayer d'autres formes de stimulation.

    _____ amorcer la ventilation en pression positive.

11. Un nouveau-né respire mais est cyanosé. Quelles sont vos
    premières interventions?
    (Cochez toutes les réponses applicables.)

    _____ Déposer le bébé sur une unité chauffante.

    _____ Retirer toutes les serviettes mouillées.

    _____ Aspirer le contenu de sa bouche et de son nez.

    _____ Lui administrer de l'oxygène à débit libre.

    _____ L'assécher et le stimuler.

12. Parmi les illustrations, laquelle (lesquelles) correspond(ent) à la
    bonne manière d'administrer de l'oxygène à débit libre à un bébé
    cyanosé qui respire bien?

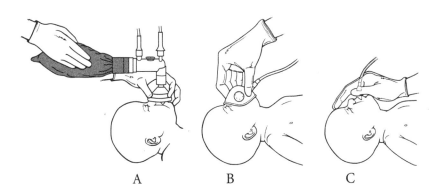

A   B   C

Révision de la leçon 2 — *suite*

13. S'il faut administrer de l'oxygène plus de quelques minutes, l'oxygène doit être _____ et _____.

14. Vous avez stimulé un nouveau-né et aspiré le contenu de sa bouche. La fillette est née depuis 30 secondes et demeure pâle et apnéique. Sa fréquence cardiaque est de 80 battements à la minute. La mesure suivante consiste à :

    _____ poursuivre la stimulation et administrer de l'oxygène à débit libre.

    _____ amorcer la ventilation en pression positive.

15. Vous mesurez la fréquence cardiaque du nouveau-né pendant six secondes et obtenez un résultat de six. Vous annoncez donc une fréquence cardiaque de _____.

Réponses aux questions de la leçon 2

1. Le nouveau-né **n'a pas** besoin d'être réanimé.

2. Le nouveau-né dont le liquide amniotique contient du méconium et qui n'est pas vigoureux **a** besoin de se faire introduire un laryngoscope et de subir une aspiration à l'aide d'une sonde trachéale. Le nouveau-né dont le liquide amniotique contient du méconium et qui est vigoureux **n'a pas** besoin de se faire introduire un laryngoscope et de subir une aspiration à l'aide d'une sonde trachéale.

3. Le terme vigoureux désigne 1) **des efforts respiratoires énergiques**, 2) **un bon tonus musculaire** et 3) **une fréquence cardiaque supérieure à 100 battements à la minute.**

4. Il faut utiliser un cathéter d'aspiration de calibre **12F** ou **14F** pour dégager le méconium.

5. La bonne position de la tête est illustrée en **A**.

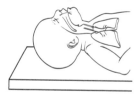

6. Puisque le nouveau-né est actif, il n'a pas besoin de subir d'aspiration trachéale, mais vous devez **aspirer le contenu de sa bouche et de son nez à l'aide d'une poire ou d'un cathéter d'aspiration.**

7. Commencez par aspirer le contenu de la **bouche**, puis celui du **nez**.

8. Stimulez le bébé en lui **tapant la plante des pieds** ou en lui **frottant le dos**.

9. La stimulation seule **ne suffit pas** à favoriser la respiration si le bébé est en apnée secondaire.

10. Si le bébé ne respire pas après la stimulation, amorcez une **ventilation en pression positive**.

11. **Toutes les interventions sont indiquées.**

12. **Toutes les illustrations sont bonnes.**

13. L'oxygène doit être **réchauffé** et **humidifié**.

14. Elle doit recevoir la **ventilation en pression positive.**

15. Si vous comptez six battements cardiaques en six secondes, vous devez annoncer une fréquence cardiaque de **60 battements à la minute** (6 x 10 = 60).

Feuille de contrôle de la performance

Leçon 2 — Les étapes initiales de la réanimation

Évaluateur : Le stagiaire doit être prié de commenter ses interventions tout au long du contrôle. Évaluez sa performance à chaque étape et cochez la case correspondante lorsque l'intervention est réussie. Si elle est ratée, encerclez la case pour en discuter plus tard avec lui. Vous devrez fournir de l'information sur l'état du bébé à plusieurs reprises au cours de l'évaluation.

Stagiaire : Pour réussir ce contrôle, vous devez effectuer toutes les étapes des interventions et prendre toutes les bonnes décisions. Vous devez commenter vos interventions tout au long du contrôle.

Matériel et fournitures

Mannequin de réanimation néonatale

Unité chauffante ou table pour simuler l'unité chauffante

Gants (il est possible d'en simuler la présence)

Poire ou cathéter d'aspiration

Stéthoscope

Serviette enroulée à mettre sous les épaules du nouveau-né

Serviette ou couverture pour assécher le nouveau-né

Ballon autogonflable
ou

Ballon d'anesthésie fixé à un manomètre et à une source d'oxygène
ou

Insufflateur néonatal

Débitmètre (il est possible d'en simuler la présence)

Masques (pour nouveau-né à terme et pour prématuré)

Appareil d'administration d'oxygène à débit libre (masque à oxygène, tubulure à oxygène, ballon d'anesthésie avec masque ou insufflateur néonatal)

Laryngoscope muni de lames

Cathéter d'aspiration

Sonde trachéale

Aspirateur à méconium

Horloge avec aiguille des secondes

Appareil d'aspiration mécanique et tubulure (il est possible d'en simuler la présence)

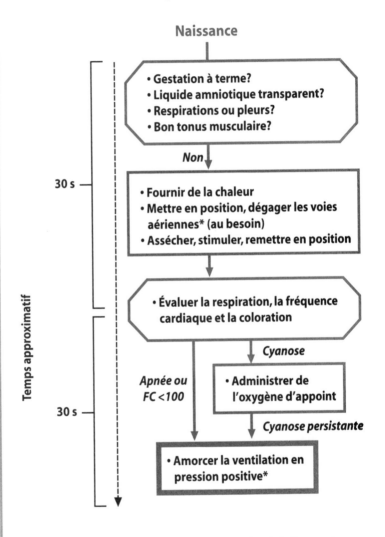

* L'intubation trachéale peut être envisagée à diverses étapes.

Feuille de contrôle de la performance

Leçon 2 — Les étapes initiales de la réanimation

Nom _____ Évaluateur _____ Date _____

Les questions de l'évaluateur sont entre guillemets. Les questions et les bonnes réponses du stagiaire sont en caractères gras. L'évaluateur doit cocher les cases à mesure que le stagiaire répond correctement aux questions.

« Un bébé vient tout juste de naître. Montrez-moi comment vous évaluez son état et quels soins vous lui prodiguez. Vous pouvez me poser toutes les questions qui vous intéressent sur l'état du nouveau-né à mesure que vous progressez. »

☐ **Le stagiaire demande si le bébé est né à terme.**

« Oui, le bébé est né à terme. »

☐ **Il évalue s'il y a du méconium sur la peau du bébé.**

« Oui, il y a du méconium. » | « Non, il n'y a pas de méconium. »

☐ **Il évalue si le bébé est vigoureux :**
- **Ses efforts respiratoires sont-ils énergiques?**
- **A-t-il un bon tonus musculaire?**
- **Sa fréquence cardiaque est-elle >100 battements/min?**

« Non. » (à l'une ou l'autre des questions) | « Oui. » (à toutes les questions)

☐ **Il annonce la nécessité d'une aspiration trachéale.**

☐ **Il évalue les autres éléments du bloc d'évaluation :**
- **Le bébé respire-t-il ou pleure-t-il?**
- **A-t-il un bon tonus musculaire?**

« Non. » (à l'une ou l'autre des questions) | « Oui. » (à toutes les questions)

☐ **Il annonce la nécessité de procéder aux étapes initiales de la réanimation.**

☐ **Il annonce que le bébé peut recevoir les soins de base :**
- **Maintenir le bébé au chaud.**
- **S'assurer que ses voies aériennes sont bien dégagées.**
- **L'assécher.**
- **Évaluer sa coloration.**

Feuille de contrôle de la performance — *suite*

Les étapes initiales de la réanimation

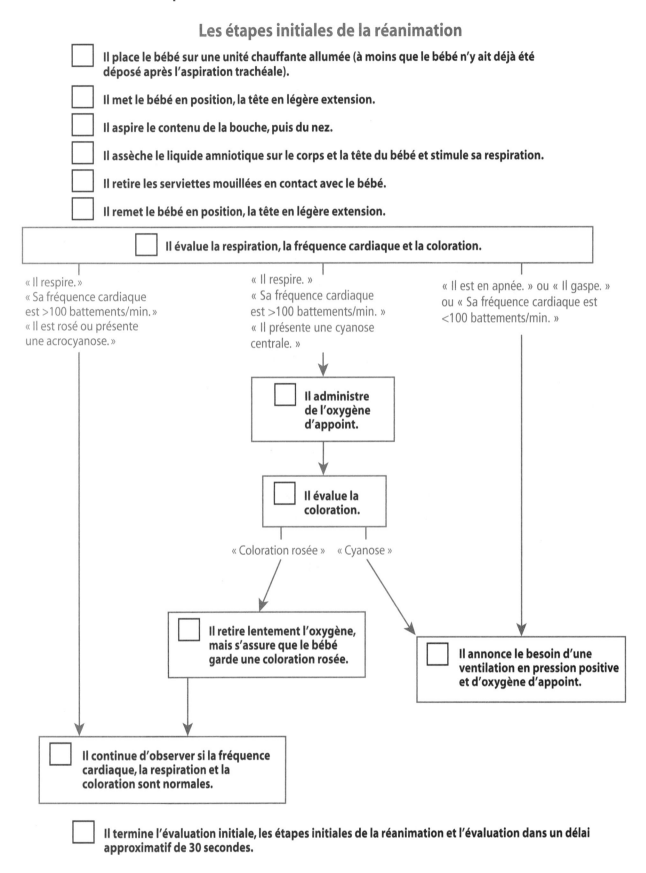

☐ Il place le bébé sur une unité chauffante allumée (à moins que le bébé n'y ait déjà été déposé après l'aspiration trachéale).

☐ Il met le bébé en position, la tête en légère extension.

☐ Il aspire le contenu de la bouche, puis du nez.

☐ Il assèche le liquide amniotique sur le corps et la tête du bébé et stimule sa respiration.

☐ Il retire les serviettes mouillées en contact avec le bébé.

☐ Il remet le bébé en position, la tête en légère extension.

☐ Il évalue la respiration, la fréquence cardiaque et la coloration.

« Il respire. »
« Sa fréquence cardiaque est >100 battements/min. »
« Il est rosé ou présente une acrocyanose. »

« Il respire. »
« Sa fréquence cardiaque est >100 battements/min. »
« Il présente une cyanose centrale. »

« Il est en apnée. » ou « Il gaspe. » ou « Sa fréquence cardiaque est <100 battements/min. »

☐ Il administre de l'oxygène d'appoint.

☐ Il évalue la coloration.

« Coloration rosée »   « Cyanose »

☐ Il retire lentement l'oxygène, mais s'assure que le bébé garde une coloration rosée.

☐ Il annonce le besoin d'une ventilation en pression positive et d'oxygène d'appoint.

☐ Il continue d'observer si la fréquence cardiaque, la respiration et la coloration sont normales.

☐ Il termine l'évaluation initiale, les étapes initiales de la réanimation et l'évaluation dans un délai approximatif de 30 secondes.

3

L'utilisation d'appareils de réanimation pour la ventilation en pression positive

Les notions suivantes sont abordées dans la leçon 3 :

- Quand pratiquer la ventilation en pression positive

- Les similarités et les différences entre le *ballon d'anesthésie*, le *ballon autogonflable* et l'*insufflateur néonatal*

- Le fonctionnement de chaque appareil de ventilation en pression positive

- L'application des masques sur le visage du nouveau-né

- La vérification et les défaillances des appareils de ventilation en pression positive

- L'évaluation de l'efficacité de la ventilation en pression positive

Le cas suivant illustre la manière de pratiquer la ventilation en pression positive pendant la réanimation. À la lecture du cas, imaginez-vous au sein de l'équipe de réanimation. La ventilation en pression positive est ensuite détaillée dans le reste de la leçon.

Cas 3.
Une réanimation avec ballon, masque et oxygène

À 37 semaines de gestation, on induit le travail d'une femme de 20 ans atteinte d'hypertension gravidique. Malgré plusieurs décélérations du cœur fœtal, le travail progresse rapidement, et un petit garçon a tôt fait de naître.

Le bébé est apnéique et sans tonus. Les membres de l'équipe de réanimation l'installent sur l'unité chauffante, placent sa tête en position pour dégager ses voies aériennes et aspirent les sécrétions de sa bouche et de son nez à l'aide d'une poire d'aspiration. L'un d'eux l'assèche avec des serviettes chaudes qu'il remplace dès qu'elles sont mouillées, remet sa tête en position et lui donne des chiquenaudes sur la plante des pieds pour le stimuler à respirer.

Le garçonnet ne se met pas à respirer spontanément malgré ces mesures de stimulation, et il présente une cyanose centrale. Un intervenant pratique une ventilation en pression positive au ballon et masque, à l'aide d'oxygène d'appoint. Un deuxième intervenant assiste le premier en évaluant la fréquence cardiaque et le murmure vésiculaire du bébé. La fréquence cardiaque est d'abord de 70 battements à la minute (battements/min), mais elle augmente avec la poursuite de la ventilation en pression positive.

Après une ventilation en pression positive de 30 secondes, le bébé demeure apnéique, mais sa fréquence cardiaque passe à 120 battements/min. Au bout de 30 secondes, il commence à respirer spontanément. La ventilation en pression positive est interrompue tandis que la respiration spontanée se normalise. L'oxygénation d'appoint est réduite graduellement, à mesure que la cyanose disparaît.

Quelques minutes après la naissance, le bébé respire régulièrement, sa fréquence cardiaque est de 150 battements/min et sa coloration demeure rosée sans oxygène d'appoint. On le montre à sa mère, qui est invitée à le toucher tandis qu'on lui explique la suite des soins. Après quelques minutes d'observation, le bébé est transporté à l'unité néonatale, où il recevra les soins postréanimation et où ses signes vitaux et son niveau d'activité seront surveillés de près afin de déceler toute détérioration de son état.

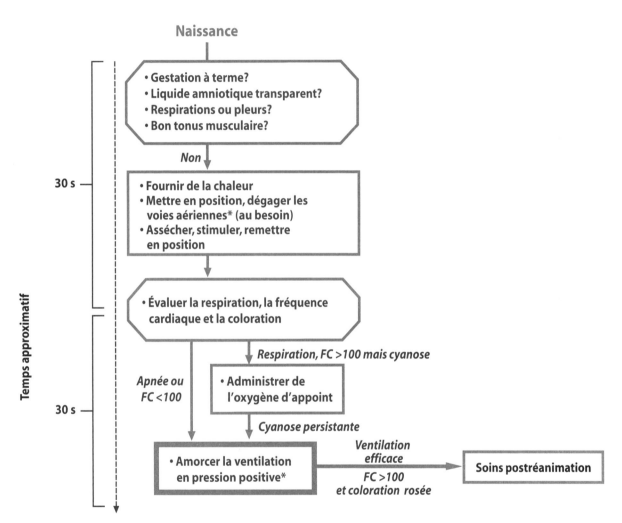

Naissance

- **Gestation à terme?**
- **Liquide amniotique transparent?**
- **Respirations ou pleurs?**
- **Bon tonus musculaire?**

Non

- **Fournir de la chaleur**
- **Mettre en position, dégager les voies aériennes* (au besoin)**
- **Assécher, stimuler, remettre en position**

- **Évaluer la respiration, la fréquence cardiaque et la coloration**

Respiration, FC >100 mais cyanose

- **Administrer de l'oxygène d'appoint**

Apnée ou FC <100

Cyanose persistante

- **Amorcer la ventilation en pression positive***

Ventilation efficace
FC >100 et coloration rosée

Soins postréanimation

Temps approximatif

30 s

30 s

* **L'intubation trachéale peut être envisagée à diverses étapes.**

Ce qui est abordé dans la présente leçon

Dans la présente leçon, vous apprendrez à préparer et à utiliser un ballon et un masque de réanimation ou un insufflateur néonatal pour pratiquer une ventilation en pression positive.

Dans la leçon 2, vous avez appris à déterminer en quelques secondes si le nouveau-né avait besoin d'une forme quelconque de réanimation et à effectuer les étapes initiales de la réanimation.

Au moment d'amorcer la réanimation, il faut réduire la perte de chaleur au minimum, mettre le bébé en position, dégager ses voies aériennes, le stimuler à respirer en l'asséchant tout en remettant sa tête en position, puis évaluer sa respiration, sa fréquence cardiaque et sa coloration. Si le bébé respire mais qu'il présente une cyanose centrale, vous lui administrez de l'oxygène à débit libre.

Si le bébé ne respire pas ou qu'il gaspe, que sa fréquence cardiaque est inférieure à 100 battements/min ou qu'il demeure cyanosé malgré l'oxygène d'appoint, l'étape suivante consiste à lui administrer une ventilation en pression positive.

> **!** La ventilation pulmonaire représente l'étape la plus importante et la plus efficace de la réanimation cardiopulmonaire du nouveau-né en détresse.

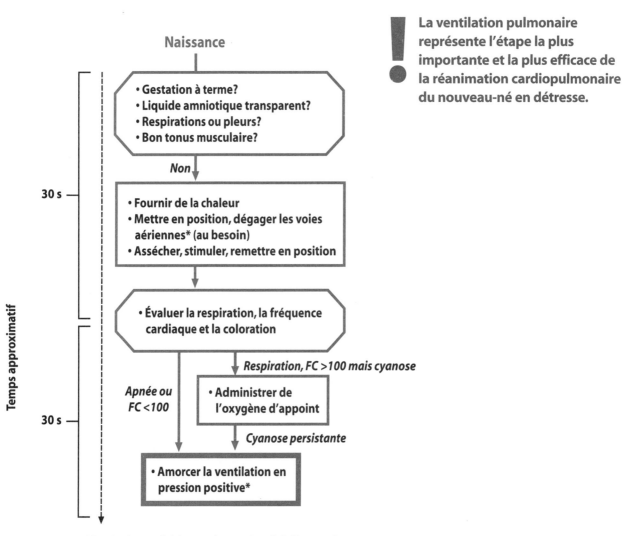

* L'intubation trachéale peut être envisagée à diverses étapes.

Quels sont les divers types d'appareils de réanimation utilisés pour ventiler les nouveau-nés?

Il existe trois types d'appareils pour ventiler les nouveau-nés. Chacun fonctionne de manière différente.

1. Après avoir été comprimé, le **ballon autogonflable** se remplit spontanément de gaz (d'oxygène, d'air ou d'un mélange des deux).

2. Le **ballon d'anesthésie** ne se remplit que lorsqu'il est raccordé à une source de gaz comprimé.

3. De même, l'**insufflateur néonatal** ne fonctionne que lorsqu'il est alimenté par une source de gaz comprimé. Le gaz s'échappe dans l'environnement ou est orienté vers le bébé grâce au blocage ou au déblocage de l'orifice d'une tubulure en T, avec le doigt ou le pouce.

Vérifiez le type d'appareil de réanimation dont dispose votre hôpital. Si c'est l'insufflateur néonatal qui est utilisé en salle d'accouchement, vous devrez tout de même apprendre le fonctionnement de celui des deux ballons utilisé à l'extérieur de la salle d'accouchement. Un ballon autogonflable devrait être conservé en réserve au cas où la source de gaz tombe en panne ou que l'insufflateur néonatal est défectueux. Toute l'information relative aux trois appareils figure à l'annexe de la présente leçon. Lisez les parties de l'annexe qui s'appliquent à l'appareil ou aux appareils utilisés dans votre hôpital.

Comme son nom l'indique, le **ballon autogonflable** se gonfle automatiquement, sans source de gaz comprimé (figure 3.1). Il demeure gonflé en tout temps, à moins d'être comprimé. La pression inspiratoire de pointe (PIP) est contrôlée par la force de compression appliquée ou transmise au ballon. Une pression expiratoire positive (PEP) peut être administrée seulement si une valve supplémentaire est raccordée au ballon autogonflable. Lorsque le patient respire spontanément, la pression positive continue (PPC) ne peut être administrée de manière efficace à l'aide du ballon autogonflable. (La PEP et la PPC seront abordées plus en détail à la leçon 8.)

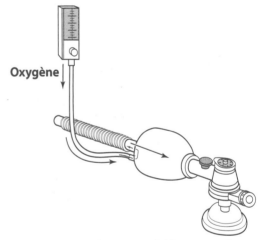

Oxygène

Figure 3.1. Le ballon autogonflable reste gonflé sans être raccordé à une source de gaz comprimé et sans que le masque soit posé hermétiquement sur le visage du bébé. Dans l'illustration, il est raccordé à une tubulure à oxygène puisqu'une oxygénation d'appoint est recommandée lorsqu'il faut pratiquer une ventilation en pression positive.

Lorsqu'il n'est pas utilisé, le ***ballon d'anesthésie*** est aplati comme un ballon dégonflé (figure 3.2). Il ne se gonfle que lorsqu'il est raccordé à une source de gaz et que son ouverture est bloquée, en plaçant le masque hermétiquement sur le visage du bébé, par exemple. La pression inspiratoire de pointe (PIP) est contrôlée par le débit du gaz entrant, le réglage de la valve de contrôle du débit et la force de compression du ballon. La pression expiratoire positive (PEP) (ou la PPC) est contrôlée par le réglage de la valve de contrôle du débit.

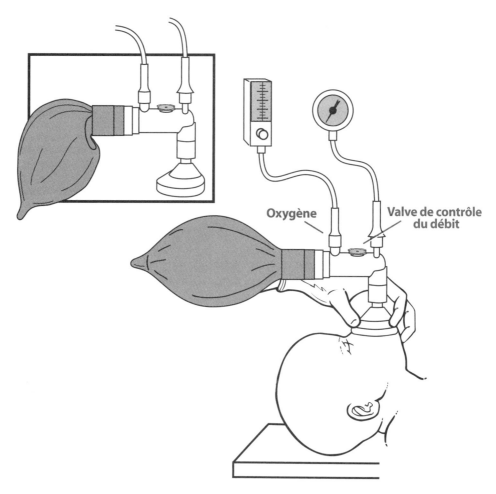

Figure 3.2. Le ballon d'anesthésie ne se gonfle que s'il est raccordé à une source de gaz comprimé et que le masque est posé hermétiquement sur le visage. Autrement, il demeure dégonflé (illustration en médaillon).

L'*insufflateur néonatal* (figure 3.3) est un appareil à débit contrôlé et à pression limitée. À l'instar du ballon d'anesthésie, il a besoin d'une source de gaz comprimé. Il est possible de régler manuellement la pression inspiratoire de pointe (PIP) et la pression expiratoire positive (PEP) (ou la PPC) à l'aide de commandes de réglage. Une pression inspiratoire intermittente est appliquée lorsque l'utilisateur bloque et débloque alternativement l'ouverture de l'appareil.

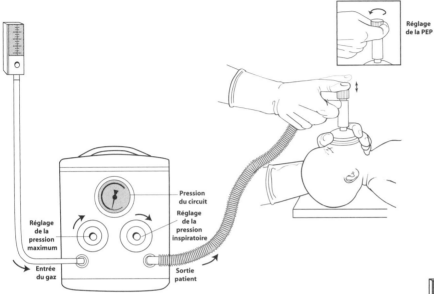

Réglage de la PEP

Pression du circuit

Réglage de la pression inspiratoire

Réglage de la pression maximum

Entrée du gaz

Sortie patient

Figure 3.3. Appareil à débit contrôlé et à pression limitée (insufflateur néonatal). La pression inspiratoire de pointe (PIP) et la pression expiratoire positive (PEP) sont réglées à l'aide des boutons de contrôle et sont appliquées par le blocage et le déblocage d'un bouchon situé au-dessus du masque.

Quels sont les avantages et les inconvénients de chaque appareil de ventilation assistée?

Le *ballon autogonflable* (figure 3.4) est plus utilisé que le ballon d'anesthésie en salle d'accouchement et dans les chariots de réanimation. On le trouve souvent plus facile à manipuler parce qu'il se remplit après avoir été comprimé, même s'il n'est pas raccordé à une source de gaz comprimé et que le masque n'est pas posé sur le visage du patient. Par contre, vous risquez de ne pas remarquer un manque d'étanchéité entre le masque et le visage du bébé. Cette étanchéité est essentielle pour que la pression exercée par la compression du ballon assure un débit de gaz efficace dans les poumons du bébé.

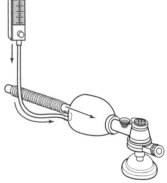

Figure 3.4. Ballon autogonflable.

Avantages
- Se remplit toujours après avoir été comprimé, même sans source de gaz comprimé.
- La valve de surpression réduit les risques d'hyperinflation des poumons.

Inconvénients
- Se gonfle même si le masque n'est pas posé hermétiquement sur le visage du bébé.
- Doit être raccordé à un réservoir à oxygène pour assurer une forte concentration d'oxygène.
- Ne constitue pas un moyen fiable d'administration d'oxygène à débit libre au masque.
- Ne peut être utilisé pour administrer une pression positive continue (PPC) et ne peut fournir une pression expiratoire positive (PEP) qu'avec l'ajout d'une valve de PEP.

Lorsque le ballon autogonflable n'est pas comprimé, le débit de gaz ou d'oxygène en provenance de la sortie patient dépend de la résistance relative et des fuites des valves du ballon. Même si le ballon autogonflable est raccordé à une source d'oxygène 100 %, la plus grande partie de l'oxygène s'échappe par l'arrière du ballon, et le volume d'oxygène insufflé au patient est imprévisible, à moins que le ballon soit comprimé. Par conséquent, tel qu'il est décrit à la leçon 2, le ballon autogonflable ne constitue pas une source fiable pour administrer de l'oxygène à débit libre à concentration de 100 %. De plus, il doit être raccordé à un réservoir à oxygène pour insuffler une forte concentration d'oxygène, même si le ballon est comprimé.

Certains néonatologistes recommandent d'administrer une PPC au bébé qui respire spontanément et une PEP au bébé qui reçoit une ventilation en pression positive, notamment s'il est prématuré (voir la leçon 8). La PPC ne peut être administrée avec efficacité à l'aide d'un ballon autogonflable, et la PEP ne peut l'être que si une valve de PEP spéciale y est raccordée.

Par mesure de sécurité, la plupart des ballons autogonflables sont dotés d'une valve de surpression qui limite la pression inspiratoire de pointe pouvant être appliquée. Les ballons autogonflables sans valve de surpression doivent être dotés d'un manomètre pour surveiller la pression inspiratoire de pointe.

Pour se gonfler, le ***ballon d'anesthésie*** (figure 3.5) doit être raccordé à une source de gaz comprimé. Lorsque le gaz pénètre dans l'appareil, il emprunte la voie de moindre résistance et s'échappe par la sortie patient ou pénètre dans le ballon. Pour que le ballon se gonfle, vous devez empêcher le gaz de s'échapper en posant le masque hermétiquement sur le visage du bébé. Ainsi, pendant la réanimation, le ballon ne se remplira pas tant que le débit de gaz ne sera pas établi et que le masque ne sera pas posé hermétiquement sur la bouche et le nez du bébé. En présence d'un gonflement partiel ou inexistant du ballon d'anesthésie, il faut envisager une mauvaise étanchéité entre le masque et le visage.

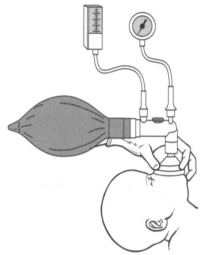

Figure 3.5. Ballon d'anesthésie.

Avantages
- Permet d'administrer de l'oxygène à concentration de 21 % à 100 %, selon la source.
- Permet de vérifier aisément si le masque est posé hermétiquement sur le visage du bébé.
- Peut être utilisé pour administrer de l'oxygène à débit libre à concentration de 21 % à 100 %.

Inconvénients
- Exige une parfaite étanchéité entre le masque et le visage du patient pour demeurer gonflé.
- Exige une source de gaz pour se gonfler.
- N'est généralement pas doté d'une valve de surpression.

De plus, puisque la concentration d'oxygène en provenance du ballon d'anesthésie est la même que celle qui y pénètre, le ballon d'anesthésie peut constituer une source d'administration fiable d'oxygène à débit libre à concentration de 21 % à 100 %.

Le ballon d'anesthésie a comme principal inconvénient d'exiger une plus grande dextérité pour être utilisé avec efficacité. De plus, comme il exige une source de gaz pour se gonfler, il arrive qu'il ne puisse être utilisé aussi rapidement en cas de réanimation imprévue.

Puisque la plupart des ballons d'anesthésie ne comportent pas de valve de sécurité, il faut suivre les fluctuations de la fréquence cardiaque, de la coloration et de l'excursion thoracique du bébé pour éviter une hyperinflation des poumons. De temps à autre, il est utile de vérifier le manomètre pour assurer la constance de chaque respiration assistée.

L'*insufflateur néonatal* (figure 3.6) comporte de nombreuses similarités avec le ballon d'anesthésie, mais est il muni d'un mécanisme de sécurité permettant de limiter mécaniquement la pression des voies aériennes. Comme le ballon d'anesthésie, l'insufflateur néonatal a besoin d'un débit de gaz provenant d'une source de gaz comprimé et est doté d'une valve de contrôle du débit pour régler la PPC ou la PEP. L'insufflateur néonatal exige également une parfaite étanchéité entre le masque et le visage du bébé et constitue une source fiable pour administrer de l'oxygène à débit libre à concentration de 21 % à 100 %. Il faut aussi un certain temps pour assembler l'appareil, mettre le débit de gaz en fonction et régler les limites de pression correctement pour répondre aux besoins prévus du nouveau-né.

L'insufflateur néonatal diffère toutefois du ballon d'anesthésie, car sa pression inspiratoire de pointe est réglée par commande mécanique plutôt que par la compression manuelle exercée sur le ballon. Il assure une pression plus constante, et l'intervenant ne risque pas de se fatiguer à force de comprimer le ballon. Le débit de gaz est insufflé au bébé ou libéré dans l'environnement lorsque le bouchon de PEP est alternativement bloqué et débloqué avec le doigt ou le pouce.

Figure 3.6. Insufflateur néonatal.

Avantages
- Pression constante.
- Contrôle fiable de la pression inspiratoire de pointe et de la pression expiratoire positive.
- Administration fiable d'oxygène 100 %.
- L'intervenant ne se fatigue pas à force de comprimer le ballon comme il le fait pendant la ventilation manuelle.

Inconvénients
- Exige un apport de gaz.
- Impossible de « ressentir » la compliance pulmonaire.
- Les pressions doivent être réglées avant l'usage.
- Il est plus difficile de modifier la pression pendant la réanimation.

Vous apprendrez à évaluer les principaux signes d'une ventilation en pression positive efficace : l'augmentation rapide de la fréquence cardiaque, l'amélioration de la coloration et du tonus musculaire, un murmure vésiculaire audible au stéthoscope et une excursion thoracique convenable. Si vous surveillez ces signes, vous serez en mesure d'administrer une ventilation en pression positive fort efficace à l'aide de l'un ou l'autre des appareils de ventilation en pression positive décrits dans la présente leçon.

> **Signes d'une ventilation en pression positive efficace**
>
> - **Augmentation rapide de la fréquence cardiaque**
> - **Amélioration de la coloration et du tonus musculaire**
> - **Murmure vésiculaire audible**
> - **Excursion thoracique**

Quelles sont les principales caractéristiques des appareils de réanimation utilisés pour ventiler les nouveau-nés?

Le matériel de ventilation doit être conçu expressément pour les nouveau-nés. Il faut également tenir compte des éléments suivants :

Masques de la bonne dimension

Des masques de diverses dimensions, adaptés aux bébés de différentes tailles, doivent être disponibles à chaque accouchement parce qu'il est difficile de déterminer avant la naissance la dimension à utiliser. Le masque doit couvrir le menton, la bouche et le nez, mais pas les yeux, et il doit être assez petit pour assurer une parfaite étanchéité sur le visage.

Capacité d'administrer diverses concentrations d'oxygène, pouvant atteindre 100 %

D'après les recommandations du programme, les bébés qui ont besoin d'une ventilation en pression positive à la naissance doivent d'abord recevoir une forte concentration d'oxygène. Pour y parvenir, il faut raccorder une source d'oxygène 100 % à un ballon autogonflable muni d'un réservoir à oxygène, un ballon d'anesthésie ou un insufflateur néonatal. Il est impossible d'administrer une forte concentration d'oxygène à l'aide d'un ballon autogonflable non raccordé à un réservoir. La concentration d'oxygène administrée aux prématurés et aux bébés qui ont besoin d'une ventilation assistée pendant plus de quelques minutes doit être réduite lorsque la coloration du bébé devient rosée ou que la saturation en oxygène se normalise. Il faut donc être en mesure de mêler l'oxygène et l'air, ce qui exige à la fois une source d'air comprimé et d'oxygène et le recours à un mélangeur d'oxygène pour fournir une concentration d'oxygène variable dans le ballon de réanimation ou l'insufflateur néonatal. Le recours à l'oxygène est décrit plus loin dans la leçon, tandis que le mélange d'oxygène et d'air sera décrit à la leçon 8.

Capacité de contrôler la pression de pointe, la pression expiratoire et le temps d'inspiration

Une ventilation efficace représente l'étape la plus importante de la réanimation des nouveau-nés. Le volume de pression positive requis dépend de l'état des poumons du nouveau-né. De plus, une pression positive excessive peut endommager les poumons. La pression expiratoire positive (PEP) (ou la PPC) peut être utile pour ventiler les bébés dont les poumons sont immatures, comme on le verra à la leçon 8. Le ballon autogonflable ne permet pas d'administrer une PEP sans l'ajout d'une valve de PEP spéciale. L'utilisation d'un manomètre peut permettre de mieux surveiller la pression de pointe et la pression expiratoire positive qui sont appliquées.

Le temps d'inspiration est l'un des facteurs qui contribuent au gonflement des poumons. Pour accroître le temps d'inspiration, il faut comprimer le ballon ou maintenir le doigt plus longtemps sur le bouchon de PEP de l'insufflateur néonatal. Il n'existe pas de recommandation sur le temps d'insufflation idéal pendant la réanimation.

Ballon de la bonne dimension

Le volume des ballons utilisés pour les nouveau-nés doit se situer entre 200 mL et 750 mL. Les nouveau-nés à terme n'ont besoin que d'un volume d'air de 15 mL à 25 mL par ventilation (5 mL/kg à 8 mL/kg). Avec les ballons de plus de 750 mL, conçus pour les enfants plus âgés et les adultes, il est difficile d'insuffler de si petits volumes. Par ailleurs, un ballon trop petit ne permet pas un temps d'insufflation prolongé.

Mécanismes de sécurité

Pour réduire au minimum les complications découlant d'une pression de ventilation trop élevée, les appareils de réanimation doivent être dotés de mécanismes de sécurité pour éviter l'utilisation involontaire d'une pression trop élevée. Ces mécanismes diffèrent selon l'appareil de réanimation.

Quels mécanismes de sécurité préviennent une pression excessive?

Vous raccordez l'appareil de réanimation à un masque qui sera posé hermétiquement sur le visage du bébé ou à une sonde introduite dans sa trachée. Quoi qu'il en soit, si vous procédez à une ventilation excessive (pression excessive ou rythme trop rapide), vous risquez une hyperinflation des poumons, les alvéoles peuvent se rompre et une fuite d'air peut survenir, tel un pneumothorax.

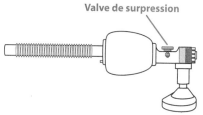

Figure 3.7. Ballon autogonflable muni d'une valve de surpression.

Le *ballon autogonflable* doit être pourvu d'une *valve de surpression* (figure 3.7), généralement réglée par le fabricant entre 30 cm d'eau et 40 cm d'eau. Si les pressions inspiratoires de pointe dépassent 30 cm d'eau à 40 cm d'eau, la valve s'ouvre et limite la pression d'air insufflée au nouveau-né. Le point d'ouverture de la valve de surpression peut varier considérablement selon le modèle et l'âge du ballon et selon la technique de nettoyage utilisée.

Il est possible de bloquer ou de contourner temporairement la valve de surpression de certains ballons autogonflables pour appliquer des pressions plus élevées au nouveau-né. En général, ce n'est pas nécessaire, mais certains bébés peuvent en avoir besoin si leurs poumons sont hypoventilés et que les pressions habituelles ne sont pas efficaces, surtout pendant les premières respirations. Il faut alors s'assurer de ne pas appliquer une pression excessive. De nombreux ballons autogonflables sont également munis d'un manomètre ou d'un point de raccordement du manomètre conçu pour vérifier la pression inspiratoire de pointe pendant la compression du ballon.

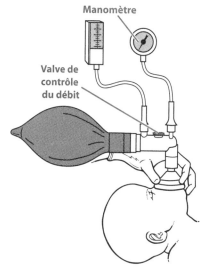

Figure 3.8. Ballon d'anesthésie muni d'une valve de contrôle du débit et d'un manomètre de pression.

Le *ballon d'anesthésie* est muni d'une valve de contrôle du débit (figure 3.8), qui peut être réglée pour appliquer la pression expiratoire positive voulue. Si la valve est mal réglée, vous risquez une hyperinflation des poumons du bébé par inadvertance. Le manomètre permet d'éviter les pressions excessives.

! Assurez-vous de raccorder le circuit d'alimentation en oxygène au bon point de raccordement, conformément aux consignes du fabricant. Si le circuit d'alimentation en oxygène est raccordé au manomètre par erreur, le bébé risque une pression de ventilation excessive.

L'*insufflateur néonatal* est muni de deux commandes pour régler la pression inspiratoire. Le réglage de la pression inspiratoire permet de régler la pression pendant une respiration assistée normale. Le réglage de la pression maximum est un mécanisme de sécurité qui empêche d'appliquer une pression supérieure à une valeur prédéterminée (généralement 40 cm d'eau, mais qui peut être réglable). Il est également possible d'éviter une pression excessive en observant le manomètre (figure 3.9).

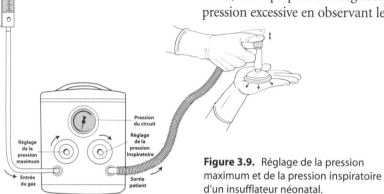

Figure 3.9. Réglage de la pression maximum et de la pression inspiratoire d'un insufflateur néonatal.

Tableau 3-1. Contrôle des limites respiratoires pendant la ventilation en pression positive à l'aide d'appareils de réanimation

Caractéristique	Ballon autogonflable	Ballon d'anesthésie	Insufflateur néonatal
Masques de la bonne dimension	Disponible	Disponible	Disponible
Concentration d'oxygène : • Capacité de 90 % à 100 % • Concentration variable	• Seulement avec un réservoir • Seulement avec un mélangeur et un réservoir • Sans réservoir, environ 40 % d'O_2 sont administrés	• Oui • Seulement avec un mélangeur	• Oui • Seulement avec un mélangeur
Pression inspiratoire de pointe	Force de compression mesurée par le manomètre facultatif	Force de compression mesurée par le manomètre	Pression inspiratoire de pointe déterminée par le réglage mécanique ajustable
Pression expiratoire positive (PEP)	Aucun réglage direct (à moins d'un raccordement à une valve de PEP facultative)	Réglage par valve de contrôle du débit	Réglage de la pression expiratoire positive
Temps d'inspiration	Durée de compression	Durée de compression	Durée de blocage du bouchon de PEP
Ballons de la bonne dimension	Disponible	Disponible	Non applicable
Mécanismes de sécurité	• Valve de surpression • Manomètre facultatif	• Manomètre	• Réglage de la pression maximum • Manomètre

Chacune de ces caractéristiques sera détaillée à l'annexe, dans la description de chaque appareil.

Révision

(Les réponses figurent dans la section précédente et à la fin de la leçon.)

1. Le ballon d'anesthésie (fonctionne) (ne fonctionne pas) s'il n'est pas raccordé à une source de gaz comprimé.

2. Un bébé naît apnéique et cyanosé. Vous dégagez ses voies aériennes et le stimulez. Trente secondes après la naissance, son état ne s'est pas amélioré. L'étape suivante consiste à (le stimuler davantage) (amorcer la ventilation en pression positive).

3. La (stimulation) (ventilation des poumons) est l'étape la plus importante et la plus efficace de la réanimation néonatale.

4. Classez les appareils suivants : « Ballon d'anesthésie », « Ballon autogonflable », « Insufflateur néonatal »

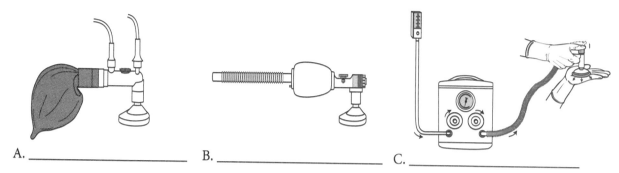

A. _____ B. _____ C. _____

5. Il (faut) (ne faut pas) avoir des masques de différentes dimensions à chaque accouchement.

6. Il faut raccorder le ballon autogonflable à _____ _____ pour pouvoir administrer de l'oxygène à concentration de 90 % à 100 %.

7. L'insufflateur néonatal (fonctionne) (ne fonctionne pas) s'il n'est pas raccordé à une source de gaz comprimé.

8. Le ballon de ventilation pour les nouveau-nés est (beaucoup plus petit) (de la même dimension) que celui pour adultes.

9. Indiquez le principal mécanisme de sécurité de chacun des appareils suivants :

   Ballon autogonflable : _____

   Ballon d'anesthésie : _____

   Insufflateur néonatal : _____

Quelle concentration d'oxygène administrer pour la ventilation en pression positive pendant la réanimation?

D'après les recommandations du présent programme, il faut administrer de l'oxygène d'appoint à concentration de 100 % pendant la ventilation en pression positive des bébés à terme. Par conséquent, si vous utilisez un ballon autogonflable, vous devez raccorder le ballon à une source d'oxygène et utiliser un réservoir à oxygène. Si vous utilisez un ballon d'anesthésie ou un insufflateur néonatal, vous devrez raccorder l'appareil à une source d'oxygène.

Selon plusieurs études récentes, la réanimation à l'aide d'oxygène 21 % (air ambiant) est tout aussi efficace que l'oxygène 100 % pendant la réanimation. De plus, d'après certaines données probantes, une exposition prolongée à l'oxygène 100 % pourrait être dommageable pendant et après la période d'asphyxie périnatale. Cependant, puisque l'asphyxie sous-tend une carence en oxygène dans les tissus de l'organisme et que la circulation sanguine dans les poumons augmente grâce à l'oxygénation, il existe une possibilité théorique que l'apport d'oxygène d'appoint pendant la réanimation assure une reprise plus rapide de l'oxygénation des tissus, que les dommages permanents aux tissus soient moins importants et que la circulation sanguine dans les poumons s'améliore.

Les données probantes disponibles sont insuffisantes pour résoudre la controverse. Certains cliniciens décident d'amorcer la réanimation avec une concentration d'oxygène inférieure à 100 %, y compris ceux qui n'utiliseront pas d'oxygène d'appoint pour commencer (ils recourront à l'air ambiant). D'après les données probantes, ces démarches sont raisonnables dans la plupart des cas, mais si un intervenant décide d'amorcer la réanimation avec l'air ambiant, il est recommandé qu'il passe à l'oxygène d'appoint, pouvant atteindre 100 %, s'il ne remarque aucune amélioration appréciable dans les 90 secondes suivant la naissance. Il est clairement établi que la priorité consiste à assurer une ventilation efficace. Par conséquent, si vous n'avez pas accès rapidement à de l'oxygène d'appoint, appliquez la pression positive avec l'air ambiant. La possibilité d'utiliser une concentration d'oxygène inférieure à 100 % pendant la réanimation des prématurés sera abordée à la leçon 8.

L'*American Academy of Pediatrics* (AAP) et l'*American Heart Association* (AHA) sont conscients de l'accumulation de données probantes à cet égard et appuient la possibilité d'utiliser une concentration d'oxygène d'appoint inférieure à celle qui est décrite ci-dessus. Cependant, tant que d'autres données n'auront pas fait preuve du contraire, la recommandation du programme de recourir à l'oxygène d'appoint tel qu'il est décrit dans le présent manuel est maintenue.

Peut-on administrer de l'oxygène à débit libre à l'aide d'un appareil de réanimation?

*Il est impossible d'administrer de l'oxygène à débit libre avec fiabilité par le masque d'un **ballon autogonflable** (figure 3.10).*

D'ordinaire, l'oxygène qui pénètre dans un ballon autogonflable est refoulé vers la prise d'air, puis dans le réservoir à oxygène qui y est raccordé, et est évacué par l'extrémité du réservoir ou par une valve raccordée au réservoir. Le volume d'oxygène que reçoit le patient dépend de la résistance relative des diverses valves. Il se peut donc que le patient ne reçoive de l'oxygène que si le ballon est comprimé. Si votre hôpital est doté de ballons autogonflables, vous devrez peut-être vous munir d'un deuxième appareil pour administrer de l'oxygène à débit libre, tel qu'il est expliqué à la leçon 2.

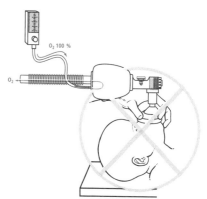

Figure 3.10. Le ballon autogonflable n'est pas une source fiable pour administrer de l'oxygène à débit libre à concentration de 100 %. Il faut comprimer le ballon pour administrer de l'oxygène à concentration de 90 % à 100 % en toute fiabilité.

*On peut utiliser un **ballon d'anesthésie** ou un **insufflateur néonatal** pour administrer de l'oxygène à débit libre (figure 3.11).*

Le masque n'est pas posé hermétiquement sur le visage, afin qu'une partie du gaz puisse s'échapper. S'il était posé hermétiquement, la pression s'accumulerait dans le ballon ou l'insufflateur néonatal et serait transmise aux poumons du nouveau-né sous forme de PPC ou de PEP (voir la leçon 8.) Le ballon ne doit pas se gonfler lorsqu'il est utilisé pour administrer de l'oxygène à débit libre. S'il se gonfle, c'est que le masque est posé hermétiquement sur le visage du bébé, qui reçoit alors une pression positive.

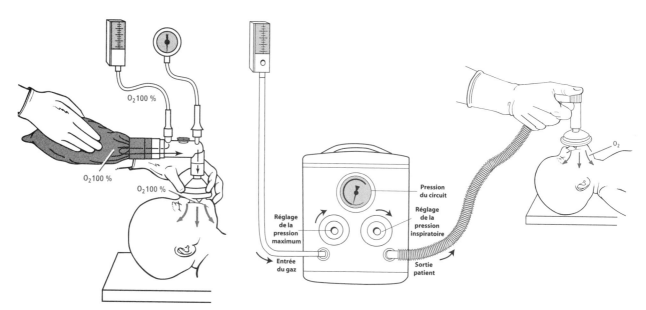

Figure 3.11. Oxygène à débit libre administré par un ballon d'anesthésie (à gauche) et par un insufflateur néonatal (à droite). Le masque n'est pas posé hermétiquement sur le visage.

Quelles caractéristiques rendent le masque efficace pour la ventilation du nouveau-né?

Les masques sont fabriqués dans des formes, des dimensions et des matériaux variés. Le choix d'un masque pour un nouveau-né dépend de l'ajustement du masque sur le visage du nouveau-né. S'il est bien choisi, le masque pourra être posé hermétiquement sur le visage du bébé.

Le masque de réanimation est doté d'un rebord **coussiné** ou **non coussiné**.

Le rebord du masque *coussiné* (figure 3.12) est fabriqué d'une matière souple et flexible, comme le caoutchouc mousse, ou est gonflé d'air. Le masque à rebord coussiné comporte plusieurs avantages par rapport au masque à rebord non coussiné.

- Le rebord s'adapte plus facilement à la forme du visage du nouveau-né et favorise une meilleure étanchéité entre le masque et le visage.
- La pression à exercer sur le visage du nouveau-né pour que le masque y soit posé hermétiquement est moins forte.
- Si le masque est mal placé, le risque de blessure aux yeux est moins élevé.

Certains masques n'ont pas de rebord souple et rembourré. D'habitude, leur rebord est très ferme et peut causer plusieurs problèmes :

- Il est plus difficile d'assurer l'étanchéité entre le masque et le visage parce que le rebord ne s'adapte pas à la forme du visage du bébé.
- S'il est mal placé, le masque peut provoquer des blessures aux yeux.
- S'il est maintenu trop fermement, le masque peut causer des ecchymoses sur le visage du nouveau-né.

Par ailleurs, il existe deux formes de masque : les masques ronds et les masques anatomiques (figure 3.13). Le masque anatomique s'adapte aux contours du visage. La partie la plus allongée du masque est conçue pour être posée sur le nez.

Enfin, les masques sont offerts en diverses dimensions. Il faut en posséder pour les grands prématurés tout autant que pour les bébés à terme.

Un masque de la bonne dimension couvre la pointe du menton, la bouche et le nez, mais pas les yeux (figure 3.14).

- S'il est trop grand, le masque risque de blesser les yeux et ne sera pas étanche.
- S'il est trop petit, le masque ne couvrira pas la bouche et le nez et risque même de boucher le nez.

Figure 3.12. Masques à rebord coussiné.

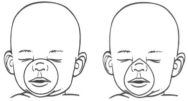

Figure 3.13. Masque rond (à gauche) et masque anatomique (à droite).

Bonne dimension
Couvre la bouche, le nez et le menton, mais pas les yeux

Mauvaise dimension
Trop grand : couvre les yeux et dépasse sous le menton

Mauvaise dimension
Trop petit : ne couvre pas bien le nez et la bouche

Figure 3.14. Masques de la bonne dimension (en haut) et de mauvaises dimensions.

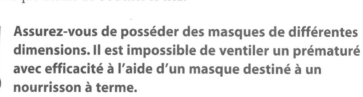

Assurez-vous de posséder des masques de différentes dimensions. Il est impossible de ventiler un prématuré avec efficacité à l'aide d'un masque destiné à un nourrisson à terme.

Comment préparer l'appareil de réanimation en prévision d'une réanimation?

L'assemblage du matériel

L'appareil de ventilation en pression positive devrait être assemblé et raccordé à un circuit d'alimentation en oxygène, de manière à fournir de l'oxygène à concentration de 90 % à 100 %, au besoin. Si vous utilisez un ballon autogonflable, assurez-vous d'y raccorder le réservoir à oxygène. Évaluez la taille du bébé à l'accouchement et assurez-vous d'avoir des masques de la bonne dimension. Vérifiez attentivement l'état des masques pour vous assurer que le rebord n'est pas fendillé ou défectueux. Avec chaque appareil de réanimation, un mélangeur d'oxygène et d'air facilite le réglage de l'oxygène après le début de la réanimation. Ce mélangeur n'est toutefois pas essentiel pour réanimer le nouveau-né.

La vérification du fonctionnement du matériel

Une fois le matériel sélectionné et assemblé, vérifiez l'appareil et le masque pour vous assurer qu'ils fonctionnent bien. Pour réussir une ventilation au masque, du matériel de pointe et un intervenant compétent ne suffisent pas. Le matériel doit aussi être en bon état. Les ballons fissurés ou percés, les valves collantes ou fendillées, les appareils qui fonctionnent mal et les masques défectueux sont à rejeter. Il faut vérifier le matériel avant chaque accouchement. L'intervenant doit le vérifier de nouveau juste avant de l'utiliser. Les divers éléments à vérifier dépendent de chacun des appareils, tel qu'il est décrit dans l'annexe relative à chacun d'eux.

 Familiarisez-vous avec les types d'appareils de réanimation que vous devez utiliser. Sachez comment les vérifier rapidement pour déterminer s'ils fonctionnent bien.

Révision

(Les réponses figurent dans la section précédente et à la fin de la leçon.)

10. De l'oxygène à débit libre peut être administré en toute fiabilité par le masque (du ballon d'anesthésie) (du ballon autogonflable) (de l'insufflateur néonatal).

11. Pour administrer de l'oxygène à débit libre à l'aide d'un ballon d'anesthésie, il faut poser le masque (hermétiquement sur le) (au-dessus du) visage du bébé afin que du gaz puisse s'échapper.

12. Lequel de ces masques est bien posé sur le visage du bébé?

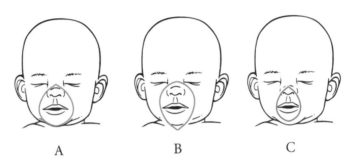

A   B   C

13. Si une réanimation est prévue, l'appareil de ventilation doit être raccordé à _____.

Que vérifier avant d'amorcer la ventilation en pression positive?

Choisissez un masque de la bonne dimension.

N'oubliez pas que le masque doit couvrir la bouche, le nez et la pointe du menton du bébé, mais pas ses yeux (figure 3.15).

Assurez-vous que les voies aériennes sont bien dégagées.

Vous pouvez aspirer le contenu de la bouche et du nez une nouvelle fois afin de vous assurer que rien n'obstruera la ventilation assistée du bébé.

Mettez la tête du bébé en position.

Comme il est décrit à la leçon 2, le cou du bébé doit être en légère extension (mais pas en hyperextension), en position de reniflement, pour assurer l'ouverture des voies aériennes. Pour y parvenir, vous pouvez glisser une serviette enroulée sous les épaules du bébé (figure 3.16).

Si le bébé change de position, replacez-le avant de poursuivre.

Figure 3.15. Un masque de la bonne dimension couvre la bouche, le nez et la pointe du menton, mais pas les yeux.

Figure 3.16. Bonne position en vue de la ventilation assistée.

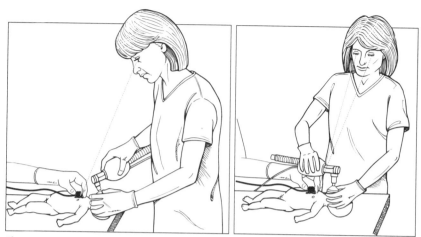

Figure 3.17. Deux bonnes positions pour observer l'excursion thoracique pendant la ventilation assistée.

Installez-vous au chevet du bébé.

Pour utiliser l'appareil de réanimation avec efficacité, vous devrez vous installer sur le côté ou à la tête du bébé (figure 3.17). Ces deux positions vous permettent d'avoir une vue dégagée du thorax et de l'abdomen du bébé afin de le surveiller, de procéder aux compressions thoraciques et d'installer un accès vasculaire par le cordon ombilical si ces interventions s'imposent. Si vous êtes droitier, vous vous sentirez probablement plus à l'aise de contrôler l'appareil de réanimation de la main droite et le masque de la main gauche. Si vous êtes gaucher, vous préférerez la position inverse. Il est possible de faire pivoter le masque pour bien l'orienter.

Comment poser le masque sur le visage?

Le masque doit être placé sur le visage de manière à couvrir le nez et la bouche jusqu'à la pointe du menton. Il est plus simple de commencer par poser le masque sur la pointe du menton, puis de couvrir le nez (figure 3.18).

D'ordinaire, vous encerclez le rebord du masque avec le pouce, l'index ou le majeur pour maintenir le masque sur le visage, tandis que vous soulevez le menton du nouveau-né avec l'annulaire et l'auriculaire pour maintenir les voies aériennes bien dégagées.

L'extrémité allongée du masque anatomique doit être posée sur le nez. Une fois le masque bien placé, il est possible d'en assurer l'étanchéité en appuyant légèrement sur le rebord du masque ou en soulevant légèrement le maxillaire inférieur vers le masque (figure 3.19).

Vous devez prendre les précautions suivantes lorsque vous tenez le masque sur le visage du bébé :

- N'écrasez pas le masque sur le visage du bébé. Vous risquez de lui infliger des ecchymoses si vous appliquez une pression trop importante.
- Assurez-vous de ne pas poser les doigts ou la main sur les yeux du bébé.

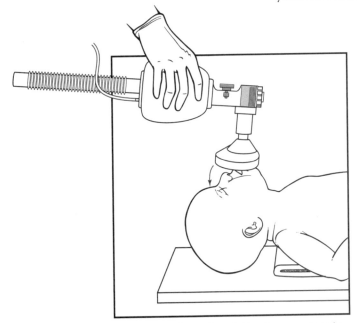

Figure 3.18. Bonne installation du masque sur le visage.

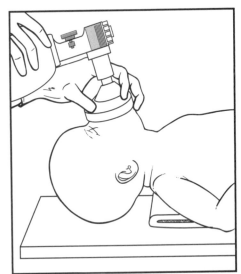

Figure 3.19. Le masque sera étanche si vous y appliquez une légère pression. Une pression antérieure appliquée sur la face postérieure du maxillaire inférieur (non illustrée) peut également favoriser l'étanchéité.

Pourquoi est-il si important d'assurer l'étanchéité entre le masque et le visage?

Quel que soit l'appareil de réanimation utilisé, il est essentiel de maintenir l'étanchéité entre le rebord du masque et le visage afin d'obtenir la ventilation en pression positive nécessaire pour gonfler les poumons.

Même si le ballon autogonflable demeure gonflé lorsque le masque n'est pas posé hermétiquement sur le visage, vous ne parviendrez pas à obtenir la pression nécessaire pour gonfler les poumons lorsque vous comprimerez le ballon.

Le ballon d'anesthésie ne se gonflera pas si le masque n'est pas posé hermétiquement sur le visage. Par conséquent, vous serez incapable de le comprimer pour obtenir la pression désirée.

L'insufflateur néonatal ne permettra pas d'administrer la ventilation en pression positive sans une parfaite étanchéité entre le masque et le visage du bébé.

À retenir :

- Pour que le ballon d'anesthésie se gonfle, le masque doit être posé hermétiquement sur le visage du bébé.
- Pour obtenir la ventilation en pression positive nécessaire au gonflement des poumons, le masque de chaque appareil de réanimation doit être posé hermétiquement sur le visage du bébé.

Comment savoir quelle pression de ventilation appliquer?

 L'amélioration de la fréquence cardiaque, de la coloration et du tonus musculaire représente la meilleure indication d'une bonne étanchéité entre le masque et le visage du bébé et d'une bonne ventilation des poumons.

Une augmentation rapide de la fréquence cardiaque du bébé suivie d'une amélioration de sa coloration et de son tonus musculaire représentent les meilleurs indicateurs d'une pression inspiratoire suffisante. Si ces signes vitaux ne s'améliorent pas, vérifiez l'excursion thoracique à chaque respiration en pression positive et demandez à un intervenant d'ausculter les régions latérales de chaque côté du thorax pour évaluer le murmure vésiculaire. Les mouvements abdominaux causés par l'air qui pénètre dans l'estomac peuvent être confondus avec une ventilation efficace.

Les poumons du fœtus sont remplis de liquide, tandis que ceux du nouveau-né doivent se remplir d'air. Pour établir un volume gazeux (une capacité résiduelle fonctionnelle) dans les poumons, les quelques premières respirations exigent souvent une pression plus élevée que les suivantes. Cette pression plus élevée sera d'autant plus nécessaire si le bébé ne respire pas spontanément.

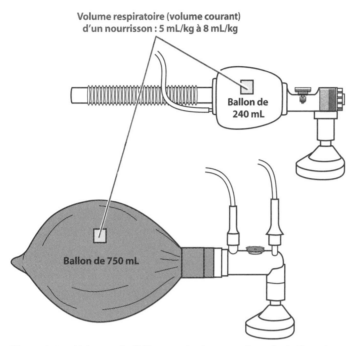

Volume respiratoire (volume courant)
d'un nourrisson : 5 mL/kg à 8 mL/kg

Ballon de
240 mL

Ballon de 750 mL

Figure 3.20. Volume relatif d'une respiration normale et des ballons de réanimation courants.

Des volumes pulmonaires et des pressions des voies aériennes élevés peuvent provoquer des lésions tissulaires aux poumons. C'est pourquoi il est recommandé de comprimer le ballon de réanimation juste assez pour améliorer la fréquence cardiaque, la coloration et le tonus musculaire. Il est parfois nécessaire d'accroître la pression positive à au moins 30 cm d'eau si ces signes cliniques ne s'améliorent pas. Il est utile de surveiller la pression des voies aériennes à l'aide d'un manomètre afin d'éviter des volumes pulmonaires et des pressions des voies aériennes trop élevés, d'évaluer la compliance pulmonaire et, au besoin, d'orienter le choix des paramètres de la ventilation mécanique.

Si le bébé semble prendre des respirations très profondes, ses poumons sont trop ventilés. Vous êtes en surpression, et le bébé court un risque de pneumothorax. Rappelez-vous que le volume respiratoire d'un nouveau-né normal est beaucoup plus faible que le volume gazeux du ballon de réanimation : le dixième d'un ballon autogonflable de 240 mL et le trentième d'un ballon d'anesthésie de 750 mL (figure 3.20).

À quel rythme administrer la ventilation en pression positive?

Pendant les étapes initiales de la réanimation néonatale, il faut administrer la ventilation à un rythme de *40 à 60 respirations à la minute*, soit un peu moins d'une par seconde.

Pour maintenir ce rythme, répétez ce qui suit pendant la ventilation du nouveau-né :

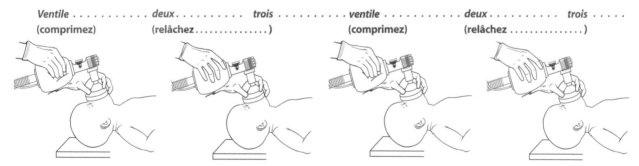

Ventile . . . . deux . . . . trois . . . . ventile . . . . deux . . . . trois . . . . .
(comprimez)   (relâchez . . . .)   (comprimez)   (relâchez . . . .)

Figure 3.21. Compter tout haut pour maintenir un rythme de 40 à 60 respirations à la minute.

Si vous comprimez le ballon ou bloquez le bouchon de PEP de l'insufflateur néonatal en disant « ventile » et que vous le relâchez ou le débloquez en disant « deux…. trois », vous obtiendrez un rythme de ventilation satisfaisant (figure 3.21).

Comment savoir si l'état du bébé s'améliore et s'il est temps d'arrêter la ventilation en pression positive?

Les quatre signes suivants témoignent de l'amélioration de l'état du bébé :
- l'augmentation de la fréquence cardiaque,
- l'amélioration de la coloration,
- la reprise de la respiration spontanée,
- l'amélioration du tonus musculaire.

Vérifiez ces quatre signes d'amélioration 30 secondes après avoir commencé à appliquer une pression positive. Vous aurez besoin de l'aide d'un autre intervenant. Si la fréquence cardiaque du bébé demeure inférieure à 60 battements/min, vous devrez passer à l'étape des compressions thoraciques, qui seront expliquées à la prochaine leçon. Toutefois, si la fréquence cardiaque est supérieure à 60 battements/min, vous devez poursuivre la ventilation en pression positive et vérifier les quatre signes précédents toutes les 30 secondes.

Tandis que la fréquence cardiaque se rapproche de la normale, continuez de ventiler le bébé au rythme de 40 à 60 respirations à la minute. À mesure que son état s'améliore, le bébé devrait présenter une coloration plus rosée et un tonus musculaire plus satisfaisant. Surveillez son excursion thoracique et son murmure vésiculaire pour éviter d'hyperventiler ou d'hypoventiler ses poumons.

Lorsque sa fréquence cardiaque se stabilise à plus de 100 battements/min, réduisez le rythme et la pression de la ventilation assistée jusqu'à ce que vous observiez une respiration spontanée. Lorsque sa coloration s'améliore, vous pouvez également réduire l'oxygénation d'appoint selon la réaction du bébé.

Que faire si la fréquence cardiaque, la coloration et le tonus musculaire du bébé ne s'améliorent pas et qu'il ne présente aucune excursion thoracique pendant la ventilation en pression positive?

Si la fréquence cardiaque, la coloration et le tonus musculaire du bébé ne s'améliorent pas, vérifiez les mouvements du thorax à chaque ventilation en pression positive et demandez à un deuxième intervenant d'écouter le murmure vésiculaire au stéthoscope. Si le thorax ne se soulève pas correctement et que le murmure vésiculaire demeure minime, vous affronterez peut-être l'un des problèmes suivants :
- le masque n'est pas posé hermétiquement sur le visage du bébé,
- les voies aériennes sont bloquées,
- la pression administrée n'est pas suffisante.

Une mauvaise étanchéité
Si vous entendez ou sentez l'air s'échapper du masque, rappliquez-le sur le visage pour qu'il soit plus hermétique. Appliquez une pression un peu plus forte sur le rebord du masque et soulevez légèrement la mâchoire du bébé. Évitez d'appuyer trop fort sur le visage du bébé. La fuite la plus courante se produit entre la joue et l'aile du nez (figure 3.22).

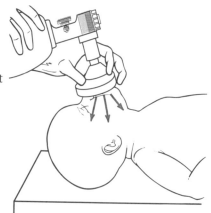

Figure 3.22. Une mauvaise étanchéité entre le masque et le visage peut être responsable de mouvements insuffisants du thorax.

Un blocage des voies aériennes

Le blocage des voies aériennes peut également être responsable d'une ventilation insuffisante des poumons du bébé. Pour corriger la situation :

- vérifiez la position du bébé et accentuez légèrement l'extension du cou;
- vérifiez s'il a des sécrétions dans la bouche, l'oropharynx et le nez, et aspirez le contenu de la bouche et du nez, au besoin;
- tentez de ventiler le bébé pendant qu'il a la bouche entrouverte (c'est particulièrement utile chez les très grands prématurés, dont les narines sont minuscules).

Une pression insuffisante

Vous appliquez peut-être une pression inspiratoire insuffisante.

- Accroissez la pression. Si vous utilisez un appareil de réanimation doté d'un *manomètre*, remarquez la pression nécessaire pour que la fréquence cardiaque, la coloration, le tonus musculaire et les murmures vésiculaires s'améliorent et pour que l'excursion thoracique devienne perceptible.
- Si vous utilisez un ballon pourvu d'une *valve de surpression*, accroissez la pression jusqu'à ce que la valve s'active. Si vous avez besoin de pression supplémentaire et qu'il est possible de bloquer la valve de surpression, faites-le et augmentez la pression avec précaution.
- Si vous ne remarquez pas d'amélioration de l'état du bébé, une intubation trachéale peut s'imposer.

Bref, si vous n'observez pas d'amélioration de l'état du bébé, surveillez l'excursion thoracique. Si vous n'en remarquez aucune, passez aux étapes suivantes jusqu'à ce que vous en obteniez une :

Problèmes	Mesures
1. Mauvaise étanchéité	Rappliquez le masque sur le visage du bébé et soulevez-lui la mâchoire.
2. Blocage des voies aériennes	Remettez la tête du bébé en position. Vérifiez s'il a des sécrétions et aspirez-les, au besoin. Ventilez le nouveau-né pendant qu'il a la bouche entrouverte.
3. Pression insuffisante	Accroissez la pression jusqu'à percevoir l'excursion thoracique. Envisagez une intubation trachéale.

Si vous êtes toujours incapable d'obtenir une amélioration clinique et une excursion thoracique suffisante après cette séquence, il faut généralement procéder à une intubation trachéale et administrer la ventilation en pression positive par la sonde trachéale.

Révision

(Les réponses figurent dans la section précédente et à la fin de la leçon.)

14. Lequel des bébés suivants est bien placé pour recevoir une ventilation en pression positive?

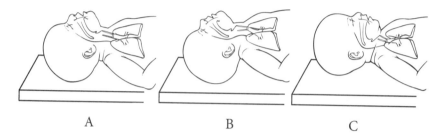

A   B   C

15. Quelle(s) intervenante(s) est (sont) bien placée(s) pour assister une ventilation en pression positive?

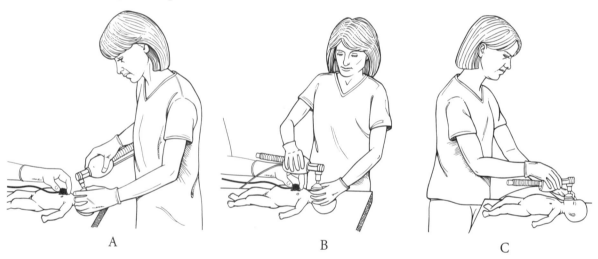

A   B   C

16. Il faut tenir l'appareil de réanimation pour avoir une vue dégagée du _____ et de _____ du nouveau-né.

17. La partie (allongée) (arrondie) du masque anatomique doit être posée sur le nez du nouveau-né.

18. Si vous avez l'impression que le bébé prend des respirations profondes, vous (hyperventilez) (hypoventilez) ses poumons, et vous risquez de causer un pneumothorax.

19. Pendant la ventilation, vous devez administrer la ventilation en pression positive à un rythme de _____ à _____ respirations à la minute.

20. Avant de mettre un terme à la ventilation assistée, vous devez remarquer une amélioration des quatre signes physiques suivants :

    1) _____

    2) _____

    3) _____

    4) _____

21. Vous utilisez un ballon autogonflable pour ventiler le bébé. Le ballon se remplit après chaque compression. La fréquence cardiaque, la coloration et le tonus musculaire du bébé ne s'améliorent pas et son excursion thoracique demeure imperceptible à chaque respiration. Énumérez trois problèmes possibles :

    1) _____

    2) _____

    3) _____

22. Si, après avoir apporté les correctifs nécessaires, la ventilation en pression positive ne vous permet toujours pas d'obtenir une amélioration de l'état du bébé et une excursion thoracique, vous devrez généralement insérer _____.

23. Vous remarquez que la fréquence cardiaque, la coloration et le tonus musculaire du bébé s'améliorent et que son thorax bouge pendant la ventilation en pression positive. Vous pouvez vérifier la qualité de la ventilation au moyen d'un _____ pour écouter le _____ des deux poumons.

Que faire s'il faut poursuivre la ventilation en pression positive au masque plus de quelques minutes?

Si le nouveau-né a besoin d'une ventilation en pression positive au masque pendant plus de quelques minutes, il faut installer une sonde orogastrique.

Pendant la ventilation en pression positive au masque, le gaz est insufflé dans l'oropharynx, où il peut pénétrer à la fois dans la trachée et l'œsophage. Si le bébé est en position, la plus grande partie de l'air sera insufflée dans la trachée et les poumons. Cependant, une partie du gaz peut pénétrer dans l'œsophage et être insufflée dans l'estomac (figure 3.23).

Le gaz insufflé dans l'estomac nuit à la ventilation, comme suit :

- L'estomac distendu par le gaz accroît la pression exercée sur le diaphragme et empêche le gonflement complet des poumons.

- Le gaz contenu dans l'estomac peut provoquer le reflux du contenu gastrique, qui peut ensuite être aspiré pendant la ventilation en pression positive.

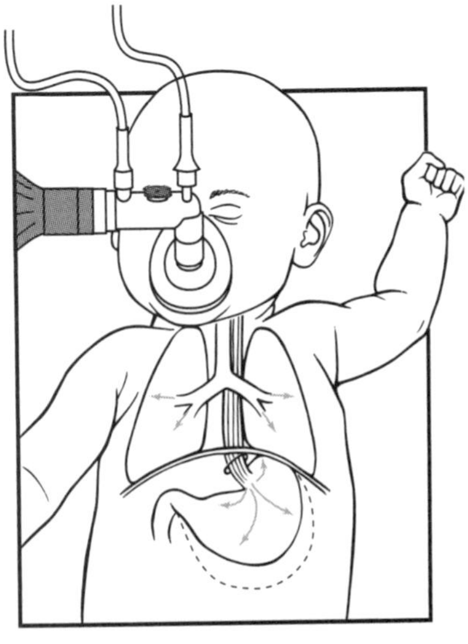

Figure 3.23. Excès de gaz dans l'estomac, causé par la ventilation au ballon et masque.

Il est possible d'atténuer les problèmes reliés à la distension gastrique et abdominale et à l'aspiration du contenu gastrique grâce à l'installation d'une sonde orogastrique, suivie de l'aspiration du contenu gastrique au moyen d'une seringue et au maintien de la sonde ouverte et en place, ce qui permettra au gaz de l'estomac de s'échapper tout au long de la réanimation.

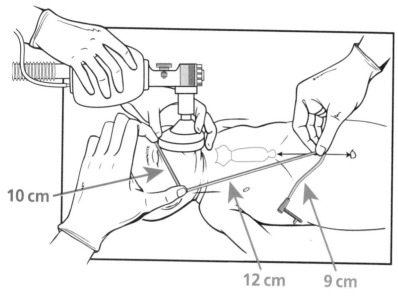

Figure 3.24. Mesure de la bonne longueur de la sonde orogastrique.

Comment installer la sonde orogastrique?

Vous aurez besoin du matériel suivant pour installer une sonde orogastrique pendant la ventilation :

- une sonde d'alimentation de calibre 8F,
- une seringue de 20 mL.

Les principales étapes s'établissent comme suit :

1. Commencez par mesurer la longueur de la sonde à insérer. La sonde doit être assez longue pour atteindre l'estomac, mais assez courte pour ne pas le dépasser. La longueur de la sonde insérée doit correspondre à *la distance entre la racine du nez et le lobe de l'oreille et entre le lobe de l'oreille et un point à mi-chemin entre l'appendice xyphoïde (la pointe inférieure du sternum) et l'ombilic.* Prenez note de la graduation centimétrique de la sonde à cet endroit (figure 3.24).

   Pour réduire au minimum l'interruption de la ventilation, mesurez la longueur approximative de la sonde orogastrique sans retirer le masque.

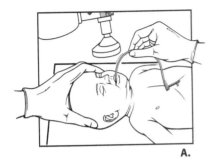

A.

2. Insérez la sonde dans la **bouche** plutôt que dans le nez (figure 3.25A). Le nez doit être dégagé pour la ventilation. Vous pourrez reprendre la ventilation dès que la sonde aura été installée.

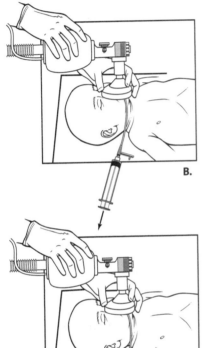

B.

3. Une fois la sonde insérée à la profondeur désirée, fixez-y une seringue et aspirez rapidement le contenu gastrique, sans brusquerie (figure 3.25B).

C.

4. Retirez la seringue de la sonde et laissez l'extrémité de la sonde *ouverte* afin que l'air qui pénètre dans l'estomac puisse s'échapper (figure 3.25C).

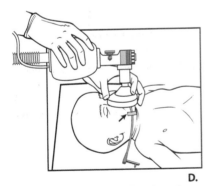

D.

5. Collez la sonde sur la joue du bébé à l'aide de ruban adhésif, pour que son extrémité demeure dans l'estomac et ne remonte pas dans l'œsophage (figure 3.25D).

Figure 3.25. De haut en bas : Insertion, aspiration des sécrétions et fixation de la sonde orogastrique.

La sonde ne nuira pas à l'étanchéité entre le masque et le visage si elle est de calibre 8F et qu'elle ressort sur le côté de la joue du bébé. Il pourrait être difficile de maintenir l'étanchéité si une sonde de plus gros calibre était utilisée, surtout chez les prématurés. Par contre, une sonde plus petite risquerait de se bloquer à cause des sécrétions.

Que faire si l'état du bébé ne s'améliore *pas*?

L'état de la majorité des bébés qui ont besoin d'une réanimation s'améliorera après l'administration d'une ventilation en pression positive adéquate. Vous devez donc vous assurer de bien ventiler les poumons avec de l'oxygène d'appoint. Si l'état du bébé ne s'améliore toujours pas, posez-vous les questions suivantes :

L'excursion thoracique est-elle suffisante?

Vérifiez l'excursion thoracique et écoutez le murmure vésiculaire bilatéral au stéthoscope.

- Le masque est-il posé hermétiquement sur le visage?
- Les voies aériennes sont-elles bloquées en raison d'une mauvaise position de la tête ou de sécrétions dans le nez, la bouche ou le pharynx?
- Le matériel de réanimation fonctionne-t-il bien?
- La pression est-elle suffisante?
- La présence d'air dans l'estomac nuit-elle à l'excursion thoracique?

L'oxygène administré est-il suffisant?

- La tubulure à oxygène est-elle raccordée à l'appareil de ventilation et à la source d'oxygène?
- Le gaz passe-t-il dans le débitmètre?
- Si vous utilisez un ballon autogonflable, y avez-vous raccordé un réservoir à oxygène?
- Si vous utilisez une bonbonne (plutôt qu'un appareil mural), celle-ci contient-elle de l'oxygène?

Toutes ces questions semblent évidentes. Pourtant, étant donné l'atmosphère d'urgence créée par la réanimation du nouveau-né, il est possible d'en négliger certaines.

La ventilation en pression positive au masque n'est généralement pas aussi efficace qu'une ventilation en pression positive par sonde trachéale. Le masque n'est pas aussi hermétique sur le visage que la sonde trachéale dans le larynx. De plus, une partie de la pression appliquée par le masque s'échappe dans l'œsophage et atteint l'estomac.

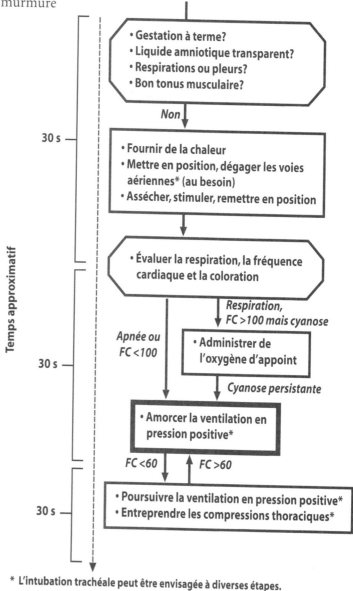

* L'intubation trachéale peut être envisagée à diverses étapes.

Par conséquent, si vous avez vérifié tous ces facteurs et que l'excursion thoracique demeure insuffisante ou que le murmure vésiculaire bilatéral n'est pas bien audible, vous devrez généralement insérer une sonde trachéale. Cette intervention sera décrite à la leçon 5. Si le bébé a des respirations spontanées mais laborieuses, vous pouvez envisager une brève pression positive continue (PPC) avant d'insérer une sonde trachéale. Le recours à la PPC chez le prématuré sera abordé à la leçon 8.

Si l'état du bébé ne s'améliore pas pendant la ventilation assistée, le bébé souffre peut-être d'autres complications, comme un pneumothorax ou une hypovolémie. Ces problèmes seront expliqués aux leçons 6 et 7.

Une ventilation efficace constitue la clé du succès de presque toutes les réanimations néonatales.

Si l'état du nouveau-né continue de se détériorer ou ne s'améliore pas et que sa fréquence cardiaque est inférieure à 60 battements/min malgré l'administration d'une ventilation en pression positive pendant 30 secondes, vous devrez amorcer les compressions thoraciques, qui seront expliquées à la leçon 4.

Révision

(Les réponses figurent dans la section précédente et à la fin de la leçon.)

24. Si vous devez poursuivre la ventilation en pression positive au masque plus de quelques minutes, vous devez installer _____ _____ pour que le gaz contenu dans l'estomac puisse s'échapper tout au long de la réanimation.

25. À quelle profondeur la sonde orogastrique doit-elle être insérée? _____ cm

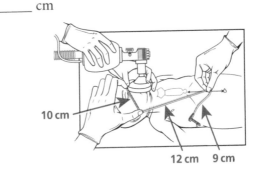

26. Dès que la sonde orogastrique est installée, une seringue y est fixée et le contenu gastrique est aspiré. La seringue est ensuite retirée, et la sonde reste _____ pour permettre au gaz contenu dans l'estomac de s'échapper.

27. L'état de la majorité des bébés qui ont besoin d'une réanimation (s'améliore) (ne s'améliore pas) grâce à la ventilation en pression positive.

Points à retenir

1. La ventilation des poumons est l'étape la plus importante et la plus efficace de la réanimation cardiorespiratoire du nourrisson en détresse.

2. La ventilation en pression positive est indiquée en présence :
   - d'apnée ou de gasps,
   - d'une fréquence cardiaque inférieure à 100 battements à la minute, même si le bébé respire,
   - d'une cyanose centrale persistante malgré l'administration d'oxygène à débit libre à concentration de 100 %.

3. Le ballon autogonflable :
   - se remplit spontanément d'oxygène ou d'air après avoir été comprimé;
   - demeure gonflé en tout temps;
   - ne fonctionne que si le masque est posé hermétiquement sur le visage;
   - peut permettre d'administrer une ventilation en pression positive sans source de gaz comprimé, mais doit être raccordé à une source d'oxygène pour la réanimation néonatale;
   - doit être raccordé à un réservoir à oxygène pour insuffler de l'oxygène à concentration de 90 % à 100 %;
   - n'est pas une source fiable pour administrer de l'oxygène à débit libre au masque.

4. Le ballon d'anesthésie possède les caractéristiques suivantes :
   - Il ne se remplit que s'il est raccordé à une source de gaz comprimé.
   - Il ne fonctionne que s'il est raccordé à une source de gaz comprimé.
   - Il ne se gonfle que si le masque est posé hermétiquement sur le visage.
   - Il est doté d'une valve de contrôle du débit pour régler la pression inspiratoire.
   - Il ressemble à un ballon dégonflé lorsqu'il ne sert pas.
   - Il peut être utilisé pour administrer de l'oxygène à débit libre.

5. Le ballon d'anesthésie ne fonctionne pas si :
   - le masque n'est pas posé hermétiquement sur le nez et la bouche du nouveau-né;
   - le ballon est percé;
   - la valve de contrôle du débit est trop grande ouverte;
   - le manomètre n'est pas installé ou la prise de raccordement n'est pas bloquée.

Points à retenir — *suite*

6. L'insufflateur néonatal :
   - doit être raccordé à une source de gaz comprimé;
   - ne gonfle les poumons que si le masque est posé hermétiquement sur le visage;
   - doit être mis au point au préalable par l'intervenant pour assurer le réglage de la pression maximum, la pression inspiratoire de pointe (PIP) et la pression expiratoire positive (PEP);
   - doit faire l'objet de réglages de la pression inspiratoire de pointe pendant la réanimation pour assurer une amélioration de l'état du bébé, des murmures vésiculaires audibles et une excursion thoracique perceptible;
   - procure une pression positive lorsqu'on bloque et débloque alternativement le bouchon de PEP;
   - peut être utilisé pour administrer de l'oxygène à débit libre.

7. Chaque appareil de réanimation doit être doté :
   - d'une valve de surpression ou
   - d'un manomètre et d'une valve de contrôle du débit.

8. Un réservoir à oxygène doit être raccordé au ballon autogonflable pour obtenir de fortes concentrations d'oxygène. Sans le réservoir, le ballon n'insuffle que 40 % d'oxygène environ, ce qui peut être insuffisant pour la réanimation néonatale.

9. Si l'intervenant ne remarque aucune amélioration de l'état du bébé et aucune excursion thoracique perceptible pendant la ventilation assistée, il doit :
   - rappliquer le masque sur le visage au moyen d'une légère pression et soulever le maxillaire inférieur vers le masque;
   - remettre la tête en position;
   - vérifier la présence de sécrétions et aspirer le contenu de la bouche et du nez, au besoin;
   - procéder à la ventilation pendant que la bouche du bébé est entrouverte;
   - accroître la pression des ventilations;
   - revérifier le fonctionnement du ballon de réanimation ou le replacer correctement;
   - après l'échec de tentatives raisonnables, intuber le bébé.

10. L'amélioration de l'état du bébé pendant la ventilation en pression positive au masque peut être constatée par une augmentation rapide de la fréquence cardiaque, suivie d'une amélioration :
    - de la coloration et de la saturation en oxygène,
    - du tonus musculaire,
    - de la respiration spontanée.

Points à retenir — *suite*

11. Les données probantes ne sont pas suffisantes pour répondre à toutes les questions relatives à l'usage d'oxygène d'appoint pendant la ventilation en pression positive pour assurer la réanimation néonatale.

    • D'après la recommandation du Programme de réanimation néonatale, il faut administrer de l'oxygène d'appoint à concentration de 100 % pendant la ventilation en pression positive pour la réanimation néonatale.

    • Cependant, d'après certaines recherches, la réanimation à l'aide d'une concentration d'oxygène inférieure à 100 % serait tout aussi efficace.

    • Si la réanimation est amorcée à l'air ambiant, il faut administrer de l'oxygène d'appoint pouvant atteindre un concentration de 100 % si l'état du bébé ne s'améliore pas de manière appréciable pendant les 90 secondes suivant la naissance.

    • S'il n'y a pas d'oxygène d'appoint, il faut utiliser l'air ambiant pour administrer la ventilation en pression positive.

Révision de la leçon 3

(Les réponses suivent.)

1. Le ballon d'anesthésie (fonctionne) (ne fonctionne pas) s'il n'est pas raccordé à une source de gaz comprimé.

2. Un bébé naît apnéique et cyanosé. Vous dégagez ses voies aériennes et le stimulez. Trente secondes après la naissance, son état ne s'est pas amélioré. L'étape suivante consiste à (le stimuler davantage) (amorcer la ventilation en pression positive).

3. La (stimulation) (ventilation des poumons) est l'étape la plus importante et la plus efficace de la réanimation néonatale.

4. Classez les appareils suivants : « Ballon d'anesthésie », « Ballon autogonflable », « Insufflateur néonatal »

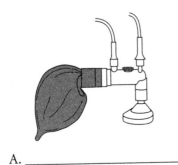
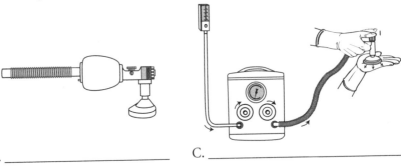

A. _____   B. _____   C. _____

5. Il (faut) (ne faut pas) avoir des masques de différentes dimensions à chaque accouchement.

6. Il faut raccorder le ballon autogonflable à _____ _____ pour pouvoir administrer de l'oxygène à concentration de 90 % à 100 %.

7. L'insufflateur néonatal (fonctionne) (ne fonctionne pas) s'il n'est pas raccordé à une source de gaz comprimé.

8. Le ballon de ventilation pour les nouveau-nés est (beaucoup plus petit) (de la même dimension) que celui pour adultes.

9. Indiquez le principal mécanisme de sécurité de chacun des appareils suivants :

   Ballon autogonflable : _____

   Ballon d'anesthésie : _____

   Insufflateur néonatal : _____

10. De l'oxygène à débit libre peut être administré en toute fiabilité par le masque (du ballon d'anesthésie) (du ballon autogonflable) (de l'insufflateur néonatal).

Révision de la leçon 3 — *suite*

11. Pour administrer de l'oxygène à débit libre à l'aide d'un ballon
    d'anesthésie, il faut poser le masque (hermétiquement sur le)
    (au-dessus du) visage du bébé afin que du gaz puisse s'échapper.

12. Lequel de ces masques est bien posé sur le visage du bébé?

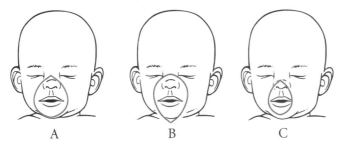

      A   B   C

13. Si une réanimation est prévue, l'appareil de ventilation doit être
    raccordé à _____.

14. Lequel des bébés suivants est bien placé pour recevoir une
    ventilation en pression positive?

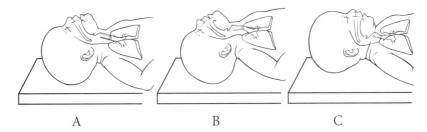

      A   B   C

15. Quelle(s) intervenante(s) est (sont) bien placée(s) pour assister une
    ventilation en pression positive?

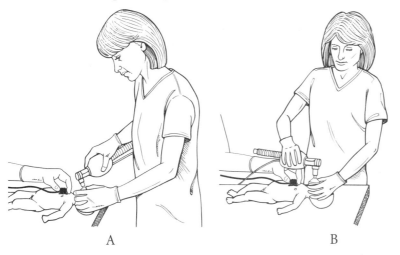
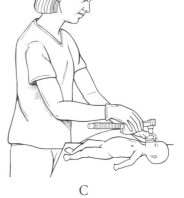

      A   B   C

16. Il faut tenir l'appareil de réanimation pour avoir une vue dégagée
    du _____ et de _____
    du nouveau-né.

Révision de la leçon 3 — *suite*

17. La partie (allongée) (arrondie) du masque anatomique doit être posée sur le nez du nouveau-né.

18. Si vous avez l'impression que le bébé prend des respirations profondes, vous (hyperventilez) (hypoventilez) ses poumons, et vous risquez de causer un pneumothorax.

19. Pendant la ventilation, vous devez administrer la ventilation en pression positive à un rythme de _____ à _____ respirations à la minute.

20. Avant de mettre un terme à la ventilation assistée, vous devez remarquer une amélioration des quatre signes physiques suivants :

    1) _____

    2) _____

    3) _____

    4) _____

21. Vous utilisez un ballon autogonflable pour ventiler le bébé. Le ballon se remplit après chaque compression. La fréquence cardiaque, la coloration et le tonus musculaire du bébé ne s'améliorent pas et son excursion thoracique demeure imperceptible à chaque respiration. Énumérez trois problèmes possibles :

    1) _____

    2) _____

    3) _____

22. Si, après avoir apporté les correctifs nécessaires, la ventilation en pression positive ne vous permet toujours pas d'obtenir une amélioration de l'état du bébé et une excursion thoracique, vous devrez généralement insérer _____.

23. Vous remarquez que la fréquence cardiaque, la coloration et le tonus musculaire du bébé s'améliorent et que son thorax bouge pendant la ventilation en pression positive. Vous pouvez vérifier la qualité de la ventilation au moyen d'un _____ pour écouter le _____ des deux poumons.

24. Si vous devez poursuivre la ventilation en pression positive au masque plus de quelques minutes, vous devez installer _____ _____ pour que le gaz contenu dans l'estomac puisse s'échapper tout au long de la réanimation.

Révision de la leçon 3 — *suite*

25. À quelle profondeur la sonde orogastrique doit-elle être insérée?
    _____ cm

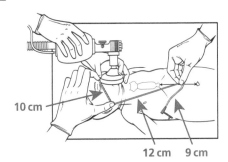

26. Dès que la sonde orogastrique est installée, une seringue y est fixée
    et le contenu gastrique est aspiré. La seringue est ensuite retirée, et
    la sonde reste _____ pour permettre au gaz contenu
    dans l'estomac de s'échapper.

27. L'état de la majorité des bébés qui ont besoin d'une réanimation
    (s'améliore) (ne s'améliore pas) grâce à la ventilation en pression
    positive.

Réponses aux questions de la leçon 3

1. Le ballon d'anesthésie **ne fonctionne pas** s'il n'est pas raccordé à une source de gaz comprimé.

2. L'étape suivante consiste à **amorcer la ventilation en pression positive**.

3. La **ventilation des poumons** est l'étape la plus importante et la plus efficace de la réanimation néonatale.

4. A. **Ballon d'anesthésie**; B. **Ballon autogonflable**; C. **Insufflateur néonatal**

5. Il **faut** avoir des masques de différentes dimensions à chaque accouchement.

6. Il faut raccorder le ballon autogonflable à **un réservoir à oxygène** pour administrer de l'oxygène à concentration de 90 % à 100 %.

7. L'insufflateur néonatal **ne fonctionne pas** s'il n'est pas raccordé à une source de gaz comprimé.

8. Le ballon de ventilation pour les nouveau-nés est **beaucoup plus petit** que celui pour adultes.

9. Ballon autogonflable : **Valve de surpression et manomètre facultatif**
   Ballon d'anesthésie : **Manomètre**
   Insufflateur néonatal : **Réglage de la pression maximum et manomètre**

10. De l'oxygène à débit libre peut être administré en toute fiabilité par le masque **du ballon d'anesthésie et de l'insufflateur néonatal**, mais pas par le masque du ballon autogonflable.

11. Pour administrer de l'oxygène à débit libre à l'aide d'un ballon d'anesthésie, il faut poser le masque **au-dessus du** visage du bébé afin que du gaz puisse s'échapper.

12. Le masque **A** est bien posé sur le visage du bébé.

13. L'appareil de ventilation doit être raccordé à **une source d'oxygène**.

14. Le bébé **A** est bien placé.

15. Les illustrations **A et B** sont correctes.

16. Vous devez voir **le thorax** et **l'abdomen** du nouveau-né.

17. La partie **allongée** du masque anatomique doit être posée sur le nez du nouveau-né.

Réponses aux questions de la leçon 3 — *suite*

18. Vous **hyperventilez** ses poumons et risquez de causer un pneumothorax.

19. Comprimez le ballon de réanimation à un rythme de **40** à **60** respirations à la minute.

20. Vous devez remarquer une amélioration 1) de la **fréquence cardiaque**, 2) de la **coloration**, 3) de la **respiration** et 4) du **tonus musculaire**.

21. Si la fréquence cardiaque, la coloration et le tonus musculaire du bébé ne s'améliorent pas et que son excursion thoracique demeure imperceptible, il se peut que 1) **le masque ne soit pas posé hermétiquement sur le visage du bébé**, 2) **ses voies aériennes soient bloquées** ou que 3) **la pression appliquée soit insuffisante**.

22. Vous devrez généralement insérer **une sonde trachéale**.

23. Vous pouvez utiliser un **stéthoscope** pour écouter le **murmure vésiculaire** dans les deux poumons.

24. Vous devez installer **une sonde orogastrique** pour que le gaz contenu dans l'estomac puisse s'échapper tout au long de la réanimation.

25. La sonde orogastrique doit être insérée à une profondeur de **22 cm** (10 cm + 12 cm).

26. La seringue est retirée, et la sonde reste **ouverte** pour permettre au gaz contenu dans l'estomac de s'échapper.

27. L'état de la majorité des bébés qui ont besoin d'une réanimation **s'améliore** grâce à la ventilation en pression positive.

Feuille de contrôle de la performance

Leçon 3 — La ventilation en pression positive

Évaluateur : Le stagiaire doit être prié de commenter ses interventions tout au long du contrôle. Évaluez sa performance à chaque étape et cochez la case correspondante lorsque l'intervention est réussie. Si elle est ratée, encerclez la case pour en discuter plus tard avec lui. Vous devrez fournir de l'information sur l'état du bébé à plusieurs reprises au cours de l'évaluation. Si, d'après la politique de l'établissement, un insufflateur néonatal est généralement utilisé en salle d'accouchement, le stagiaire doit maîtriser l'appareil. Il doit également être capable d'utiliser le ballon et le masque.

Stagiaire : Pour réussir ce contrôle, vous devez effectuer toutes les étapes des interventions et prendre toutes les bonnes décisions. Vous devez commenter vos interventions tout au long du contrôle.

Matériel et fournitures

Mannequin de réanimation néonatale

Unité chauffante ou table pour simuler l'unité chauffante

Gants (il est possible d'en simuler la présence)

Poire ou cathéter d'aspiration

Stéthoscope

Serviette enroulée à glisser sous les épaules du nouveau-né

Ballon autogonflable
  • doté d'une valve de PEP (facultative)
  ou

Ballon d'anesthésie raccordé à un manomètre et à une source d'oxygène et (s'il est utilisé à la salle d'accouchement)

Insufflateur néonatal et toutes ses pièces

Débitmètre (il est possible d'en simuler la présence)

Mélangeur d'oxygène et d'air (facultatif)

Masques (pour nouveau-né à terme et pour prématuré)

Appareil d'administration d'oxygène à débit libre (masque à oxygène, tubulure à oxygène, ballon d'anesthésie et masque ou insufflateur néonatal)

Sonde d'alimentation et seringue

Ruban adhésif

Horloge avec aiguille des secondes

Naissance

Temps approximatif

- • Gestation à terme?
- • Liquide amniotique transparent?
- • Respirations ou pleurs?
- • Bon tonus musculaire?

Non

30 s
- • Fournir de la chaleur
- • Mettre en position, dégager les voies aériennes* (au besoin)
- • Assécher, stimuler, remettre en position

- • Évaluer la respiration, la fréquence cardiaque et la coloration

Respiration, FC >100 mais cyanose

Apnée ou FC <100

- • Administrer de l'oxygène d'appoint

Cyanose persistante

30 s

- • Amorcer la ventilation en pression positive*

Ventilation efficace
FC >100 et coloration rosée

Soins postréanimation

* L'intubation trachéale peut être envisagée à diverses étapes.

Feuille de contrôle de la performance

Leçon 3 — La ventilation en pression positive

Nom _____ Évaluateur _____ Date _____

Les questions de l'évaluateur sont entre guillemets. Les questions et les bonnes réponses du stagiaire sont en caractères gras. L'évaluateur doit cocher les cases à mesure que le stagiaire répond correctement aux questions.

« Vous êtes appelé à l'accouchement d'un bébé d'environ _____ semaines d'âge gestationnel. Comment préparez-vous le matériel de ventilation pour ce bébé? Vous pouvez me poser toutes les questions qui vous intéressent sur l'état du nouveau-né à mesure que vous progressez. »

☐ **Le stagiaire choisit l'appareil de réanimation et le raccorde à une source d'oxygène capable d'administrer de l'oxygène à concentration de 90 % à 100 %.**

☐ **Il choisit un masque de la bonne dimension.**

☐ **Il vérifie l'appareil de réanimation :**
- **La pression est satisfaisante?**
- **La valve de surpression fonctionne bien (ballon autogonflable)?**
- **La valve unidirectionnelle est raccordée et fonctionnelle (ballon autogonflable)?**
- **La valve de contrôle du débit est réglée (ballon d'anesthésie)?**
- **Les commandes sont déjà réglées (insufflateur néonatal)?**
  - **Pression maximale du circuit**
  - **Pression inspiratoire de pointe**
  - **Pression expiratoire positive**

« Le bébé vient de naître. Il est placé sur l'unité chauffante, mis en position, dégagé de ses sécrétions et asséché et il reçoit une stimulation tactile, mais il demeure apnéique. Que faites-vous? »

☐ **Le stagiaire se place à la tête ou sur le côté du bébé et met la tête du bébé en position de reniflement.**

☐ **Il demande de l'aide.**

☐ **Il place le masque correctement sur le visage du bébé.**

☐ **Il amorce la ventilation selon le rythme et la pression convenables.**

☐ **Il demande à l'assistant d'évaluer la fréquence cardiaque et le murmure vésiculaire.**

« La fréquence cardiaque s'améliore. »　　« La fréquence cardiaque ne s'améliore pas. »

☐ **Il examine l'excursion thoracique et s'informe du murmure vésiculaire.**

Excursion thoracique　　　Excursion thoracique non perceptible

☐ **Il vérifie l'étanchéité entre le visage et le masque et la position de la tête.**

Il corrige l'étanchéité et la position.　　La position et l'étanchéité sont satisfaisantes.

Feuille de contrôle de la performance — *suite*

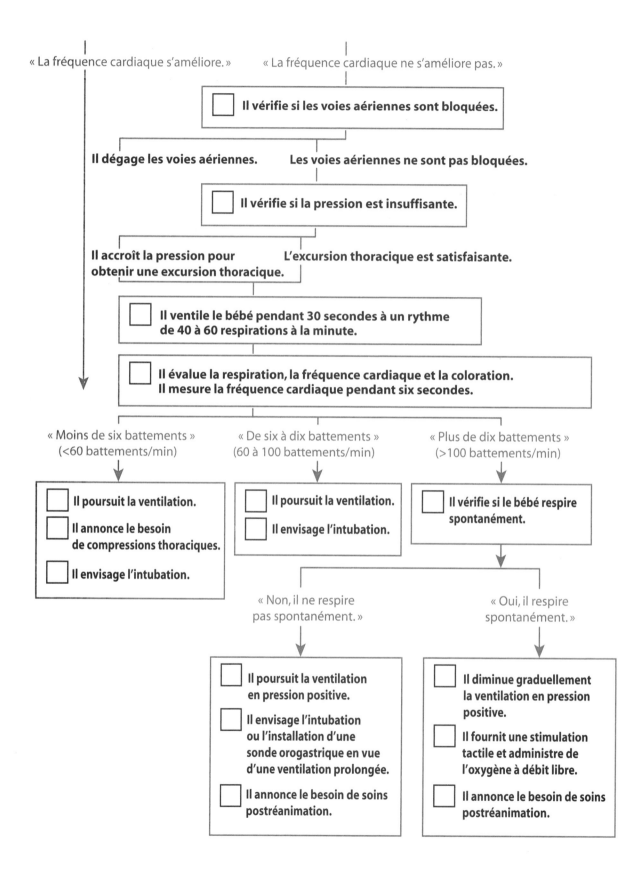

« La fréquence cardiaque s'améliore. »   « La fréquence cardiaque ne s'améliore pas. »

☐ **Il vérifie si les voies aériennes sont bloquées.**

Il dégage les voies aériennes.   **Les voies aériennes ne sont pas bloquées.**

☐ **Il vérifie si la pression est insuffisante.**

Il accroît la pression pour obtenir une excursion thoracique.   **L'excursion thoracique est satisfaisante.**

☐ **Il ventile le bébé pendant 30 secondes à un rythme de 40 à 60 respirations à la minute.**

☐ **Il évalue la respiration, la fréquence cardiaque et la coloration. Il mesure la fréquence cardiaque pendant six secondes.**

« Moins de six battements »   « De six à dix battements »   « Plus de dix battements »
(<60 battements/min)   (60 à 100 battements/min)   (>100 battements/min)

☐ **Il poursuit la ventilation.**
☐ **Il annonce le besoin de compressions thoraciques.**
☐ **Il envisage l'intubation.**

☐ **Il poursuit la ventilation.**
☐ **Il envisage l'intubation.**

☐ **Il vérifie si le bébé respire spontanément.**

« Non, il ne respire pas spontanément. »   « Oui, il respire spontanément. »

☐ **Il poursuit la ventilation en pression positive.**
☐ **Il envisage l'intubation ou l'installation d'une sonde orogastrique en vue d'une ventilation prolongée.**
☐ **Il annonce le besoin de soins postréanimation.**

☐ **Il diminue graduellement la ventilation en pression positive.**
☐ **Il fournit une stimulation tactile et administre de l'oxygène à débit libre.**
☐ **Il annonce le besoin de soins postréanimation.**

Feuille de contrôle de la performance — *suite*

L'évaluateur présente chacun des scénarios séparément et évalue les réponses du stagiaire à chacun d'eux.

- [ ] Le stagiaire mesure correctement la fréquence cardiaque après une évaluation sur six secondes.
- [ ] Il a des réactions rapides, sans délai exagéré.
- [ ] Il manipule doucement le bébé, sans produire de traumatisme.
- [ ] Il ventile à un rythme satisfaisant (40 à 60 respirations à la minute).
- [ ] Il ventile à une pression satisfaisante.
- [ ] Il évite d'appliquer une trop forte pression sur le masque.
- [ ] Si la ventilation se poursuit plus de quelques minutes, il installe une sonde orogastrique.

Annexe

Lisez la ou les section(s) qui portent sur le type d'appareil utilisé dans votre hôpital.

A. Le ballon autogonflable

Quelles sont les pièces du ballon autogonflable?

Le ballon autogonflable se compose de sept pièces de base (figure 3A.1) :
1. prise d'air et point de raccordement du réservoir à oxygène
2. prise d'oxygène
3. sortie patient
4. valve unidirectionnelle
5. réservoir à oxygène
6. valve de surpression
7. manomètre ou point de raccordement du manomètre (facultatif)

Lorsque le ballon se regonfle après la compression, le gaz est aspiré dans le ballon par une valve unidirectionnelle située à l'une ou l'autre des extrémités du ballon, selon le modèle. C'est la *prise d'air*.

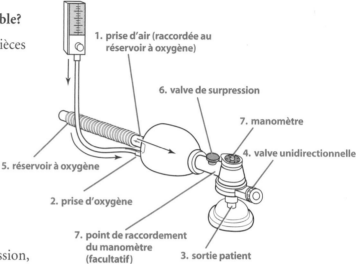

Figure 3A.1. Pièces du ballon autogonflable.

Chaque ballon autogonflable est doté d'une *prise d'oxygène,* généralement située près de la prise d'air. La prise d'oxygène est une saillie auquel la tubulure à oxygène est raccordée. Pour fonctionner, le ballon autogonflable n'a pas besoin d'être relié à une tubulure à oxygène. Cependant, cette tubulure est nécessaire en réanimation néonatale.

La *sortie patient* est l'endroit où le gaz sort du ballon et est insufflé au bébé et où le masque ou la sonde trachéale est raccordé.

La plupart des ballons autogonflables sont dotés d'une *valve de surpression* qui évite la pression excessive dans le ballon. Certains ballons autogonflables sont munis d'un *manomètre ou d'un point de raccordement du manomètre*. D'ordinaire, le point de raccordement se compose d'un petit orifice ou d'une saillie à proximité de la sortie patient. Si votre ballon en est pourvu, il faut bloquer cet orifice ou raccorder le manomètre, afin d'éviter que le gaz s'échappe par l'ouverture et empêche l'accumulation d'une pression suffisante. Il faut éviter de raccorder la tubulure d'entrée d'oxygène au point de raccordement du manomètre, au risque de produire une pression excessive et un pneumothorax ou un autre type de fuite d'air chez le bébé. Raccordez la tubulure à oxygène et le manomètre conformément aux consignes du fabricant.

Annexe — *suite*

Le ballon autogonflable est pourvu d'une *valve unidirectionnelle* située entre le ballon et la sortie patient (figure 3A.2). Lorsque le ballon est comprimé pendant la ventilation, la valve s'ouvre et libère l'oxygène ou l'air insufflé au patient. Lorsque le ballon se regonfle (pendant la phase d'expiration du cycle), la valve est fermée. Ainsi, l'air expiré par le patient ne peut pénétrer dans le ballon et être réinsufflé. Vous devriez vous familiariser avec l'aspect de la valve unidirectionnelle et avec son fonctionnement lorsque vous comprimez et relâchez le ballon. N'utilisez pas le ballon autogonflable si la valve a été enlevée ou fonctionne mal.

Pourquoi est-il nécessaire de raccorder un réservoir à oxygène au ballon autogonflable?

D'après les recommandations actuelles, la plupart des bébés qui ont besoin d'une réanimation avec ventilation assistée à la naissance doivent d'abord recevoir de l'oxygène d'appoint. La concentration d'oxygène d'appoint administrée pendant la ventilation en pression positive est abordée plus loin au cours de la leçon, de même qu'à la leçon 8.

L'oxygène pénètre dans un ballon autogonflable par une tubulure qui relie la source d'oxygène à la prise d'entrée d'oxygène située sur le ballon. Cependant, à chaque regonflement du ballon après sa compression, de l'air ambiant, qui contient 21 % d'oxygène, pénètre dans le ballon par la prise d'air. L'air dilue la concentration d'oxygène dans le ballon. Par conséquent, même si de l'oxygène 100 % pénètre dans le ballon par la prise d'oxygène, cet oxygène est dilué par l'air qui pénètre dans le ballon par la prise d'air à chaque regonflement. Ainsi, la véritable concentration d'oxygène insufflé au bébé chute à environ 40 % (figure 3A.3). (La véritable concentration dépend du débit d'oxygène en provenance de la source et de la fréquence de compression du ballon.)

Il est possible d'obtenir des concentrations d'oxygène supérieures à 40 % si le ballon autogonflable est raccordé à un réservoir à oxygène. Le *réservoir à oxygène* est un dispositif qui peut être fixé sur la prise d'air du ballon (figure 3A.4). Il permet l'accumulation d'oxygène à concentration de 90 % à 100 % dans la prise d'air et en évite la dilution avec l'air ambiant. Cependant, le débit d'oxygène vers le patient n'est fiable qu'à la compression du ballon. Lorsque le ballon n'est pas comprimé, une forte concentration d'oxygène s'échappe par l'ouverture du réservoir à oxygène.

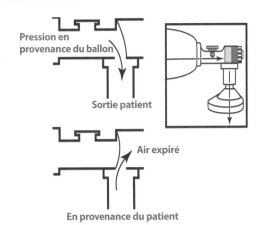

Figure 3A.2. Principe de la valve unidirectionnelle du ballon autogonflable.

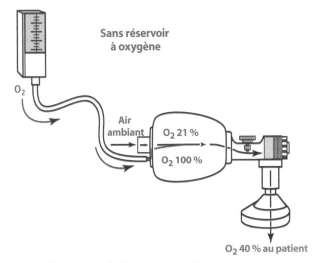

Figure 3A.3. Le ballon autogonflable non raccordé à un réservoir à oxygène ne permet d'administrer que de l'oxygène 40 % au patient.

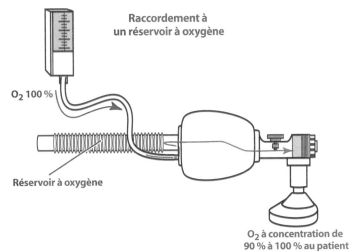

Figure 3A.4. Le ballon autogonflable raccordé à un réservoir à oxygène permet d'administrer de l'oxygène à concentration de 90 % à 100 % au patient.

Annexe — *suite*

Il existe plusieurs types de réservoirs à oxygène, mais tous remplissent la même fonction. Certains sont à bouts ouverts et d'autres sont munis d'une valve qui permet à l'air d'y pénétrer (figure 3A.5). Par conséquent, la concentration d'oxygène insufflée par un ballon autogonflable auquel est raccordé un réservoir à oxygène se situera entre 90 % et 100 %.

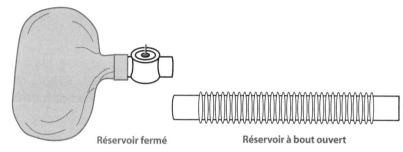

Réservoir fermé **Réservoir à bout ouvert**

Figure 3A.5. Divers types de réservoirs à oxygène à raccorder au ballon autogonflable.

Comment vérifier le fonctionnement du ballon autogonflable avant de l'utiliser?

Commencez par vérifier si la tubulure à oxygène et le réservoir à oxygène sont raccordés au ballon. Réglez le débit entre 5 L/min et 10 L/min.

Pour vérifier le fonctionnement du ballon autogonflable, bloquez le masque ou la sortie patient avec la paume de la main et comprimez le ballon (figure 3A.6).

- Sentez-vous une pression sur la main?
- La valve de surpression s'ouvre-t-elle?
- Le cadran du manomètre (s'il est installé) indique-t-il une pression de 30 cm d'eau à 40 cm d'eau à l'ouverture de la valve de surpression?

Dans la négative :

- le ballon est-il craqué ou fissuré?
- le manomètre a-t-il été enlevé et le point de raccordement est-il resté ouvert?
- la valve de surpression a-t-elle été enlevée ou est-elle bloquée en position fermée?
- la sortie patient est-elle bien bloquée?

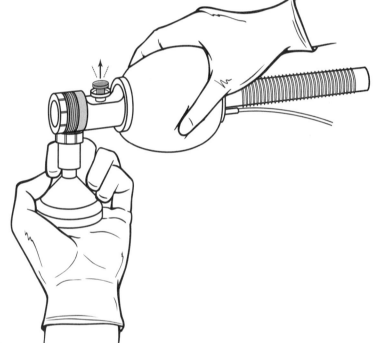

Figure 3A.6. Vérification du ballon autogonflable.

Si la pression produite par le ballon est suffisante et que les mécanismes de sécurité fonctionnent bien lorsque le masque ou la sortie patient est bloqué :

- le ballon se regonfle-t-il rapidement lorsque vous le relâchez?

Si le ballon fonctionne mal, remplacez-le. D'ordinaire, le ballon autogonflable contient plus de pièces que le ballon d'anesthésie. Pendant le nettoyage, des pièces peuvent être oubliées ou mal assemblées. Si elles sont encore humides après le nettoyage, elles peuvent coller les unes aux autres.

Annexe — *suite*

Comment contrôler la pression du ballon autogonflable?

La pression du gaz insufflée par le ballon autogonflable ne dépend pas du débit d'oxygène qui y pénètre. Lorsque le masque est posé hermétiquement sur le visage du bébé (ou que le ballon est raccordé à une sonde trachéale), le gonflement du ballon ne change pas. La pression et le volume administrés à chaque respiration sont plutôt fonction des trois facteurs suivants :

• la force de compression du ballon,

• le manque d'étanchéité entre le masque et le visage du bébé,

• le réglage de la valve de surpression.

Révision — *Annexe A*

(Les réponses figurent dans la section précédente et à la fin de l'annexe.)

A-1. Le ballon autogonflable pourvu d'un manomètre ne fonctionne que s'il y est raccordé ou que le point de raccordement est (laissé ouvert) (bloqué).

A-2. Le ballon autogonflable permet d'administrer de l'oxygène à concentration de 90 % à 100 % (de manière autonome) (seulement s'il est raccordé à un réservoir à oxygène).

A-3. Un ballon autogonflable raccordé à de l'oxygène 100 %, mais pas à un réservoir à oxygène, ne permet d'administrer que de l'oxygène à concentration de _____ % environ.

A-4. Vous vérifiez le ballon autogonflable. Lorsque vous le comprimez, vous (devez) (ne devez pas) sentir une pression sur la main.

A-5. Si le ballon autogonflable est raccordé à un manomètre (voir l'illustration de droite), quelle lecture devez-vous obtenir si vous comprimez le ballon?

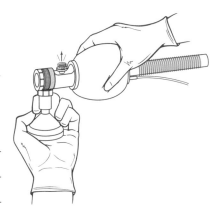

_____

A-6. Nommez trois facteurs importants qui déterminent la pression inspiratoire de pointe administrée par le ballon autogonflable.

1) _____

2) _____

3) _____

Annexe — *suite*

B. Le ballon d'anesthésie

Quelles sont les pièces du ballon d'anesthésie?

Le ballon d'anesthésie de compose de quatre pièces (figure 3B.1) :

1. prise d'oxygène

2. sortie patient

3. valve de contrôle du débit

4. point de raccordement du manomètre

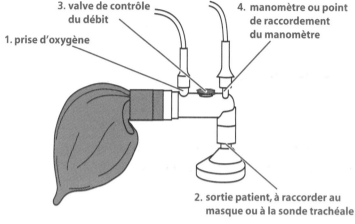

Figure 3B.1. Pièces du ballon d'anesthésie.

L'oxygène fourni par une source de gaz comprimé (ou l'air et l'oxygène provenant d'un mélangeur) pénètre dans le ballon par la **prise d'oxygène**. Cette prise est une petite saillie à laquelle est raccordée la tubulure à oxygène. Elle peut se trouver à l'une ou l'autre des extrémités du ballon, selon la marque ou le modèle.

L'oxygène (quelle que soit sa concentration) sort du ballon pour être insufflé au patient à la **sortie patient**, à laquelle est raccordé le masque ou la sonde trachéale.

La **valve de contrôle du débit** laisse sortir une quantité d'air variable qui vous permet de régler la pression du ballon lorsque la valve est raccordée à une sonde trachéale ou qu'un masque est posé hermétiquement sur le visage du patient. Cette ouverture réglable représente une sortie supplémentaire pour le gaz entrant et permet à l'excès de gaz de s'échapper plutôt que de surgonfler le ballon ou de provoquer une ventilation excessive du patient.

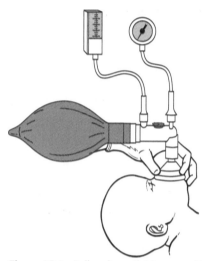

Figure 3B.2. Ballon d'anesthésie raccordé à une source d'oxygène et à un manomètre.

D'ordinaire, le ballon d'anesthésie est doté d'un **point de raccordement du manomètre** (figure 3B.2). En général, ce point de raccordement se trouve à proximité de la sortie patient. Le cadran du manomètre indique la pression utilisée pour ventiler le bébé. Si le ballon d'anesthésie est doté d'un tel point de raccordement, il faut qu'un manomètre y soit raccordé. Autrement, il faut le boucher pour éviter une fuite de gaz qui empêche le gonflement satisfaisant du ballon.

Annexe — *suite*

Comment fonctionne le ballon d'anesthésie?

Pour que le ballon d'anesthésie fonctionne bien, il faut un débit de gaz suffisant en provenance de la source de gaz et un système étanche. Le ballon ne se gonflera pas comme il le devrait si (figure 3B.3) :

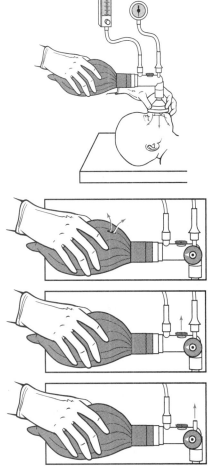

- le masque n'est pas posé hermétiquement sur le visage du bébé.
- le débit en provenance de la source de gaz est insuffisant.

- le ballon est déchiré.

- la valve de contrôle du débit est trop grande ouverte.

- le manomètre n'est pas raccordé ou la tubulure à oxygène s'est détachée ou est bouchée.

Figure 3B.3. Raisons pour lesquelles le ballon d'anesthésie ne se gonfle pas.

Annexe — *suite*

Comment vérifier le fonctionnement du ballon d'anesthésie avant de l'utiliser?

Pour vérifier le ballon d'anesthésie, raccordez-le à une source de gaz. Réglez le débitmètre entre 5 L/min et 10 L/min. Bloquez la sortie patient pour vous assurer que le ballon se remplit de manière satisfaisante (figure 3B.4). Pour ce faire, posez le masque hermétiquement sur la paume de votre main. Réglez la valve de contrôle du débit de manière que le ballon ne devienne pas surgonflé. Vérifiez le cadran du manomètre et réglez la valve pour obtenir une pression approximative de 5 cm d'eau lorsque le ballon n'est pas comprimé, et une pression inspiratoire de pointe de 30 cm d'eau à 40 cm d'eau lorsqu'il est comprimé fermement.

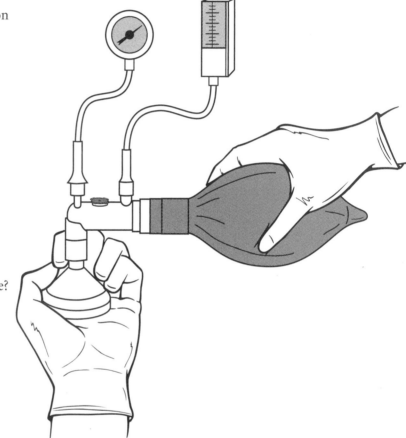

Le ballon se remplit-il de manière satisfaisante? Dans la négative :

- le ballon est-il fissuré ou déchiré?
- la valve de contrôle du débit est-elle trop grande ouverte?
- le manomètre y est-il raccordé?
- la tubulure à oxygène est-elle bien raccordée?
- la sortie patient est-elle bien bloquée?

Si le ballon se gonfle, comprimez-le.

- Sentez-vous une pression sur la main?

Figure 3B.4. Vérification du ballon d'anesthésie.

- Le cadran du manomètre indique-t-il une pression de 5 cm d'eau lorsque le ballon n'est pas comprimé et une pression de 30 cm d'eau à 40 cm d'eau lorsqu'il est comprimé fermement?

Comprimez le ballon à un rythme de 40 à 60 fois à la minute, à une pression de 40 cm d'eau. Si le ballon ne se remplit pas assez vite, rajustez la valve de contrôle du débit ou accroissez le débit de gaz en provenance du débitmètre. Assurez-vous ensuite que le cadran du manomètre indique encore une pression de 5 cm d'eau lorsque le ballon n'est pas comprimé. Vous devrez peut-être procéder à d'autres réglages de la valve de contrôle du débit pour éviter une pression expiratoire positive trop élevée.

Si le ballon se remplit toujours mal ou qu'il ne produit pas une pression suffisante, remplacez-le et reprenez la vérification.

Annexe — *suite*

Comment régler le débit d'oxygène, la concentration d'oxygène et la pression du ballon d'anesthésie?

Le ballon d'anesthésie se gonfle avec du gaz comprimé (de l'oxygène ou un mélange d'oxygène et d'air en provenance d'un mélangeur) (figure 3B.5). Le débit est réglé entre 5 L/min et 10 L/min et devra probablement être rajusté si le ballon ne se gonfle pas de manière satisfaisante. Le gaz qui pénètre dans le ballon ne se dilue pas comme celui qui pénètre dans un ballon autogonflable. Par conséquent, la concentration d'oxygène qui pénètre dans le ballon est celle qui est administrée au bébé. D'après les recommandations du programme, dans la plupart des réanimations, il faut administrer une ventilation en pression positive avec de l'oxygène 100 %. Cependant, si vous désirez utiliser une concentration d'oxygène inférieure à 100 %, vous devrez raccorder la tubulure du ballon à un mélangeur, pour mêler l'oxygène à de l'air comprimé en provenance d'un dispositif mural ou d'une bonbonne. La manière et le moment de réduire la concentration d'oxygène à moins de 100 % seront abordés à la leçon 8.

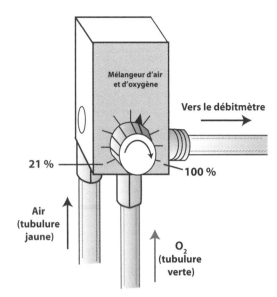

Figure 3B.5. Mélange d'oxygène et d'air à l'aide d'un mélangeur d'oxygène. Un bouton de commande permet de régler la concentration d'oxygène.

Lorsque vous posez le masque hermétiquement sur le visage du bébé (ou que vous raccordez le ballon à une sonde trachéale, comme vous le verrez à la leçon 5), tout l'oxygène qui provient de l'appareil mural ou du mélangeur sera orienté vers le ballon (et donc vers le patient), mais une partie s'échappera par la valve de contrôle du débit. C'est ainsi que le ballon se gonflera (figure 3B.6). La pression du ballon, et donc son gonflement, peut être rajustée de deux manières :

- Lorsque vous réglez le débitmètre, vous contrôlez le volume de gaz qui pénètre dans le ballon.

- Lorsque vous réglez la valve de contrôle du débit, vous contrôlez le volume de gaz qui s'échappe du ballon.

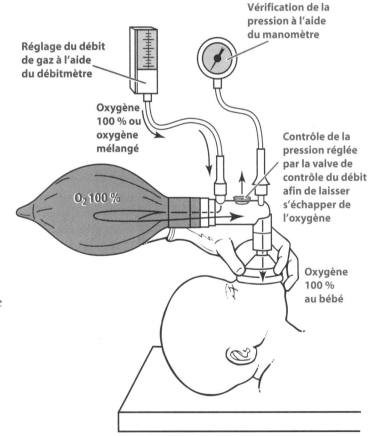

Figure 3B.6. Contrôle de l'oxygène et de la pression dans le ballon d'anesthésie.

Annexe — *suite*

Il faut régler le débitmètre et la valve de contrôle du débit de manière que le ballon soit assez gonflé pour être manipulé aisément et qu'il ne se dégonfle pas complètement à chaque ventilation (figure 3B.7).

Un ballon surgonflé est difficile à manipuler et peut transmettre une pression excessive au bébé. Un pneumothorax ou un autre type de fuite d'air risque de s'ensuivre. Avec un ballon sous-gonflé, il est difficile d'obtenir la pression inspiratoire voulue (figure 3B.8). Avec l'expérience, vous pourrez procéder aux réglages nécessaires pour obtenir un équilibre. Si le masque est posé hermétiquement sur le visage du bébé, vous devriez être en mesure de maintenir un gonflement suffisant lorsque le débitmètre est réglé entre 5 L/min et 10 L/min.

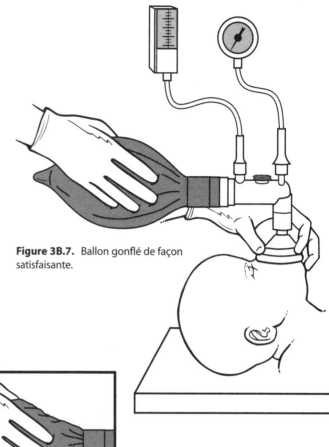

Figure 3B.7. Ballon gonflé de façon satisfaisante.

Figure 3B.8. Ballon de réanimation surgonflé (à gauche) et sous-gonflé (à droite).

Révision — *Annexe B*

(Les réponses figurent dans la section précédente et à la fin de l'annexe.)

B-1. Nommez quatre raisons pour lesquelles le ballon d'anesthésie ne permettrait pas la ventilation du bébé.

1) _____

2) _____

3) _____

4) _____

B-2. Lequel de ces ballons d'anesthésie est utilisé de manière satisfaisante?

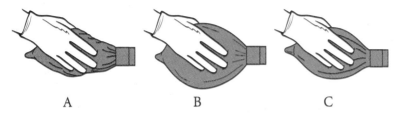

      A   B   C

B-3. Pour régler la pression d'oxygène transmise au bébé à l'aide du ballon d'anesthésie, vous pouvez régler le débitmètre fixé au dispositif mural ou (la valve de contrôle du débit) (le manomètre).

B-4. Si le débit de gaz du ballon d'anesthésie est trop élevé, le bébé (court) (ne court pas) un risque accru de pneumothorax.

Annexe — *suite*

C. L'insufflateur néonatal

Quelles sont les pièces de l'insufflateur néonatal?

L'insufflateur néonatal à débit contrôlé et à pression limitée se compose de six pièces (figure 3C.1) :

1. entrée du gaz
2. sortie patient
3. réglage de la pression maximum
4. manomètre du circuit
5. réglage de la pression inspiratoire
6. pièce en T du patient pourvue d'un bouchon de pression expiratoire positive (PEP)

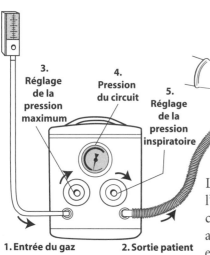

Figure 3C.1. Pièces de l'insufflateur néonatal.

Le gaz en provenance d'une source de gaz comprimé pénètre dans l'insufflateur néonatal à l'*entrée du gaz*. La prise est une petite saillie conçue pour être raccordée à la tubulure à oxygène et est intégrée au *réglage de la pression maximum*. La pression maximale voulue est ajustée après le blocage du bouchon de PEP et la détermination du réglage de la pression maximum (voir le texte ci-dessous) à la limite de pression maximale. Le fabricant de l'un des appareils a fixé le niveau implicite à 40 cm d'eau, mais ce niveau peut être modifié.

L'oxygène est expulsé de la *sortie patient* vers le *circuit d'alimentation de gaz* de l'insufflateur néonatal pour atteindre la *pièce en T*, à laquelle est raccordé le masque ou la sonde trachéale.

Le *réglage de la pression inspiratoire* permet de déterminer la pression inspiratoire de pointe (PIP) désirée.

Le *bouchon de PEP* permet de régler la pression expiratoire positive, au besoin.

Le *manomètre du circuit* permet d'ajuster et de surveiller la pression inspiratoire de pointe, la pression expiratoire positive et la pression maximale du circuit.

Comment l'insufflateur néonatal fonctionne-t-il?

L'insufflateur néonatal est conçu pour la réanimation néonatale. L'intervenant doit sélectionner les réglages de pression pour obtenir la pression maximale du circuit, la PIP et la PEP avant l'usage (voir le texte ci-dessous). Lorsque l'intervenant bloque la valve de PEP, la PIP est administrée au patient jusqu'à ce que l'intervenant débloque la valve de PEP.

Annexe — *suite*

Comment préparer l'insufflateur néonatal?

Premièrement, assemblez les pièces de l'insufflateur néonatal conformément aux consignes du fabricant.

Deuxièmement, fixez un poumon d'essai à la sortie patient. Le poumon d'essai est un ballon gonflable fourni par le fabricant.

Troisièmement, raccordez l'appareil à une source de gaz. Il s'agit d'une tubulure en provenance d'une source d'oxygène 100 % ou d'un mélangeur qui permet de régler la concentration d'oxygène entre 21 % et 100 % (voir la leçon 2).

Quatrièmement, réglez les commandes de pression comme suit :

- Pour ajuster le débitmètre qui contrôle le volume de gaz qui pénètre dans l'insufflateur néonatal, de 5 mL/min à 15 L/min sont recommandés.

- Pour ajuster la pression de circuit maximale, bloquez le bouchon de PEP avec le doigt et déterminez le réglage de la pression maximum (40 cm d'eau sont recommandés) (figure 3C.2).

- Pour ajuster la pression inspiratoire de pointe, bloquez le bouchon de PEP avec le doigt et sélectionnez la pression inspiratoire de pointe voulue (figure 3C.3).

- Pour ajuster la pression expiratoire positive, retirez le doigt du bouchon de PEP et placez le bouchon à la valeur désirée (de 0 cm d'eau à 5 cm d'eau sont recommandés) (voir la leçon 8).

- Retirez le poumon d'essai et raccordez l'insufflateur néonatal à un masque ou préparez-vous à le raccorder à une sonde trachéale lorsque le bébé aura été intubé (voir la leçon 5).

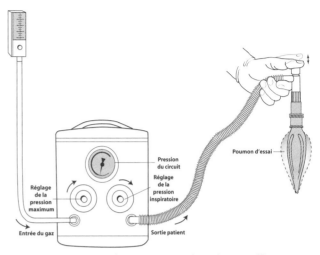

Figure 3C.2. Réglage d'un insufflateur néonatal.

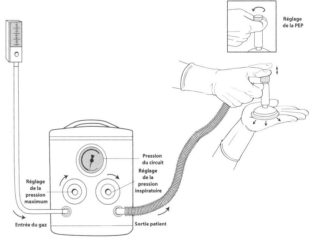

Figure 3C.3. Réglage de la pression maximum et de la pression de pointe avant l'utilisation.

Une fois l'appareil raccordé au patient, soit par l'application du masque sur son visage, soit par son raccordement à une sonde trachéale, vous pourrez contrôler le rythme respiratoire en bloquant le bouchon de PEP de manière intermittente.

Si vous désirez modifier la pression inspiratoire de pointe, vous devrez rajuster le réglage de la pression inspiratoire. Vous pourrez y parvenir tout en poursuivant la ventilation du bébé, sans raccorder de nouveau le poumon d'essai.

Annexe — *suite*

Comment régler la concentration d'oxygène de l'insufflateur néonatal?

La même concentration d'oxygène alimente l'insufflateur néonatal et est administrée au bébé. Par conséquent, si l'insufflateur néonatal est raccordé à une source d'oxygène 100 %, de l'oxygène 100 % sera administré au bébé. Pour administrer une concentration d'oxygène inférieure à 100 %, vous aurez besoin d'une source d'air comprimé et d'un raccordement à un mélangeur d'oxygène. Le mélangeur peut ensuite être réglé entre 21 % et 100 %.

Qu'est-ce qui peut clocher si l'état du bébé ne s'améliore pas ou si vous n'obtenez pas la pression de pointe voulue?

- Le masque n'est pas posé hermétiquement sur le visage du bébé.
- L'insufflateur n'est pas raccordé à l'alimentation en gaz ou le débit de gaz est insuffisant.
- La pression maximale du circuit, la pression inspiratoire de pointe ou la pression expiratoire est mal réglée.

Peut-on administrer de l'oxygène à débit libre à l'aide d'un insufflateur néonatal?

L'insufflateur néonatal est une source fiable d'administration d'oxygène à débit libre (figure 3C.4) si vous bloquez le bouchon de PEP et que vous tenez le masque au-dessus du visage. Le débit d'oxygène ou de gaz qui pénètre dans l'insufflateur néonatal est le même que celui qui ressort de la pièce en T vers le bébé lorsque le bouchon de PEP est bloqué. Lorsque le masque est placé au-dessus du visage du bébé, le débit est maintenu sans accumulation de pression puisque l'oxygène ou le gaz s'échappe dans l'environnement, autour de la bouche et des narines.

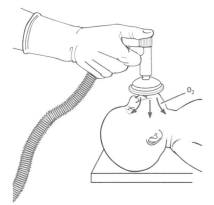

Figure 3C.4. Oxygène à débit libre administré par l'insufflateur néonatal.

Révision — *Annexe C*

(Les réponses figurent dans la section précédente et à la fin de l'annexe.)

C-1. Quelles pressions faut-il régler avant d'utiliser l'insufflateur néonatal?

    1) _____

    2) _____

    3) _____

C-2. Il faut peut-être (accroître) (décroître) le débit de l'insufflateur néonatal s'il est impossible d'obtenir la pression inspiratoire de pointe.

C-3. Pour administrer de l'oxygène a débit libre à l'aide de l'insufflateur néonatal, il faut que le bouchon de PEP soit (ouvert) (bloqué).

C-4. L'insufflateur néonatal (fonctionne) (ne fonctionne pas) sans source de gaz comprimé.

Réponses aux questions des annexes

A-1. Le ballon autogonflable pourvu d'un manomètre ne fonctionne que s'il y est raccordé ou que le point de raccordement est **bloqué**.

A-2. Le ballon autogonflable permet d'administrer de l'oxygène à concentration de 90 % à 100 % **seulement s'il est raccordé à un réservoir à oxygène**.

A-3. S'il n'est pas raccordé à un réservoir à oxygène, le ballon autogonflable ne permet d'administrer que de l'oxygène à concentration de **40 %** environ.

A-4. Lorsque vous comprimez le ballon autogonflable, vous **devez** sentir une pression sur la main.

A-5. La lecture du manomètre devrait être **de 30 cm d'eau à 40 cm d'eau**.

A-6. La pression inspiratoire de pointe en provenance du ballon autogonflable est déterminée par 1) **la force de compression du ballon**, 2) **les fuites d'air entre le masque et le visage du bébé** et 3) **le réglage de la valve de surpression**.

B-1. Il se peut que le ballon d'anesthésie ne permette pas la ventilation du bébé en raison 1) **d'une mauvaise étanchéité entre le masque et le visage du bébé**, 2) **d'une déchirure du ballon**, 3) **de la trop grande ouverture de la valve de contrôle du débit** ou 4) **d'un manomètre non raccordé ou d'une tubulure à oxygène détachée ou obstruée**.

B-2. L'illustration **C** est la bonne.

B-3. Vous pouvez contrôler la pression d'oxygène transmise au bébé à l'aide d'un ballon d'anesthésie par le réglage du débitmètre ou de **la valve de contrôle du débit**.

B-4. Si le débit de gaz du ballon d'anesthésie est trop élevé, le bébé **court** un risque accru de pneumothorax.

C-1. Les pressions de l'insufflateur néonatal à régler avant son utilisation sont :
1) **la pression maximale du circuit**
2) **la pression inspiratoire de pointe**
3) **la pression expiratoire positive**

C-2. Il faut peut-être **accroître** le débit de l'insufflateur néonatal s'il est impossible d'obtenir la pression inspiratoire de pointe.

C-3. Pour administrer de l'oxygène à débit libre à l'aide d'un insufflateur néonatal, il faut que le bouchon de PEP soit **bloqué**.

C-4. L'insufflateur néonatal **ne fonctionne pas** sans source de gaz comprimé.

Les compressions thoraciques

Les notions suivantes sont abordées dans la leçon 4 :

- Quand entreprendre les compressions thoraciques pendant une réanimation

- Comment administrer les compressions thoraciques

- Comment coordonner les compressions thoraciques avec la ventilation en pression positive

- Quand arrêter les compressions thoraciques

Le cas suivant illustre la manière de pratiquer les compressions thoraciques pendant une réanimation plus complexe. À la lecture du cas, imaginez-vous au sein de l'équipe de réanimation. Les compressions thoraciques sont ensuite détaillées tout au long de la leçon.

Cas 4.
La réanimation par ventilation en pression positive et par compressions thoraciques

Une femme enceinte de 34 semaines téléphone à son obstétricien parce qu'elle remarque une réduction prononcée des mouvements fœtaux.

Elle est admise à l'unité de naissance où on remarque une bradycardie fœtale persistante. On appelle des intervenants compétents supplémentaires à la salle d'accouchement, on allume l'unité chauffante et on prépare le matériel de réanimation. On procède à une césarienne d'urgence, et un bébé flasque et apnéique est confié à l'équipe de réanimation néonatale.

L'équipe place la tête du bébé en position, aspire les sécrétions de sa bouche et de son nez, le stimule en l'asséchant et en lui donnant des chiquenaudes sur la plante des pieds et remplace les serviettes mouillées. Cependant, 30 secondes après la naissance, le bébé est toujours flasque et cyanosé et ne respire pas spontanément.

L'un des intervenants amorce la ventilation en pression positive au ballon et masque à l'aide d'oxygène d'appoint, tandis qu'un deuxième intervenant prend le pouls du cordon ombilical et écoute le murmure vésiculaire au stéthoscope. La fréquence cardiaque est inférieure à 60 battements à la minute (battements/min) malgré un bon murmure vésiculaire, et le thorax se soulève et s'abaisse doucement. Au bout de 30 secondes, la fréquence cardiaque du bébé est très faible (de 20 battements/min à 30 battements/min), et celui-ci demeure cyanosé et flasque.

Naissance

Temps approximatif

30 s
- **Gestation à terme?**
- **Liquide amniotique transparent?**
- **Respirations ou pleurs?**
- **Bon tonus musculaire?**

Non

- **Fournir de la chaleur**
- **Mettre en position, dégager les voies aériennes* (au besoin)**
- **Assécher, stimuler, remettre en position**

- **Évaluer la respiration, la fréquence cardiaque et la coloration**

Respiration, FC >100 mais cyanose

Apnée ou FC <100

30 s
- **Administrer de l'oxygène d'appoint**

Cyanose persistante

- **Amorcer la ventilation en pression positive***

Ventilation efficace FC >100 et coloration rosée → **Soins postréanimation**

FC <60 *FC >60*

30 s
- **Poursuivre la ventilation en pression positive***
- **Entreprendre les compressions thoraciques***

FC <60

- **Administrer de l'adrénaline***

* L'intubation trachéale peut être envisagée à diverses étapes.

L'équipe amorce les compressions thoraciques et les coordonne avec la ventilation en pression positive. Elle effectue des évaluations répétées pour s'assurer que les voies aériennes du bébé sont bien dégagées et que sa tête demeure en position. Cependant, 30 secondes plus tard, la ventilation au ballon et masque n'a toujours pas accru la fréquence cardiaque, et la ventilation ne réussit plus à assurer une excursion thoracique satisfaisante.

On intube rapidement la trachée pour assurer une ventilation efficace et on reprend les compressions thoraciques coordonnées avec la ventilation en pression positive. La ventilation en pression positive permet maintenant d'accroître la fréquence cardiaque et semble produire une meilleure excursion thoracique.

Le bébé gaspe enfin. L'intervenant arrête les compressions thoraciques lorsque la fréquence cardiaque dépasse les 60 battements/min. L'équipe poursuit la ventilation assistée. La coloration du bébé s'améliore, et sa fréquence cardiaque passe à plus de 100 battements/min. Après quelques mouvements respiratoires autonomes, le bébé est transporté à l'unité néonatale, où le monitorage se poursuit et où il reçoit les autres soins dont il a besoin.

Quelles sont les indications pour amorcer les compressions thoraciques?

Les compressions thoraciques sont indiquées dès que la fréquence cardiaque descend à moins de 60 battements/min, malgré une ventilation en pression positive *efficace* pendant 30 secondes.

Pourquoi administrer les compressions thoraciques?

Le bébé dont la fréquence cardiaque est inférieure à 60 battements/min, malgré une stimulation et une ventilation en pression positive pendant 30 secondes, présente probablement un taux d'oxygène sanguin très faible et une acidose importante. Par conséquent, sa fonction cardiaque est déprimée, et son myocarde ne peut se contracter suffisamment pour propulser le sang dans les poumons où il se chargerait de l'oxygène que vous y insufflez. Vous devez donc pomper le sang mécaniquement jusqu'au cœur, tout en poursuivant la ventilation des poumons jusqu'à ce que le myocarde devienne assez oxygéné pour se contracter spontanément. Ce processus contribue également à rétablir l'oxygénation du cerveau.

À cette étape, l'intubation trachéale peut garantir une ventilation suffisante et favoriser la coordination de la ventilation avec les compressions thoraciques.

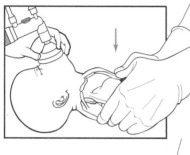

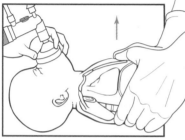

Figure 4.1. La poussée (en haut) et le relâchement (en bas) des compressions thoraciques.

Que sont les compressions thoraciques?

Les compressions thoraciques, qu'on appelle parfois *massage cardiaque*, désignent des pressions rythmées sur le sternum pour :

- comprimer le cœur contre le rachis,
- accroître la pression intrathoracique,
- faire circuler le sang vers les organes vitaux de l'organisme.

Le cœur repose dans la cage thoracique, entre le tiers inférieur du sternum et le rachis. La compression du sternum entraîne celle du cœur et accroît la pression intrathoracique, ce qui propulse le sang vers les artères (figure 4.1).

Lorsqu'on relâche la pression du sternum, le sang veineux revient dans le cœur.

Combien faut-il d'intervenants pour pratiquer les compressions thoraciques, et où doivent-ils se placer?

Les compressions thoraciques ne servent pas à grand-chose, à moins de ventiler simultanément les poumons avec de l'oxygène. Ainsi, il faut deux intervenants pour pratiquer des compressions thoraciques efficaces : l'un pour comprimer le thorax, et l'autre pour poursuivre la ventilation. Ce deuxième intervenant peut être celui qui a évalué la fréquence cardiaque et le murmure vésiculaire pendant la ventilation en pression positive.

Comme vous le constaterez, ces deux intervenants doivent coordonner leurs manœuvres. Il serait donc utile qu'ils s'exercent tous les deux avant de se trouver en situation réelle. L'intervenant qui pratique les compressions thoraciques doit avoir accès au thorax et être en mesure de se placer les mains correctement. L'intervenant qui assiste la ventilation devra se placer à la tête du bébé, obtenir une étanchéité

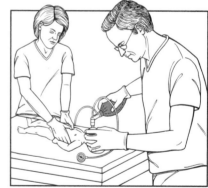

Figure 4.2. Il faut deux intervenants pour pratiquer les compressions thoraciques.

efficace du masque sur le visage (ou stabiliser la sonde trachéale) et vérifier si l'excursion thoracique est efficace (figure 4.2).

La réanimation néonatale

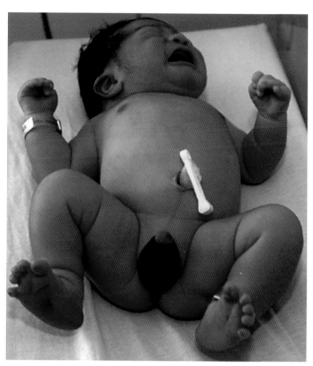

Fig. A-1. Nouveau-né normal. Bonne coloration et bon tonus. Remarquer l'absence de cyanose centrale et la coloration rosée des muqueuses. Il est inutile d'administrer de l'oxygène.

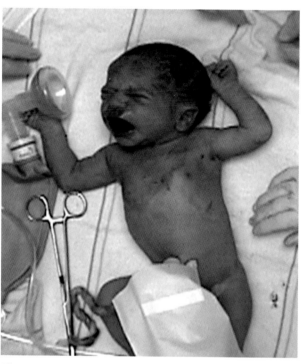

Fig. A-2. Nouveau-né atteint de cyanose centrale. Il faudra administrer de l'oxygène et peut-être procéder à une ventilation assistée.

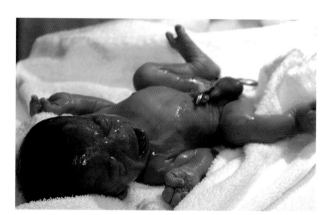

Fig. A-3. Nouveau-né dès la naissance. L'assèchement et le retrait des serviettes mouillées stimuleront probablement la respiration et préviendront la perte de chaleur.

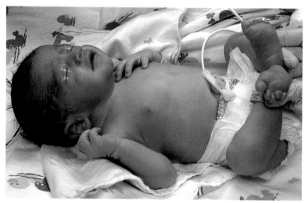

Fig. A-4. Nouveau-né ayant une acrocyanose des mains et des pieds, mais dont le tronc et les muqueuses sont rosés. Il est inutile d'administrer de l'oxygène.

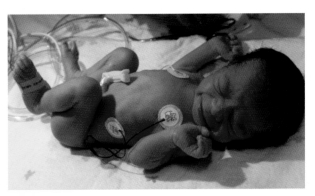

Fig. B-1. Nouveau-né à risque : bon tonus. Ce bébé est légèrement prématuré et petit pour son âge gestationnel. Cependant, son tonus est excellent.

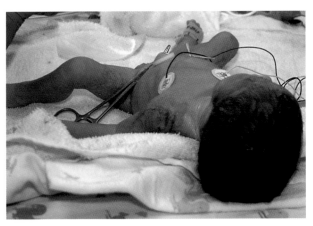

Fig. B-2. Nouveau-né à risque : manque de tonus. La prématurité ne suffit pas pour expliquer le manque de tonus très marqué de ce bébé. Il faudra procéder à une réanimation.

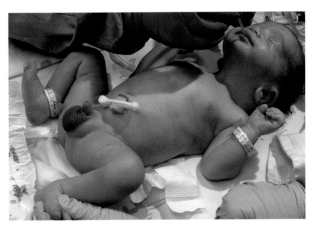

Fig. B-3. Nouveau-né à risque : coloration pâle. Ce bébé très pâle est né dans un contexte de placenta praevia. Il pourrait être nécessaire d'administrer un bolus liquidien.

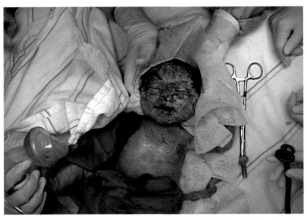

Fig. B-4. Nouveau-né à risque : méconium. Ce nouveau-né non vigoureux (manque de tonus et efforts respiratoires insatisfaisants) est couvert de méconium. Il faudra entreprendre l'intubation trachéale en vue de procéder à une aspiration.

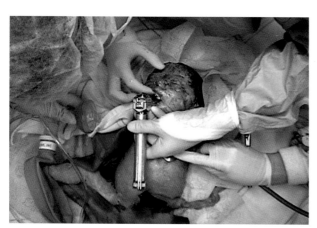

Fig. C-1a. Nouveau-né flasque couvert de méconium. Le réanimateur s'apprête à pratiquer une intubation trachéale en vue d'aspirer le méconium.

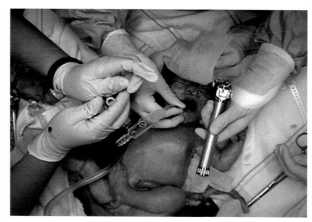

Fig. C-1b. La sonde trachéale est insérée, le dispositif d'aspiration méconiale est raccordé à la sonde et la source d'aspiration est sur le point de l'être aussi.

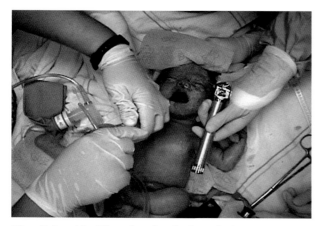

Fig. C-1c. L'orifice de régulation de l'aspiration est bouché, de manière à poursuivre l'aspiration dans la sonde trachéale pendant le retrait progressif de la sonde.

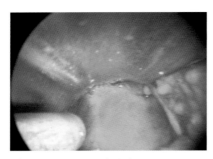

Fig. C-2a. Vue du pharynx postérieur après l'insertion du laryngoscope.

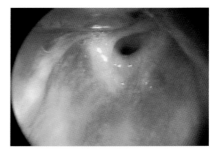

Fig. C-2b. Vue de l'œsophage après l'insertion un peu trop profonde du laryngoscope.

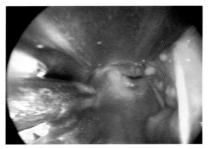

Fig. C-2c. Vue des cartilages aryténoïdes et de la glotte postérieure une fois la lame du laryngoscope légèrement retirée.

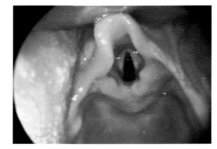

Fig. C-2d. Vue de la glotte et des cordes vocales après un léger soulèvement du laryngoscope.

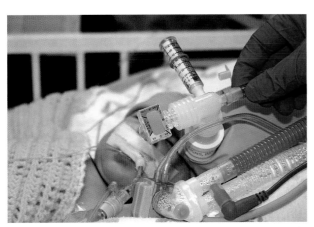

Fig. D-1. La couleur violette du détecteur de CO_2 avant le raccordement à la sonde trachéale démontre l'absence de CO_2.

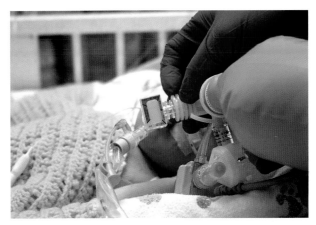

Fig. D-2. La couleur jaune du détecteur de CO_2 indique la présence de CO_2. Par conséquent, la sonde se trouve dans la trachée.

Fig. D-3. Le détecteur de CO_2 demeure violet, ce qui est un fort indice que la sonde trachéale est insérée dans l'œsophage plutôt que dans la trachée.

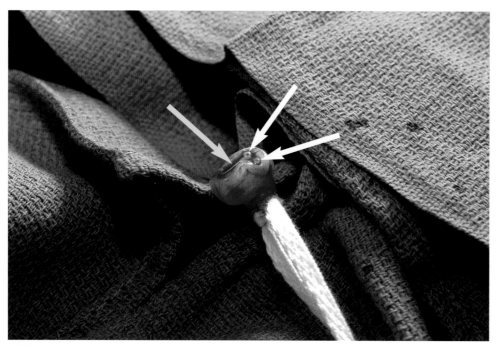

Fig. E-1. Cordon ombilical coupé, avant l'installation du cathéter. Remarquer les artères ombilicales signalées par les flèches blanches, ainsi que la veine ombilicale signalée par la flèche jaune.

Fig. E-2. Un cathéter rempli de soluté physiologique a été inséré à une profondeur de 2 cm à 4 cm dans la veine ombilicale (remarquer les marques noires des centimètres sur le cathéter). Il ne faut pas administrer de médicaments avant qu'il soit possible d'aspirer du sang facilement dans le cathéter.

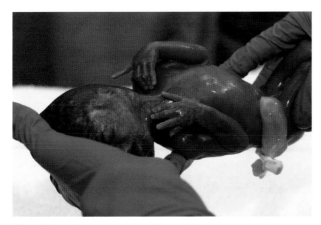

Fig. F-1. Ce nouveau-né extrêmement prématuré, cyanosé, sans tonus musculaire, a besoin de ventilation assistée.

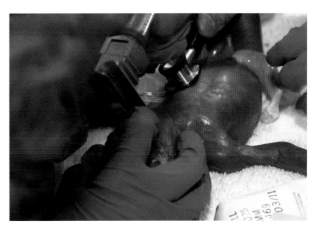

Fig. F-3. On procède à l'intubation trachéale pendant qu'un assistant vérifie la fréquence cardiaque du nouveau-né en l'auscultant.

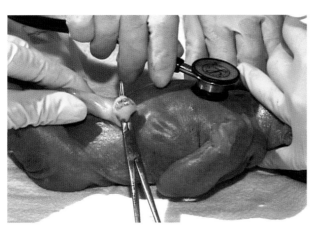

Fig. F-2. La fréquence cardiaque est déterminée de deux façons : par palpation à la base du cordon ou par auscultation thoracique.

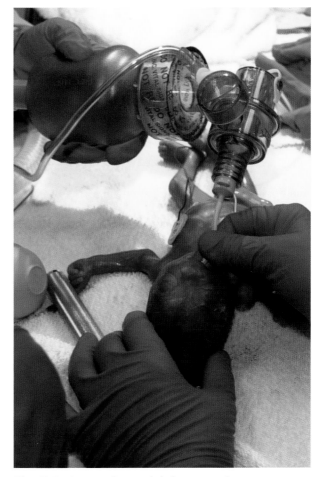

Fig. F-4. La sonde trachéale est maintenue en place pendant la ventilation en pression positive.

Comment placer les mains sur le thorax pour amorcer les compressions thoraciques?

Vous apprendrez deux techniques pour pratiquer les compressions thoraciques, soit :

- *la technique des pouces* : Vous utilisez les deux pouces pour enfoncer le sternum et encerclez le torse avec les doigts pour soutenir le rachis (figure 4.3A).

- *la technique à deux doigts* : Vous utilisez le bout du majeur ainsi que le bout de l'index ou de l'annulaire d'une main pour enfoncer le sternum et soutenez le dos du bébé de l'autre main (à moins qu'il soit couché sur une surface très ferme) (figure 4.3B).

Quels sont les avantages relatifs de chaque technique?

Chaque technique comporte des avantages et des inconvénients. À la lumière de données limitées, la technique des pouces est préférable, mais celle à deux doigts est acceptable.

La technique des pouces est privilégiée parce qu'en général, elle est moins fatigante et permet de mieux contrôler la profondeur de la compression. De plus, elle est peut-être plus efficace pour produire de meilleures pressions systoliques de pointe et de perfusion coronarienne. Elle est également préférable si vous avez les ongles longs. Cependant, la technique à deux doigts est plus pratique si vous avez affaire à un gros bébé ou si vous avez de petites mains. Elle convient également mieux pour permettre l'accès à l'ombilic afin d'administrer des médicaments. Vous devez donc apprendre les deux techniques.

Ces deux techniques comportent des points communs :

- Position du bébé
  - soutien ferme du dos
  - légère extension du cou
- Compressions
  - même position, même profondeur et même rythme

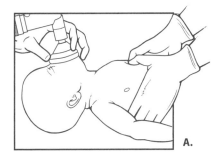
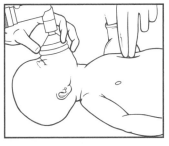

Figure 4.3. Deux techniques de compressions thoraciques : avec les pouces (A) et à deux doigts (B).

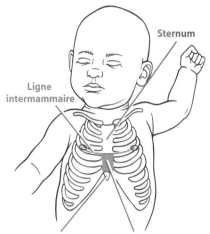

Figure 4.4. Repères pour pratiquer les compressions thoraciques.

Où placer les pouces ou les doigts sur le thorax?

Lorsque vous pratiquez des compressions thoraciques sur un nouveau-né, vous devez exercer une pression sur le tiers inférieur du sternum, qui repose entre l'appendice xyphoïde et une ligne intermammaire imaginaire (figure 4.4). L'appendice xyphoïde est la portion inférieure et aplatie du sternum où se rejoignent les côtes inférieures. Il est facile de le repérer en glissant les doigts sur le rebord inférieur du thorax. Vous placez ensuite les pouces ou les doigts directement au-dessus. Vous devez éviter d'appuyer directement sur l'appendice xyphoïde.

Où placer les mains avec la technique des pouces?

Pour utiliser la technique des pouces, encerclez le torse du bébé de vos deux mains. Placez les pouces sur le sternum et les doigts sous le dos du bébé, pour soutenir le rachis (figure 4.5).

Vous pouvez placer les pouces l'un à côté de l'autre ou, si le bébé est petit, l'un par-dessus l'autre (figure 4.5).

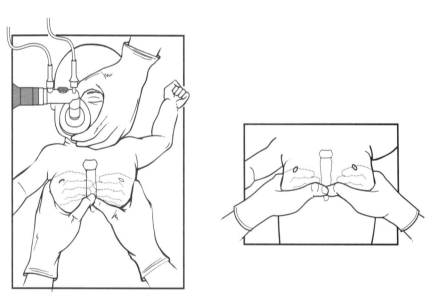

Figure 4.5. Technique des pouces utilisée pour pratiquer des compressions thoraciques sur un petit bébé (à gauche) et un plus gros bébé (à droite).

Vous comprimez le sternum avec les pouces tout en assurant le soutien nécessaire du dos avec les doigts. Vous devez replier les pouces à la première articulation et exercer la pression à la verticale pour comprimer le cœur entre le sternum et le rachis (figure 4.6).

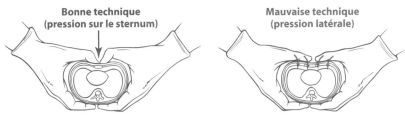

Bonne technique
(pression sur le sternum)

Mauvaise technique
(pression latérale)

Figure 4.6. Bonne technique et mauvaise technique pour pratiquer les compressions thoraciques avec la technique des pouces.

La technique des pouces peut comporter certains inconvénients. Vous ne pourrez pas l'utiliser avec efficacité si le bébé est gros ou si vous avez de petites mains. De plus, la position de votre corps complique quelque peu l'accès au cordon ombilical si vous devez l'utiliser pour administrer des médicaments.

Où placer les mains avec la technique à deux doigts?

Avec la technique à deux doigts, vous utilisez le bout du majeur ainsi que le bout de l'index ou de l'annulaire d'une main pour pratiquer les compressions (figure 4.7). Si vous êtes droitier, l'utilisation de la main droite vous semblera plus naturelle, tandis que vous préférerez la main gauche si vous êtes gaucher. Placez les deux doigts perpendiculairement au thorax, comme il est indiqué sur l'illustration, et appuyez du bout des doigts. Si vous avez les ongles trop longs, assumez plutôt la responsabilité de la ventilation pendant que votre partenaire procédera aux compressions thoraciques. Vous pouvez aussi passer à la technique des pouces.

De l'autre main, vous soutenez le dos du bébé pour assurer des compressions plus efficaces du cœur entre le sternum et le rachis. Cette main vous permettra de mieux évaluer la force et la profondeur des compressions.

Pendant les compressions, seul le bout de vos deux doigts doit appuyer sur le thorax. Ainsi, vous contrôlerez mieux la pression exercée entre le sternum et le rachis (figure 4.8A).

Comme vous le faites avec la technique des pouces, vous devez exercer la pression à la verticale pour comprimer le cœur entre le sternum et le rachis (figure 4.8A).

Il se peut que la technique à deux doigts vous fatigue davantage que celle des pouces si vous devez poursuivre les compressions thoraciques pendant une période prolongée. Cependant, vous pouvez l'utiliser quel que soit le poids du bébé ou la dimension de vos mains. De plus, cette technique rend l'ombilic plus accessible si vous devez l'utiliser pour administrer des médicaments.

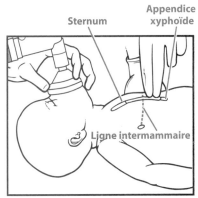

Sternum

Appendice xyphoïde

Ligne intermammaire

Figure 4.7. Bonne position des doigts pour pratiquer les compressions thoraciques.

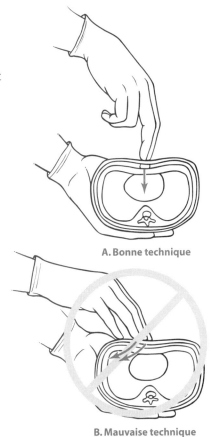

A. Bonne technique

B. Mauvaise technique

Figure 4.8. Bonne technique et mauvaise technique pour pratiquer les compressions thoraciques avec la technique à deux doigts.

Révision

(Les réponses figurent dans la section précédente et à la fin de la leçon.)

1. Une nouveau-née est apnéique et cyanosée. On dégage ses voies aériennes et on la stimule. Au bout de 30 secondes, on amorce la ventilation en pression positive. À 60 secondes de vie, sa fréquence cardiaque est de 80 battements à la minute. Il (faut) (ne faut pas) amorcer les compressions thoraciques. Il (faut) (ne faut pas) poursuivre la ventilation en pression positive.

2. Une nouveau-née est apnéique et cyanosée. Elle demeure apnéique, même si on a dégagé ses voies aériennes, si on l'a stimulée et si elle a reçu une ventilation en pression positive pendant 30 secondes. À 60 secondes de vie, sa fréquence cardiaque est de 40 battements à la minute. Il (faut) (ne faut pas) amorcer les compressions thoraciques. Il (faut) (ne faut pas) poursuivre la ventilation en pression positive.

3. Pendant la phase de poussée des compressions thoraciques, le sternum comprime le cœur et propulse le sang du cœur vers les (veines) (artères). Pendant la phase de relâchement, le sang (veineux) (artériel) revient vers le cœur.

4. Sur l'illustration à gauche, encerclez l'endroit où vous pratiqueriez les compressions thoraciques.

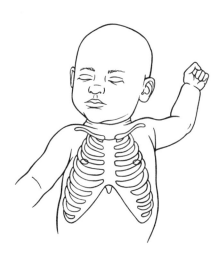

5. La technique (des pouces) (à deux doigts) est préconisée pour pratiquer les compressions thoraciques.

6. Si vous prévoyez administrer des médicaments au bébé par voie ombilicale, il peut être plus facile de pratiquer les compressions thoraciques avec la technique (des pouces) (à deux doigts).

Quelle pression exercer sur le thorax?

Il est important de contrôler la pression exercée lors des compressions du sternum.

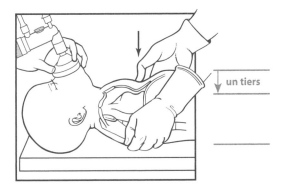

Figure 4.9. La profondeur des compressions doit correspondre environ au tiers du diamètre antéropostérieur du thorax.

un tiers

Une fois les doigts et les mains bien placés, exercez une pression suffisante pour enfoncer le sternum *à une profondeur correspondant environ au tiers du diamètre antéropostérieur du thorax* (figure 4.9), puis relâchez la pression pour que le cœur se remplisse. Une compression correspond à une poussée suivie du relâchement. La profondeur de la compression dépend de la grosseur du bébé.

La poussée devrait être un peu plus courte que le relâchement pour assurer un débit cardiaque maximal.

Vos pouces ou le bout de vos doigts (selon la technique utilisée) doivent demeurer en contact avec le thorax en tout temps pendant la poussée *et* le relâchement (figure 4.10). Toutefois, pour favoriser une expansion thoracique maximale, relâchez la pression des pouces ou des doigts, afin que le sang veineux puisse bien pénétrer dans le cœur. Cependant, il *ne faut pas* que vos pouces ou vos doigts perdent contact avec le thorax entre les compressions (figure 4.11). Si vous perdez ce contact :

- vous perdrez du temps à retrouver la zone de compression;
- vous perdrez le contrôle de la profondeur de compression;
- vous risquerez de pratiquer la compression au mauvais endroit et de provoquer des lésions au thorax ou aux organes sous-jacents.

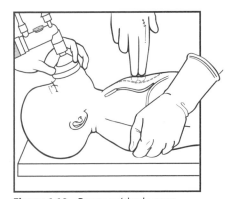

Figure 4.10. *Bonne* méthode pour pratiquer les compressions thoraciques (les doigts demeurent en contact avec le thorax pendant la période de relâchement).

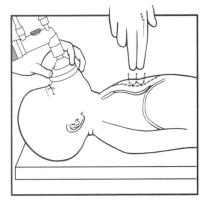

Figure 4.11. *Mauvaise* méthode pour pratiquer les compressions thoraciques (les doigts ne sont plus en contact avec le thorax pendant la période de relâchement).

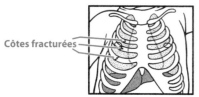

Les compressions thoraciques comportent-elles des risques?

Les compressions thoraciques peuvent causer des lésions au bébé.

La cage thoracique protège deux organes vitaux : le cœur et les poumons. Quant au foie, il se trouve dans la cavité abdominale mais est partiellement protégé par les côtes. Pendant les compressions thoraciques, vous devez exercer une pression suffisante pour comprimer le cœur entre le sternum et le rachis, sans toutefois endommager les organes sous-jacents. Si vous exercez une pression trop basse, sur l'appendice xyphoïde, vous risquez de provoquer une lacération hépatique (figure 4.12).

De plus, les côtes sont fragiles et se fracturent facilement.

Si vous respectez les directives exposées dans la présente leçon, vous réduirez au minimum le risque de lésions.

Figure 4.12. Les structures qui risquent d'être endommagées pendant les compressions thoraciques.

Quelle est la fréquence des compressions thoraciques, et comment les coordonne-t-on avec la ventilation?

Pendant la réanimation cardiopulmonaire, les compressions thoraciques doivent toujours s'accompagner d'une ventilation en pression positive. Évitez de procéder simultanément à une compression et à une ventilation, car l'une des manœuvres réduit l'efficacité de l'autre. Ainsi, il faut coordonner ces deux manœuvres en interposant une ventilation toutes les trois compressions, pour un total de 30 ventilations et de 90 compressions à la minute (figure 4.13).

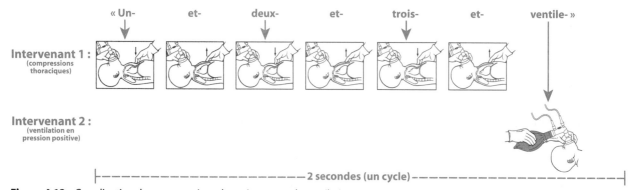

Figure 4.13. Coordination des compressions thoraciques avec la ventilation.

L'intervenant responsable des compressions donne la cadence à celui qui s'occupe de la ventilation. Le premier intervenant compte « un-et-deux-et-trois-et-ventile- » pendant que le deuxième comprime le ballon lorsqu'il entend « ventile- » et le relâche au son de « un-et- ». L'expiration se produit pendant la poussée de compression suivante. Le fait de donner la cadence contribue à assurer des manœuvres régulières et bien coordonnées.

Chaque *cycle* se compose de trois compressions et d'une ventilation.

- Il faut compter environ 120 « gestes » en 60 secondes (une minute), soit 90 compressions et 30 ventilations.

Pendant les compressions thoraciques, il faut effectuer 30 ventilations à la minute plutôt que 40 à 60 à la minute, comme c'était le cas pour la ventilation en pression positive sans compression. Cette fréquence ventilatoire moins élevée s'impose pour pratiquer le nombre de compressions nécessaires et éviter de procéder simultanément aux compressions et à la ventilation. Afin de bien coordonner la manœuvre, il faut s'exercer avec un autre intervenant et jouer le rôle tant de l'intervenant qui procède aux compressions que de celui qui se charge de la ventilation.

Comment s'exercer à coordonner les compressions thoraciques avec la ventilation?

Imaginez que vous êtes l'intervenant responsable des compressions thoraciques. Répétez la cadence plusieurs fois pendant que vous bougez les mains comme si vous comprimiez le thorax au son de « un-et- », « deux-et- », « trois-et- ». N'appuyez pas lorsque vous dites « ventile- ». Ne retirez pas les doigts de la surface sur laquelle vous appuyez, mais assurez-vous de relâcher suffisamment la pression pour garantir une bonne expansion thoracique pendant la ventilation.

Maintenant, chronométrez-vous pour vérifier si vous pouvez donner la cadence tout en effectuant cinq cycles en dix secondes. N'oubliez pas de ne pas appuyer lorsque vous dites « ventile- ».

Exercez-vous à donner la cadence tout en pratiquant les compressions thoraciques :

Un-et-deux-et-trois-et-ventile-***un-et-deux-et-trois-et-***ventile-

Un-et-deux-et-trois-et-ventile-***un-et-deux-et-trois-et-***ventile-

Un-et-deux-et-trois-et-ventile

Imaginez maintenant que vous procédez à la ventilation au ballon et masque. Cette fois, vous devez faire semblant de comprimer le ballon lorsque vous dites « ventile- », mais pas lorsque vous dites « un-et- », « deux-et- », « trois-et- ».

Maintenant, chronométrez-vous pour voir si vous pouvez donner la cadence tout en effectuant cinq cycles en dix secondes. N'oubliez pas de serrer les mains seulement lorsque vous dites « ventile- ».

Un-et-deux-et-trois-et-***ventile***-un-et-deux-et-trois-et-***ventile***-

Un-et-deux-et-trois-et-***ventile***-un-et-deux-et-trois-et-***ventile***-

Un-et-deux-et-trois-et-***ventile***

En situation réelle, il y aura deux intervenants, l'un responsable des compressions et l'autre, de la ventilation. Le responsable des compressions dira « un-et-deux-et-... » tout haut. Il est donc utile de s'exercer avec un partenaire et d'assumer les deux rôles chacun à son tour.

Quand arrêter les compressions thoraciques?

Après avoir pratiqué des compressions thoraciques bien coordonnées avec la ventilation pendant une trentaine de secondes, vous devez les interrompre assez longtemps pour réévaluer la fréquence cardiaque. Si vous sentez bien le pouls à la base du cordon, vous n'aurez pas besoin d'interrompre la ventilation. Sinon, vous devez interrompre à la fois les compressions et la ventilation pendant quelques secondes pour ausculter le cœur.

Si la fréquence cardiaque est maintenant supérieure à 60 battements/min…

vous pouvez arrêter les compressions thoraciques, mais poursuivre la ventilation en pression positive à une fréquence plus rapide de 40 à 60 ventilations à la minute. Il ne faut pas poursuivre les compressions thoraciques, car le débit cardiaque est probablement suffisant et que les compressions risquent de nuire à l'efficacité de la ventilation en pression positive.

Lorsque la fréquence cardiaque dépasse 100 battements/min et que le bébé se met à respirer de façon autonome, vous devez abandonner lentement la ventilation en pression positive, tel qu'il est décrit à la leçon 3, et transporter le bébé à l'unité néonatale pour lui donner des soins postréanimation.

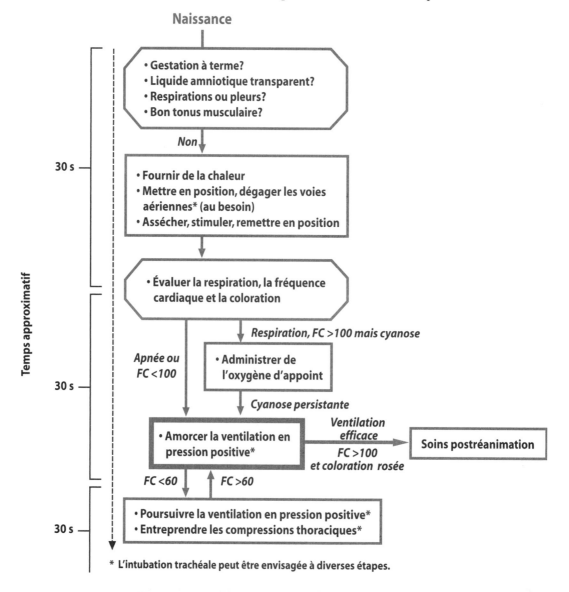

Que faire si l'état du bébé ne s'améliore pas?

Pendant les compressions thoraciques et la ventilation en pression positive, le risque que de l'air pénètre dans l'estomac est plus élevé que pendant la ventilation seule. Par conséquent, à moins que vous ne l'ayez déjà fait, il peut être bon d'insérer une sonde orogastrique pour vider l'estomac de l'excédent d'air. Par ailleurs, de nombreux intervenants auront déjà installé une sonde trachéale pour éviter le risque de distension gastrique et pour rendre la ventilation plus efficace.

Pendant que vous pratiquez les compressions thoraciques coordonnées avec la ventilation, gardez les questions suivantes à l'esprit :

- L'excursion thoracique est-elle suffisante? (Avez-vous envisagé ou pratiqué une intubation trachéale? Dans l'affirmative, la sonde trachéale est-elle bien placée?)
- Administre-t-on de l'oxygène d'appoint?
- La profondeur des compressions thoraciques correspond-elle environ au tiers du diamètre du thorax?
- Les compressions thoraciques et la ventilation sont-elles bien coordonnées?

Si la fréquence cardiaque demeure inférieure à 60 battements/min, vous devriez installer un cathéter ombilical et administrer de l'adrénaline, tel qu'il sera décrit à la leçon 6.

Tel que l'illustre le cas 4 au début de la leçon, à cette étape de la réanimation, vous aurez probablement déjà procédé à une intubation trachéale. La technique d'intubation trachéale sera décrite à la leçon 5.

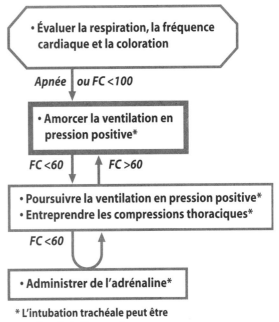

* L'intubation trachéale peut être envisagée à diverses étapes.

Points à retenir

1. Les compressions thoraciques sont indiquées lorsque la fréquence cardiaque demeure inférieure à 60 battements à la minute, malgré une ventilation en pression positive efficace pendant 30 secondes.

2. Les compressions thoraciques :
   - compriment le cœur contre le rachis,
   - accroissent la pression intrathoracique,
   - font circuler le sang vers les organes vitaux, y compris le cerveau.

3. Deux techniques de compressions thoraciques sont acceptables : la technique des pouces et la technique à deux doigts, mais en général, la technique des pouces est préconisée.

4. Pour repérer l'endroit où pratiquer les compressions, glissez les doigts sur le rebord inférieur du thorax jusqu'à ce que vous atteigniez l'appendice xyphoïde. Placez ensuite les pouces ou les doigts sur le sternum, au-dessus de l'appendice xyphoïde, sous une ligne intermammaire imaginaire.

5. Pour maintenir la bonne cadence des compressions thoraciques coordonnées avec la ventilation, l'intervenant responsable des compressions répète « un-et-deux-et-trois-et-ventile-... ».

6. Pendant les compressions thoraciques, le rythme de ventilation est de 30 ventilations à la minute, et le rythme de compression, de 90 compressions à la minute, ce qui correspond à 120 « gestes » à la minute. Il faut effectuer chaque cycle de trois compressions et d'une ventilation en deux secondes.

7. Pendant les compressions thoraciques, vérifiez si :
   - l'excursion thoracique est suffisante pendant la ventilation,
   - de l'oxygène d'appoint est utilisé,
   - la profondeur de compression correspond au tiers du diamètre du thorax,
   - la pression est entièrement relâchée pour permettre l'expansion thoracique pendant la phase de relâchement des compressions thoraciques,
   - les pouces ou les doigts demeurent en contact avec le thorax en tout temps,
   - la poussée de compression est plus courte que le relâchement,
   - les compressions thoraciques et la ventilation sont bien coordonnées.

8. Après avoir pratiqué les compressions thoraciques et la ventilation pendant 30 secondes, vérifiez la fréquence cardiaque. Si elle est :
   - supérieure à 60 battements à la minute, arrêtez les compressions et poursuivez la ventilation à un rythme de 40 à 60 ventilations à la minute.
   - supérieure à 100 battements à la minute, arrêtez les compressions et abandonnez peu à peu la ventilation si le nouveau-né respire de manière autonome.
   - inférieure à 60 battements à la minute, intubez le nouveau-né si vous ne l'avez pas déjà fait et administrez-lui de l'adrénaline, de préférence par voie intraveineuse. L'intubation est plus fiable pour pratiquer la ventilation continue.

Révision de la leçon 4

(Les réponses suivent.)

1. Une nouveau-née est apnéique et cyanosée. On dégage ses voies aériennes et on la stimule. Au bout de 30 secondes, on amorce la ventilation en pression positive. À 60 secondes de vie, sa fréquence cardiaque est de 80 battements à la minute. Il (faut) (ne faut pas) amorcer les compressions thoraciques. Il (faut) (ne faut pas) poursuivre la ventilation en pression positive.

2. Une nouveau-née est apnéique et cyanosée. Elle demeure apnéique, même si on a dégagé ses voies aériennes, si on l'a stimulée et si elle a reçu une ventilation en pression positive pendant 30 secondes. À 60 secondes de vie, sa fréquence cardiaque est de 40 battements à la minute. Il (faut) (ne faut pas) amorcer les compressions thoraciques. Il (faut) (ne faut pas) poursuivre la ventilation en pression positive.

3. Pendant la phase de poussée des compressions thoraciques, le sternum comprime le cœur et propulse le sang du cœur vers les (veines) (artères). Pendant la phase de relâchement, le sang (veineux) (artériel) revient vers le cœur.

4. Sur l'illustration à gauche, encerclez l'endroit où vous pratiqueriez les compressions thoraciques.

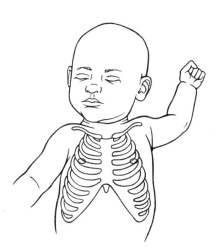

5. La technique (des pouces) (à deux doigts) est préconisée pour pratiquer les compressions thoraciques.

6. Si vous prévoyez administrer des médicaments au bébé par voie ombilicale, il peut être plus facile de pratiquer les compressions thoraciques avec la technique (des pouces) (à deux doigts).

7. La profondeur des compressions thoraciques correspond environ :

   A. au quart du diamètre antéropostérieur du thorax.

   B. au tiers du diamètre antéropostérieur du thorax.

   C. à la moitié du diamètre antéropostérieur du thorax.

8. Quelle illustration révèle la bonne technique de relâchement?

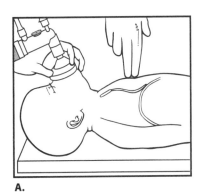

A.

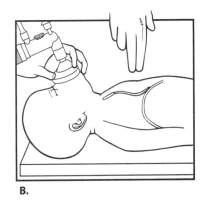

B.

Révision de la leçon 4 — *suite*

(Les réponses suivent.)

9. Quelle « formule » faut-il utiliser pour marquer la cadence afin de coordonner les compressions thoraciques avec la ventilation?
_____.

10. Le rapport entre les compressions thoraciques et la ventilation est de _____ pour _____.

11. Pendant la ventilation en pression positive administrée sans compressions thoraciques, la fréquence des ventilations devrait être de _____ à _____ ventilations à la minute.

12. Pendant la ventilation en pression positive coordonnée avec les compressions thoraciques, la fréquence des « gestes » devrait être de _____ « gestes » à la minute.

13. La cadence « un-et-deux-et-trois-et-ventile- » doit durer environ _____ secondes.

14. Un bébé a besoin d'une ventilation coordonnée avec des compressions thoraciques. Après avoir pratiqué des compressions thoraciques pendant 30 secondes, vous interrompez les manœuvres et comptez **huit battements cardiaques en six secondes**. La fréquence cardiaque du bébé est maintenant de _____ battements à la minute. Vous devez (poursuivre) (arrêter) les compressions thoraciques.

15. Un bébé a eu besoin de compressions thoraciques et est ventilé au ballon et masque. Son excursion thoracique n'est pas satisfaisante. Vous interrompez les manœuvres et comptez **quatre battements cardiaques en six secondes**. La fréquence cardiaque du bébé est maintenant de _____ battements à la minute. Vous devez envisager

_____,
_____
et _____.

16. Complétez l'algorithme :

A. _____
   _____
   _____

B. _____
   _____

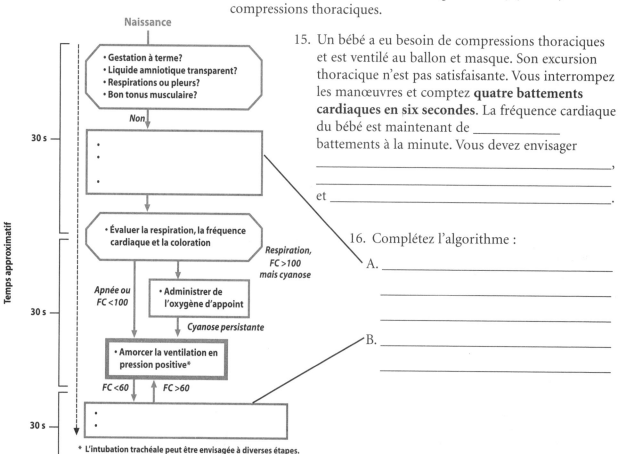

Naissance

- Gestation à terme?
- Liquide amniotique transparent?
- Respirations ou pleurs?
- Bon tonus musculaire?

Non

30 s

- Évaluer la respiration, la fréquence cardiaque et la coloration

Respiration, FC >100 mais cyanose

Apnée ou FC <100

- Administrer de l'oxygène d'appoint

Cyanose persistante

30 s

- Amorcer la ventilation en pression positive*

FC <60   *FC >60*

30 s

Temps approximatif

* L'intubation trachéale peut être envisagée à diverses étapes.

Réponses aux questions de la leçon 4

1. Il **ne faut pas** amorcer les compressions thoraciques. Il **faut** poursuivre la ventilation en pression positive.

2. Il **faut** amorcer les compressions thoraciques. Il **faut** poursuivre la ventilation en pression positive.

3. Le sternum comprime le cœur et propulse le sang du cœur vers les **artères**. Pendant la phase de relâchement, le sang **veineux** revient vers le cœur.

4. Endroit où pratiquer les compressions thoraciques

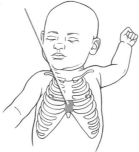

5. La technique **des pouces** est préconisée pour pratiquer les compressions thoraciques.

6. Il peut être plus facile de pratiquer les compressions thoraciques avec la technique **à deux doigts** s'il faut administrer des médicaments par voie ombilicale.

7. La profondeur des compressions thoraciques correspond environ **au tiers du diamètre antéropostérieur du thorax** (B).

8. L'illustration **A** est la bonne (les doigts demeurent en contact pendant le relâchement).

9. « **Un-et-deux-et-trois-et-ventile-...** »

10. Le rapport est de **trois** pour **un**.

11. Pendant la ventilation en pression positive administrée sans compressions thoraciques, il faut compter de **40** à **60** ventilations à la minute.

12. Pendant les compressions thoraciques, il faut compter **120** « gestes » à la minute.

13. La cadence « un-et-deux-et-trois-et-ventile- » doit durer environ **deux** secondes.

14. Huit battements cardiaques en six secondes correspondent à **80** battements à la minute. Vous devez **arrêter** les compressions thoraciques.

15. Quatre battements cardiaques en six secondes correspondent à **40** battements à la minute. Vous devez envisager **une intubation trachéale, l'insertion d'un cathéter ombilical** et **l'administration d'adrénaline.**

16. A.
• Fournir de la chaleur
• Mettre en position, dégager les voies aériennes* (au besoin)
• Assécher, stimuler, remettre en position

B.
• Poursuivre la ventilation en pression positive*
• Amorcer les compressions thoraciques*

Feuille de contrôle de la performance

Leçon 4 — Les compressions thoraciques

Évaluateur : Le stagiaire doit être prié de commenter ses interventions tout au long du contrôle. Évaluez sa performance à chaque étape et cochez la case correspondante lorsque l'intervention est réussie. Si elle est ratée, encerclez la case pour en discuter plus tard avec lui. Vous devrez fournir de l'information sur l'état du bébé à plusieurs reprises au cours de l'évaluation.

Stagiaire : Pour réussir ce contrôle, vous devez effectuer toutes les étapes des interventions et prendre toutes les bonnes décisions. Vous devez commenter vos interventions tout au long du contrôle.

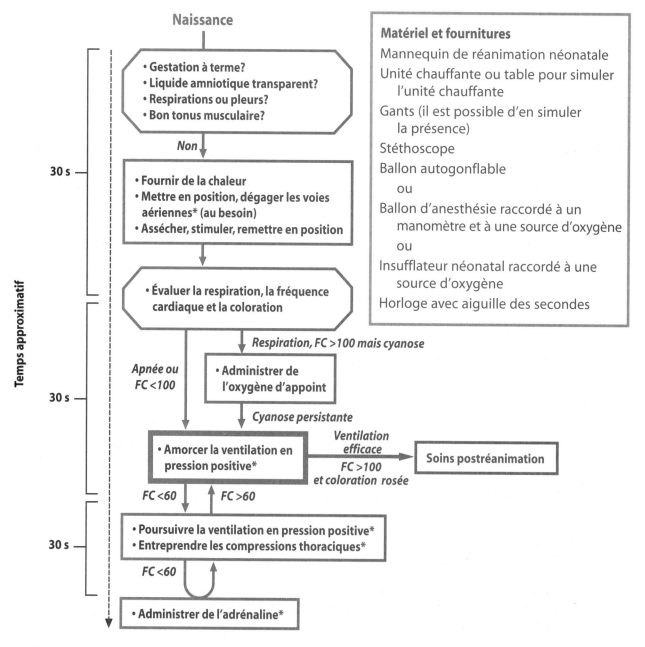

* L'intubation trachéale peut être envisagée à diverses étapes.

Feuille de contrôle de la performance

Leçon 4 — Les compressions thoraciques

Nom _____ Évaluateur _____ Date _____

La présente feuille de contrôle de la performance présente les responsabilités de deux stagiaires : l'un qui ventile le bébé et l'autre qui pratique les compressions thoraciques. Si un seul stagiaire est évalué, l'évaluateur doit jouer le rôle de l'autre stagiaire. L'emplacement des cases indique quel stagiaire est responsable de la manœuvre. Chaque stagiaire doit se montrer compétent dans les deux rôles, et chacun d'eux doit jouer deux fois le rôle du stagiaire 1 pour démontrer qu'il connaît les deux techniques de compressions thoraciques.

Les questions de l'évaluateur sont entre guillemets. Les questions et les bonnes réponses du stagiaire sont en caractères gras. L'évaluateur doit cocher les cases à mesure que le stagiaire répond correctement aux questions.

« On a déposé ce bébé à terme sur l'unité chauffante, on a mis sa tête en position, on a aspiré ses sécrétions, on l'a asséché et on a procédé à une stimulation tactile. Il demeure apnéique. »

Stagiaire 1   Stagiaire 2

☐ **Le stagiaire amorce la ventilation au ballon et masque avec de l'oxygène 100 %.**

☐ **Au bout de 30 secondes, il demande une vérification de la fréquence cardiaque.**

☐ **Il vérifie la fréquence cardiaque par palpation du cordon pendant exactement six secondes.**

« Vous décelez quatre battements en six secondes. »

☐ **Il annonce une fréquence cardiaque de 40 battements/min et la nécessité de pratiquer des compressions thoraciques.**

☐ **Il repère la zone de compression au tiers inférieur du sternum.**

☐ **Il soutient fermement le dos du bébé.**

Technique à deux doigts   Technique des pouces

☐ **Il utilise le bout du majeur ainsi que le bout de l'index ou de l'annulaire.**   ☐ **Il utilise la partie distale des deux pouces.**

☐ **Il comprime le sternum environ au tiers du diamètre antéropostérieur du thorax.**

☐ **Il garde le bout des doigts ou les pouces en contact avec le sternum pendant la phase de relâchement.**

☐ **Il soutient un rythme d'environ deux compressions à la seconde et fait une pause à toutes les trois compressions, le temps d'une ventilation. Il donne la cadence** (« un-et-deux-et-trois-et-ventile-… »)

Stagiaire 1   # Stagiaire 2

Il procède à la ventilation pendant la pause qui suit toutes les trois compressions. ☐

Il exerce une pression ventilatoire suffisante et place bien la tête et le masque, afin d'obtenir une excursion thoracique satisfaisante. ☐

☐ Il vérifie la fréquence cardiaque par palpation du cordon pendant exactement six secondes après avoir pratiqué des compressions thoraciques pendant 30 secondes.

« Vous ne décelez aucune pulsation. »

☐ Le stagiaire 2 interrompt la ventilation pendant que le stagiaire 1 vérifie la fréquence cardiaque au stéthoscope. ☐

« Vous décelez cinq battements en six secondes. »

☐ Il annonce une fréquence cardiaque de 50 battements/min et reprend les compressions thoraciques.

Il reprend la ventilation immédiatement après avoir vérifié la fréquence cardiaque et se pose les questions suivantes : ☐

   • L'excursion thoracique est-elle suffisante?

   • Administre-t-on de l'oxygène d'appoint?

   • La profondeur des compressions thoraciques correspond-elle environ au tiers du diamètre du thorax?

   • Les compressions thoraciques et la ventilation sont-elles bien coordonnées?

   • L'intubation trachéale ou l'administration d'adrénaline sont-elles indiquées?

☐ Il vérifie la fréquence cardiaque par palpation du cordon pendant exactement six secondes, 30 secondes après la vérification précédente.

« Vous décelez neuf battements en six secondes. »

☐ Il annonce une fréquence cardiaque de 90 battements/min et arrête les compressions thoraciques.

Il poursuit la ventilation. ☐

Prestation globale du stagiaire évalué, après qu'il ait joué les deux rôles :

☐ Il a bien coordonné les compressions thoraciques avec la ventilation.

☐ Il a bien indiqué si les compressions thoraciques devaient être arrêtées ou poursuivies, selon la fréquence cardiaque.

☐ Il a bien exécuté la technique des pouces.

☐ Il a bien exécuté la technique à deux doigts.

☐ Il a bien évalué la fréquence cardiaque, aux moments pertinents. (Il a d'abord palpé le cordon puis, au besoin, a interrompu la ventilation et ausculté le cœur.)

☐ Il a été rapide, c'est-à-dire qu'il a effectué les manœuvres sans délai injustifié.

L'intubation trachéale

Les notions suivantes sont abordées dans la leçon 5 :

- **Les indications d'intubation trachéale pendant la réanimation**

- **Comment sélectionner et préparer le matériel nécessaire à l'intubation trachéale**

- **Comment utiliser le laryngoscope pour introduire la sonde trachéale**

- **Comment déterminer si la sonde trachéale est bien dans la trachée**

- **Comment utiliser la sonde trachéale pour aspirer le méconium dans la trachée**

- **Comment utiliser la sonde trachéale pour administrer la ventilation en pression positive**

Quand pratiquer une intubation trachéale?

On peut pratiquer l'intubation trachéale à divers moments de la réanimation, tel que l'indiquent les astérisques de l'algorithme. Le cas 2 (leçon 2, page 2-3) illustre l'un de ces moments, alors qu'on procédait à l'intubation de la trachée pour aspirer le méconium. Le cas 4 (leçon 4, page 4-2) faisait état d'un autre moment, lorsque la ventilation au ballon et masque était inefficace et qu'on procédait à une intubation trachéale pour améliorer la ventilation et mieux la coordonner avec les compressions thoraciques. Le moment de l'intubation dépend de multiples facteurs, y compris la dextérité d'intubation du réanimateur. Les intervenants qui ne maîtrisent pas la technique d'intubation doivent demander de l'aide et prodiguer une ventilation en pression positive efficace au masque au lieu de perdre un temps précieux à essayer d'intuber. D'autres facteurs influent sur le moment de l'intubation :

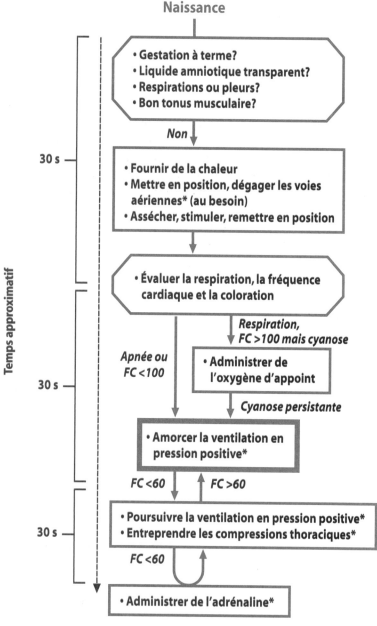

* L'intubation trachéale peut être envisagée à diverses étapes.

- En présence de méconium, si la respiration, le tonus musculaire ou la fréquence cardiaque du bébé sont faibles, vous devrez procéder à une intubation trachéale dès la première étape de la réanimation, avant même d'amorcer d'autres mesures.

- Si la ventilation en pression positive ne procure pas d'amélioration clinique satisfaisante, si l'excursion thoracique n'est pas suffisante ou s'il faut poursuivre la ventilation plus de quelques minutes, vous pouvez décider d'intuber pour améliorer l'efficacité et l'aisance de la ventilation assistée.

- S'il faut pratiquer des compressions thoraciques, l'intubation peut faciliter la coordination des compressions thoraciques et de la ventilation et assurer l'efficacité maximale de chaque ventilation en pression positive.

- Comme vous le verrez dans la prochaine leçon, s'il faut de l'adrénaline pour stimuler le cœur, la trachée représente une voie d'administration fréquente pendant la préparation de l'accès intraveineux. Dans ce cas aussi, vous aurez besoin de pratiquer une intubation trachéale.

Certaines indications exigent une intubation trachéale, telles que l'extrême prématurité, l'administration de surfactant et la présomption de hernie diaphragmatique. Ces indications seront abordées aux leçons 7 et 8.

Quelle est l'alternative à l'intubation trachéale?

Les masques qui s'adaptent à l'orifice laryngé (figure 5.1) se révèlent une solution efficace à la ventilation assistée lorsque la ventilation en pression positive au ballon et masque ou avec l'insufflateur néonatal n'est pas efficace et que les tentatives d'intubation échouent ou ne sont pas réalisables. Cependant, les données portant sur l'usage du masque laryngé en réanimation néonatale sont limitées. On possède encore moins d'expérience sur l'utilisation du masque laryngé chez les prématurés et en présence de méconium. Si on utilise les masques laryngés en réanimation néonatale à votre hôpital, vous devrez en prévoir sur vos plateaux de réanimation, et les intervenants devront recevoir une formation spéciale pour apprendre à les utiliser. L'information relative à l'introduction du masque laryngé figure à l'annexe de la présente leçon.

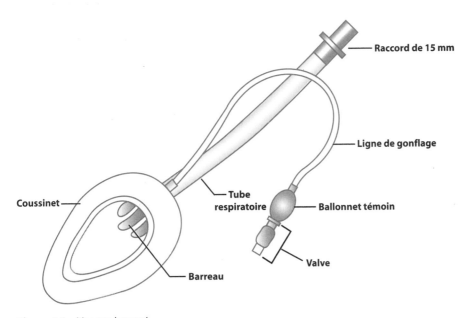

Figure 5.1. Masque laryngé.

De quels matériel et fournitures avez-vous besoin?

Vous devez conserver le matériel et les fournitures nécessaires à l'intubation trachéale tous ensemble, à portée de la main. Chaque salle d'accouchement, chaque pouponnière et chaque département d'urgence doit être pourvu d'au moins un jeu complet des articles suivants (figure 5.2) :

1. un laryngoscope muni d'un jeu de piles et d'ampoules de rechange.

2. des lames n⁰ 1 (nouveau-né à terme), n⁰ 0 (prématuré) et n⁰ 00 (facultatif, pour les grands prématurés); les lames droites sont préférables aux lames courbes.

3. des sondes trachéales d'un diamètre interne de 2,5 mm, 3,0 mm, 3,5 mm et 4,0 mm.

4. un mandrin (facultatif) qui pénètre dans la sonde trachéale sélectionnée.

5. un moniteur ou détecteur de gaz carbonique (CO_2).

6. un appareil d'aspiration muni d'un cathéter d'aspiration d'un calibre minimal de 10F, ainsi que des cathéters de calibre 5F ou 6F et 8F pour aspirer le contenu de la sonde trachéale.

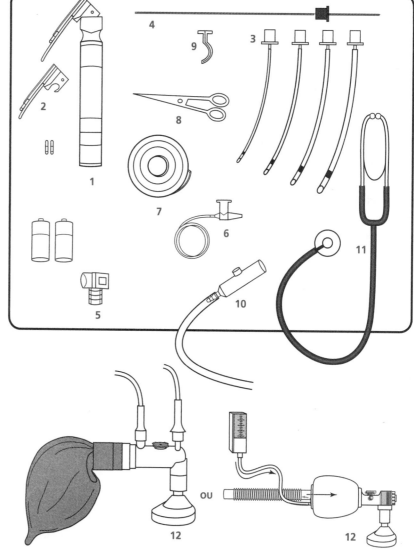

Figure 5.2. Matériel et fournitures de réanimation néonatale.

7. du ruban adhésif de 1,25 cm ou de 2 cm (1/2 po ou 3/4 po) ou un appareil de fixation de la sonde trachéale.

8. des ciseaux.

9. une canule oropharyngée.

10. un aspirateur de méconium.

11. un stéthoscope (de calibre néonatal, de préférence).

12. un appareil en pression positive, un manomètre (facultatif pour les ballons autogonflables) et une tubulure à oxygène. Les ballons autogonflables doivent être pourvus d'un réservoir à oxygène.

Tout ce matériel doit être entreposé ensemble dans un contenant bien identifié et rangé à portée de la main.

Il est préférable de pratiquer l'intubation conformément aux règles d'asepsie. Les sondes trachéales et les mandrins doivent être nettoyés et protégés contre la contamination. Les lames et le manche du laryngoscope doivent être nettoyés après chaque usage.

Quel type de sondes trachéales est-il préférable d'utiliser?

Les sondes trachéales sont présentées dans un emballage stérile et doivent être manipulées selon les règles d'asepsie. Il faut privilégier les sondes au diamètre uniforme sur toute la longueur plutôt que celles qui deviennent fuselées à l'extrémité (figure 5.3). En effet, l'un des inconvénients des sondes fuselées, c'est que pendant l'intubation, la partie la plus large de la sonde peut bloquer la vue de l'ouverture trachéale. De plus, les sondes pourvues d'un col risquent davantage de s'obstruer et de provoquer un traumatisme des cordes vocales.

Une ligne noire figure près du bout de la plupart des sondes trachéales conçues pour les nouveau-nés. C'est le « repère des cordes vocales » (figure 5.4). Ces sondes sont conçues pour que le repère arrive à la hauteur des cordes vocales. En général, le bout de la sonde se trouve alors au-dessus de la bifurcation de la trachée (la carène).

La trachée d'un prématuré est moins longue que celle d'un nouveau-né à terme, soit 3 cm au lieu de 5 cm à 6 cm. Par conséquent, plus la sonde est petite, plus le repère des cordes vocales se rapproche du bout de la sonde. Cependant, l'emplacement du repère des cordes vocales varie quelque peu selon le fabricant.

Bien que certaines sondes soient dotées d'un coussinet à la hauteur du repère des cordes vocales, le coussinet n'est pas recommandé en cas d'intubation trachéale pour réanimer un nouveau-né.

Une graduation centimétrique figure sur la plupart des sondes trachéales conçues pour les nouveau-nés, afin d'indiquer la distance à partir du bout de la sonde. Vous apprendrez à vous fier à cette graduation pour déterminer la profondeur d'insertion de la sonde.

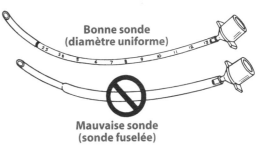

Figure 5.3. Les sondes trachéales d'un diamètre uniforme sont préférables pour les nouveau-nés.

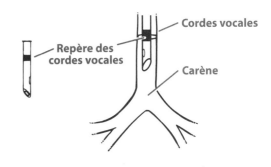

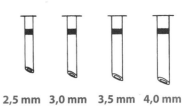

2,5 mm   3,0 mm   3,5 mm   4,0 mm

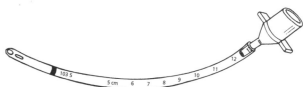

Figure 5.4. Caractéristiques des sondes trachéales utilisées en réanimation néonatale.

Comment préparer la sonde trachéale?

Choisissez une sonde de la bonne dimension.

Dimension de la sonde (mm) (diamètre interne)	Poids (g)	Âge gestationnel (en semaines)
2,5	moins de 1 000	moins de 28
3,0	de 1 000 à 2000	de 28 à 34
3,5	de 2 000 à 3 000	de 34 à 38
de 3,5 à 4,0	plus de 3 000	plus de 38

Tableau 5-1. Dimension des sondes trachéales selon le poids et l'âge gestationnel du bébé.

Une fois la réanimation amorcée, le temps est compté. C'est pourquoi il faut préparer le matériel avant un accouchement à haut risque.

La dimension approximative de la sonde trachéale dépend du poids du bébé. La dimension de la sonde à privilégier, selon le poids et l'âge gestationnel, est précisée au tableau 5-1. Étudiez ce tableau, car vous devrez vous rappeler quelle sonde utiliser selon le poids du bébé. Il peut être utile d'afficher ce tableau sur l'unité chauffante de chaque salle d'accouchement ou à proximité.

Envisagez de couper la sonde.
Bien des sondes trachéales fournies par le fabricant sont beaucoup trop longues pour un usage orotrachéal. La longueur excédentaire accroît la résistance au débit d'air.

Certains cliniciens préfèrent couper la sonde trachéale avant de l'insérer (figure 5.5). On peut la couper d'une longueur de 13 cm à 15 cm* pour en faciliter la manipulation pendant l'intubation et pour réduire le risque d'introduction trop profonde. Une sonde de 13 cm à 15 cm est assez longue pour qu'il soit possible de rajuster la profondeur d'insertion, au besoin, et de bien la fixer sur la joue du bébé. Retirez le raccord (qui peut être difficile à enlever), puis coupez la sonde en diagonale pour en faciliter la réinsertion.

Réinsérez le raccord de la sonde trachéale. Il doit être serré pour éviter qu'il se détache accidentellement pendant l'intubation ou l'utilisation. Assurez-vous de bien aligner le raccord et la sonde afin d'éviter de couder la sonde. Les raccords sont conçus pour des sondes d'un diamètre précis. Il ne faut pas les utiliser sur n'importe quelle sonde.

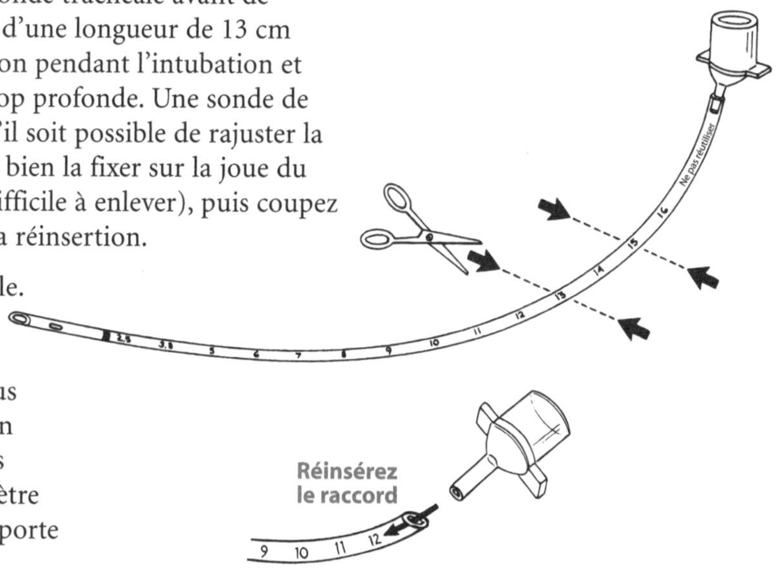

Réinsérez le raccord

Figure 5.5. Coupe de la sonde trachéale avant son insertion.

D'autres préfèrent attendre d'avoir inséré la sonde avant de la couper à la longueur voulue, au cas où on déciderait de la laisser en place après la réanimation immédiate.

---

* **Remarque :** Une longueur de 15 cm peut être préférable pour faire place à certains dispositifs de fixation de la sonde trachéale.

Envisagez d'utiliser un mandrin (facultatif).

Certaines personnes trouvent utile d'introduire un mandrin dans la sonde trachéale pour la rendre plus rigide et en maintenir la courbure, facilitant ainsi l'intubation (figure 5.6). Il est essentiel que :

- l'extrémité du mandrin ne ressorte pas par le bout ou l'orifice latéral de la sonde trachéale (afin d'éviter de traumatiser les tissus).

- le mandrin soit sécurisé pour l'empêcher de s'enfoncer davantage dans la sonde pendant l'intubation.

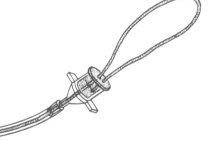

Figure 5.6. Mandrin à utilisation facultative pour raidir la sonde trachéale et en maintenir la courbure pendant l'intubation.

Bien des intervenants trouvent le mandrin utile, mais d'autres jugent que la rigidité de la sonde suffit. Le recours au mandrin est facultatif et dépend des préférences et de la dextérité de l'intervenant.

 Avertissement : Le revêtement de plastique d'un mandrin réutilisable peut être déchiré ou le mandrin même peut être incurvé, ce qui le rend difficile à insérer dans la sonde trachéale. Avant de l'utiliser, vérifiez-le pour vous assurer qu'il est bien intact et qu'il pourra être retiré facilement de la sonde.

Comment préparer le laryngoscope et le reste des fournitures?

Choisissez une lame et fixez-la au manche.

Commencez par choisir une lame de dimension convenable et fixez-la au manche du laryngoscope :

- Calibre nº 0 pour les prématurés
- Calibre nº 1 pour les bébés à terme

Vérifiez la lumière.

Mettez ensuite la lumière du laryngoscope en fonction pour vous assurer du bon fonctionnement des piles et de l'ampoule. Vérifiez si l'ampoule est bien vissée pour éviter qu'elle se mette à clignoter ou qu'elle se détache pendant l'intervention.

Préparez le matériel d'aspiration.

Le matériel d'aspiration doit être à portée de la main, prêt à utiliser.

- Pour régler la source d'aspiration à 100 mmHg, accroissez ou diminuez la puissance d'aspiration lorsque vous obstruez la sonde d'aspiration.

- Raccordez un cathéter d'aspiration de calibre 10F (ou plus) à la tubulure d'aspiration pour aspirer les sécrétions de la bouche et du nez, au besoin.

- Conservez des cathéters d'aspiration de plus petit calibre (5F, 6F ou 8F, selon la dimension de la sonde trachéale) pour aspirer les sécrétions dans la sonde s'il devient nécessaire de la laisser en place. Les dimensions pertinentes figurent au tableau 5-2.

Dimension de la sonde trachéale	Calibre du cathéter
2,5	5F ou 6F
3,0	6F ou 8F
3,5	8F
4,0	8F ou 10F

Tableau 5-2. Calibre des cathéters d'aspiration pour des sondes trachéales de divers diamètres internes.

Préparez l'appareil de ventilation en pression positive.

Conservez à portée de la main un ballon et un masque de réanimation ou un insufflateur néonatal permettant d'administrer de l'oxygène à concentration de 90 % à 100 % afin de ventiler le bébé entre les tentatives d'intubation ou lorsque l'intubation échoue. Vous aurez besoin de l'appareil de réanimation sans masque pour ventiler le bébé après l'intubation, d'abord pour vérifier l'emplacement de la sonde, puis, plus tard, pour prodiguer une ventilation continue, au besoin. Vérifiez le fonctionnement de l'appareil, conformément à la description exposée à la leçon 3.

Mettez l'oxygène en fonction.

La tubulure à oxygène doit être raccordée à une source d'oxygène afin d'être reliée à l'appareil de réanimation et d'être utilisée pour administrer de l'oxygène à débit libre pouvant atteindre 100 %. Le débit d'oxygène doit être réglé entre 5 L/min et 10 L/min.

Allez chercher un stéthoscope.

Vous aurez besoin d'un stéthoscope pour vérifier le murmure vésiculaire.

Coupez le ruban adhésif ou préparez le stabilisateur.

Coupez une bande de ruban adhésif pour fixer la sonde au visage ou préparez le porte-sonde si c'est ce que vous utilisez à votre hôpital.

Révision

(Les réponses figurent dans la section précédente et à la fin de la leçon.)

1. Un nouveau-né qui baignait dans le méconium et souffre de détresse respiratoire (a) (n'a pas) besoin d'une aspiration par intubation trachéale avant la ventilation en pression positive.

2. L'état d'un nouveau-né recevant une ventilation au ballon et masque ne s'améliore pas au bout de deux minutes, même si la technique utilisée semble irréprochable. Sa fréquence cardiaque n'augmente pas, et son excursion thoracique est minimale. Il (faut) (ne faut pas) envisager une intubation trachéale.

3. Si le bébé pèse moins de 1 000 g, le diamètre interne de la sonde trachéale doit être de _____ mm.

4. Pour un prématuré, la lame du laryngoscope doit être de calibre n⁰ _____, tandis que pour un nouveau-né à terme, elle doit plutôt être de calibre n⁰ _____.

Quelles doivent être vos connaissances en anatomie pour introduire la sonde correctement?

Les repères anatomiques reliés à l'intubation sont exposés aux figures 5.7 à 5.9. Étudiez la position relative de ces repères anatomiques sur toutes les illustrations, car chaque repère est important pour bien comprendre l'intervention.

1. **Épiglotte :** Structure qui fait office de clapet à l'entrée de la trachée.

2. **Vallécule (fossette glosso-épiglottique) :** Poche formée par la base de la langue et l'épiglotte.

3. **Œsophage :** Conduit musculomembraneux assurant le passage de la nourriture entre le pharynx et l'estomac.

4. **Cartilage cricoïde :** Anneau cartilagineux formant le segment inférieur du larynx.

5. **Glotte :** Ouverture du larynx vers la trachée, comprise entre les cordes vocales.

6. **Cordes vocales :** Ligaments recouverts d'une membrane muqueuse situés des deux côtés de la glotte.

7. **Trachée :** Conduit qui fait communiquer le larynx avec les bronches souches et sert au passage de l'air.

8. **Bronches souches :** Les deux conduits assurant le transport de l'air entre la trachée et les poumons.

9. **Carène (éperon trachéal) :** Division de la trachée entre les deux bronches souches.

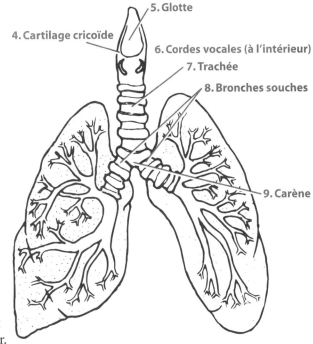

5. Glotte
4. Cartilage cricoïde
6. Cordes vocales (à l'intérieur)
7. Trachée
8. Bronches souches
9. Carène

Figure 5.7. Anatomie des voies aériennes.

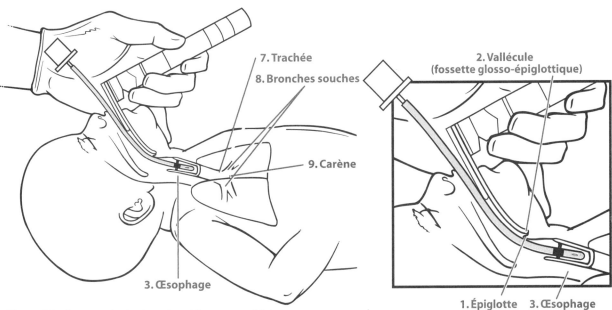

7. Trachée
8. Bronches souches
9. Carène
3. Œsophage

2. Vallécule (fossette glosso-épiglottique)
1. Épiglotte   3. Œsophage

Figure 5.8. Coupe sagittale des voies aériennes, une fois le laryngoscope en place.

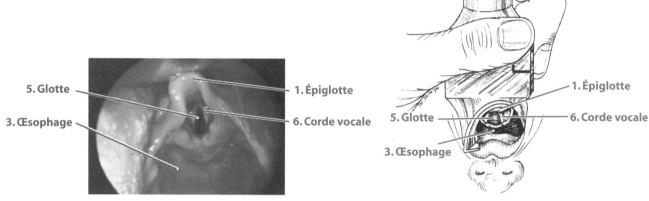

5. Glotte — 1. Épiglotte
3. Œsophage — 6. Corde vocale

1. Épiglotte
5. Glotte — 6. Corde vocale
3. Œsophage

Figure 5.9. Photographie et illustration d'une vue laryngoscopique de la glotte et des structures avoisinantes.

Traduction d'un extrait de Klaus M, Fanaroff A. *Care of the High Risk Neonate*. Philadelphie, Pennsylvanie: WB Saunders, 1996.

Bonne position : Champ de vision dégagé (la langue est soulevée par la lame du laryngoscope)

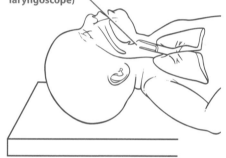

Dans quelle position faut-il mettre le nouveau-né pour faciliter l'intubation?

Pour être en bonne position, le nouveau-né qu'on intube doit être placé comme s'il subissait une ventilation au ballon et masque, sur une surface plate, la tête dans l'axe du corps et le cou en légère extension. Il peut être utile de placer un rouleau sous les épaules du bébé pour maintenir cette extension.

Cette position de reniflement permet d'aligner la trachée pour assurer un champ de vision direct et optimal de la glotte une fois le laryngoscope bien mis en place (figure 5.10).

Mauvaise position : Champ de vision obstrué

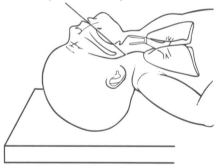

Si l'extension du cou est exagérée, la glotte sortira de votre champ de vision, et la trachée s'étirera et se rétrécira.

Mauvaise position : Champ de vision obstrué

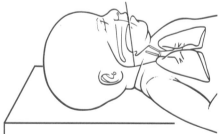

Si la tête est trop fléchie sur le thorax, vous verrez le pharynx postérieur et risquerez de ne pas avoir de vue directe sur la glotte.

Figure 5.10. Bonne position (en haut) et mauvaises positions (au milieu et en bas) du bébé pour l'intubation.

Comment tenir le laryngoscope?

Mettez la lumière en fonction et tenez le laryngoscope dans la main *gauche*, entre le pouce et les deux ou trois premiers doigts, la lame pointée vers l'avant (figure 5.11). Le doigt ou les deux doigts libres doivent reposer sur le visage du bébé pour stabiliser votre mouvement.

Le laryngoscope est conçu pour être tenu dans la main *gauche*, que vous soyez droitier ou gaucher. Si vous le tenez dans la main droite, la partie pleine et incurvée de la lame bloquera votre vue sur la glotte et vous empêchera d'y introduire la sonde trachéale.

Comment voir la glotte et introduire la sonde?

Les quelques prochaines étapes sont bien détaillées. Cependant, pendant une véritable réanimation, il faut les exécuter très rapidement, dans un délai approximatif de 20 secondes.* Puisque le bébé n'est pas ventilé pendant cette manœuvre, la rapidité s'impose. Des photos couleur de la manœuvre figurent dans la partie centrale du manuel, à la section C.

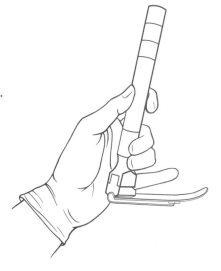

Figure 5.11. Bonne position de la main pour tenir le laryngoscope en vue d'une intubation néonatale.

Premièrement, stabilisez la tête du bébé de la main droite (figure 5.12). Il peut être utile qu'un deuxième intervenant tienne la tête en position de reniflement. Administrez de l'oxygène à débit libre tout au long de la manœuvre.

* **Remarque :** Bien que, dans le présent programme, il soit recommandé d'effectuer l'intubation trachéale en 20 secondes, les études démontrent qu'il peut falloir un peu plus de temps en pratique clinique. Le concept à retenir, c'est que la manœuvre doit être effectuée le plus vite possible. Si l'état du patient semble se détériorer, il est généralement préférable d'interrompre la manœuvre, de reprendre la ventilation en pression positive au masque, puis de recommencer.

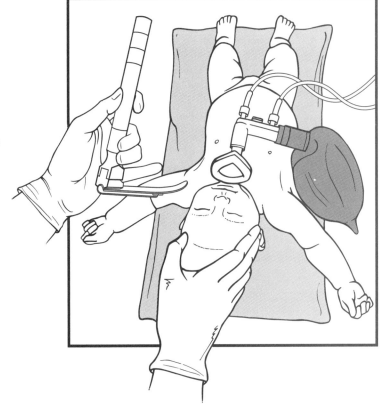

Figure 5.12. Préparation à l'insertion du laryngoscope.

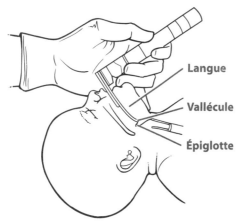

Figure 5.13. Repères anatomiques pour insérer le laryngoscope.

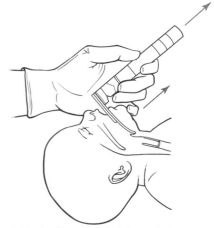

Figure 5.14. Soulèvement de la lame du laryngoscope pour exposer l'ouverture du larynx.

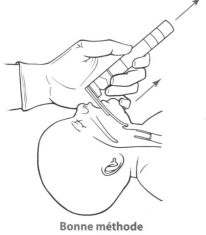

Bonne méthode

Mauvaise méthode

Figure 5.15. Bonne méthode (en haut) et mauvaise méthode de soulèvement de la lame du laryngoscope pour exposer le larynx.

Deuxièmement, glissez la lame du laryngoscope du côté droit de la langue, repoussez la langue vers la gauche de la bouche, puis poussez la pointe de la lame jusqu'à la vallécule, juste après la base de la langue (figure 5.13). Vous devrez peut-être utiliser l'index de la main droite pour ouvrir la bouche du bébé et faciliter l'insertion du laryngoscope.

Remarque : Dans la présente leçon, on indique de placer la pointe de la lame dans la vallécule, mais certains préfèrent la placer directement sur l'épiglotte et la comprimer *légèrement* sur la base de la langue.

Troisièmement, soulevez légèrement la lame pour écarter la langue et dégager la vue sur le pharynx (figure 5.14).

Assurez-vous de soulever *toute* la lame, en suivant l'axe du manche (figure 5.15).

 Ne soulevez pas la pointe de la lame d'un mouvement de bascule, en tirant le manche vers vous.

Si vous faites basculer la pointe de la lame au lieu de la soulever, vous n'obtiendrez pas la vue sur la glotte que vous désirez et vous exercerez une pression excessive sur la crête alvéolaire.

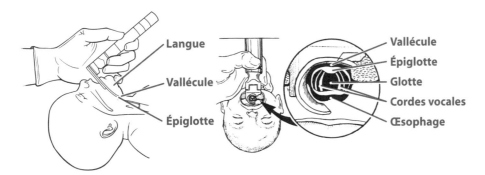

Figure 5.16. Localisation des repères anatomiques avant d'introduire la sonde trachéale dans la glotte.

Quatrièmemement, situez les repères anatomiques (figure 5.16). (Voir aussi les photos couleur C-2a, C-2b, C-2c et C-2d au centre du manuel.)

Si la pointe de la lame repose bien dans la vallécule, vous devriez voir l'épiglotte au-dessus de l'orifice de la glotte. Vous devriez aussi voir les cordes vocales, sous forme de cordons verticaux de chaque côté de la glotte, en un « V » inversé (figure 5.9).

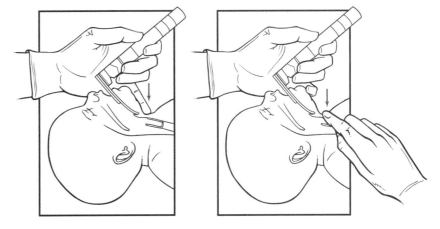

Figure 5.17. Amélioration du champ de vision par une pression appliquée sur le larynx par l'intervenant (à gauche) ou un assistant (à droite).

Si vous ne voyez pas ces structures, rajustez rapidement la position de la lame jusqu'à ce qu'elles deviennent visibles. Une pression exercée sur le cartilage cricoïde (qui couvre le larynx) peut contribuer à rendre la glotte visible (figure 5.17). Vous pouvez exercer cette pression avec l'auriculaire ou demander l'aide d'un autre intervenant.

Vous aurez peut-être un meilleur champ de vision si vous aspirez les sécrétions du bébé (figure 5.18). La principale raison pour laquelle les intervenants ratent leur intubation, c'est qu'ils voient mal la glotte.

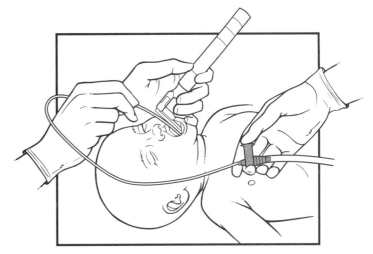

Figure 5.18. Aspiration des sécrétions.

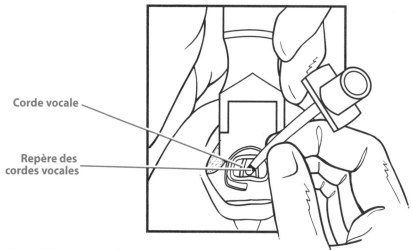

Figure 5.19. Insertion de la sonde trachéale entre les cordes vocales.

Corde vocale

Repère des
cordes vocales

Cinquièmement, introduisez la sonde (figure 5.19).

Tenez la sonde de la main droite et introduisez-la du côté droit de la bouche du bébé, en maintenant la courbe de la sonde sur le plan horizontal. Ainsi, la sonde n'obstruera pas votre vue de la glotte.

Sans perdre la glotte de vue, insérez le bout de la sonde trachéale entre les cordes vocales écartées, jusqu'à ce que le repère des cordes vocales atteigne les cordes vocales.

Début

Fin

20 secondes

Si les cordes vocales sont fermées, attendez qu'elles s'ouvrent. Ne les touchez pas avec le bout de la sonde, afin d'éviter un spasme. Ne tentez jamais d'introduire la sonde de force dans les cordes fermées. Si les cordes ne s'ouvrent pas dans un délai de 20 secondes, interrompez la manœuvre et procédez à la ventilation au ballon et masque. Lorsque la fréquence cardiaque et la coloration du bébé se sont améliorées, réessayez.

Prenez bien soin d'introduire la sonde juste assez loin pour que le repère se situe à la hauteur des cordes vocales (figure 5.20). Ainsi, la sonde se trouvera dans la trachée, à mi-chemin entre les cordes vocales et la carène.

Vérifiez la graduation centimétrique de la sonde à la hauteur des lèvres du bébé.

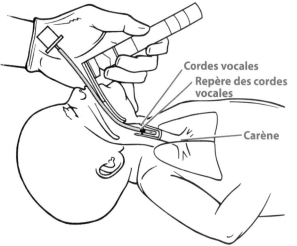

Cordes vocales
Repère des cordes vocales
Carène

Figure 5.20. Bonne profondeur d'insertion de la sonde trachéale.

Sixièmement, stabilisez la sonde d'une main et retirez le laryngoscope de l'autre (figure 5.21).

La main droite appuyée sur le visage du bébé, tenez la sonde *fermement* à la hauteur des lèvres ou utilisez un doigt pour la tenir contre le palais dur du bébé. De la main gauche, retirez *doucement* le laryngoscope, sans déplacer la sonde.

Si vous avez utilisé un mandrin, retirez-le de la sonde trachéale, sans oublier de continuer à tenir la sonde en place (figure 5.22).

> **!** Il est important de tenir fermement la sonde, mais assurez-vous de ne pas la comprimer au point de bloquer le débit d'air.

Vous pouvez maintenant vous servir de la sonde pour l'usage prévu.

- Si vous voulez pratiquer l'***aspiration du méconium***, utilisez la sonde conformément aux directives de la page suivante.

- Si vous voulez procéder à une ***ventilation***, raccordez rapidement un ballon de ventilation ou un insufflateur néonatal à la sonde, prenez les mesures nécessaires pour vous assurer que la sonde se trouve bien dans la trachée, puis reprenez l'administration d'oxygène 100 % par ventilation en pression positive (figure 5.23).

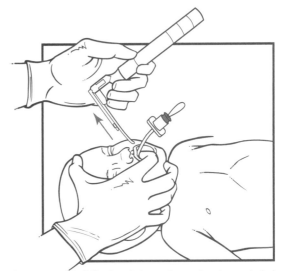

Figure 5.21. Stabilisation de la sonde pendant le retrait du laryngoscope.

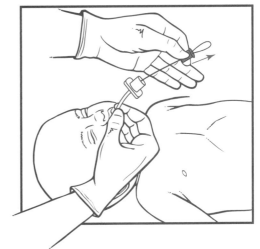

Figure 5.22. Retrait du mandrin de la sonde trachéale.

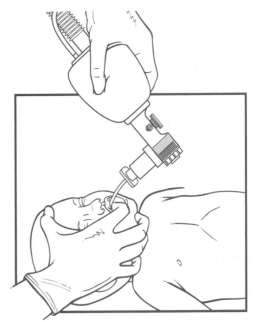

Figure 5.23. Reprise de la ventilation en pression positive après l'intubation trachéale.

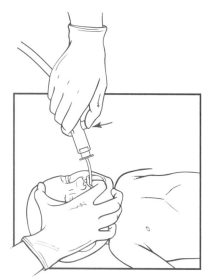

Figure 5.24. Aspiration du méconium de la trachée au moyen d'une sonde trachéale, d'un aspirateur de méconium et d'une tubulure d'aspiration raccordée à une source d'aspiration.

Que faire ensuite si la sonde a été introduite en vue d'aspirer du méconium?

Tel qu'il est décrit à la leçon 2, en présence de méconium dans le liquide amniotique, si le tonus musculaire et la respiration du bébé sont faibles ou si sa fréquence cardiaque est inférieure à 100 battements à la minute (battements/min) (c'est-à-dire qu'il n'est pas vigoureux), il faut intuber la trachée et en aspirer le contenu.

Dès que la sonde trachéale est introduite et que le mandrin, s'il a été utilisé, est retiré :

- raccordez la sonde trachéale à un aspirateur de méconium, lui-même raccordé à une source d'aspiration (figure 5.24). Il existe sur le marché plusieurs types d'aspirateur de méconium, dont certains sont dotés d'une sonde trachéale.
- bloquez l'orifice de l'aspirateur de méconium pour enclencher l'aspiration dans la sonde trachéale et retirez graduellement la sonde tout en poursuivant l'aspiration du méconium présent dans la trachée.
- répétez l'intubation et l'aspiration, au besoin, jusqu'à ce vous ne récupériez plus ou à peu près plus de méconium ou jusqu'à ce que la fréquence cardiaque du bébé vous indique qu'il a besoin d'une ventilation en pression positive.

Pendant combien de temps faut-il tenter d'aspirer le méconium?

Vous devez faire preuve de jugement pendant l'aspiration du méconium. Vous avez appris à ne procéder à l'aspiration trachéale qu'en présence de méconium, si la respiration ou le tonus musculaire du bébé sont faibles ou que sa fréquence cardiaque est inférieure à 100 battements/min. Par conséquent, lorsque vous amorcez l'aspiration de la trachée, il est fort probable que le bébé soit déjà très atteint et qu'il finisse par avoir besoin d'une réanimation. Vous devrez reporter la réanimation pendant quelques secondes pour aspirer le méconium, mais pas plus qu'il n'est absolument nécessaire.

Il faut respecter quelques consignes :

- Ne procédez pas à l'aspiration de la sonde trachéale plus de trois à cinq secondes pendant le retrait simultané de la sonde.
- Si vous n'aspirez pas de méconium, ne répétez pas la manœuvre; passez à la réanimation.
- Si vous aspirez du méconium pendant le premier essai, vérifiez la fréquence cardiaque. Si le bébé ne fait pas de bradycardie marquée, réintubez-le et reprenez l'aspiration. Si sa fréquence cardiaque est faible, vous déciderez peut-être d'administrer une ventilation en pression positive sans reprendre la manœuvre.

Si le bébé a été intubé pour être ventilé, comment s'assurer que la sonde est bien dans la trachée?

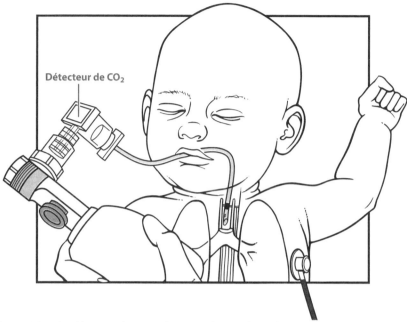

Figure 5.25. Le détecteur de gaz carbonique change de couleur pendant l'expiration si la sonde trachéale se trouve bien dans la trachée.

Si vous observez que la sonde passe entre les cordes vocales, qu'une excursion thoracique suit la ventilation en pression positive et que le murmure vésiculaire est audible, vous avez là des signes indicateurs que la sonde est dans la trachée plutôt que dans l'œsophage. Ces signes peuvent toutefois être trompeurs. Une augmentation de la fréquence cardiaque et la détection de CO_2 sont les principales méthodes pour confirmer que la sonde trachéale est en bonne position (figure 5.25).

Il existe deux types de détecteur de CO_2 :

- Le colorimètre est raccordé à la sonde trachéale et change de couleur en présence de CO_2. (Voir les photos couleur D-1, D-2 et D-3 au centre du manuel.)

- Le capnographe est pourvu d'une électrode spéciale au point de raccord de la sonde trachéale. Il indique un taux de CO_2 précis, qui doit correspondre à plus de 2 % à 3 % si la sonde est bien dans la trachée.

Le colorimètre est l'appareil le plus utilisé.

Dès que vous avez inséré la sonde trachéale, raccordez un détecteur de CO_2 et vérifiez la présence ou l'absence de CO_2 pendant l'expiration. Si vous ne décelez pas de CO_2 après quelques ventilations en pression positive, envisagez de retirer la sonde, de reprendre la ventilation au ballon et masque et de recommencer le processus d'intubation conformément aux directives des pages 5-10 à 5-15.

 Avertissement : Les bébés dont le débit cardiaque est très faible peuvent expirer une trop petite quantité de CO_2 pour que le détecteur de CO_2 puisse la déceler.

Si la sonde est bien placée, vous devriez observer les phénomènes suivants :

- une amélioration de la fréquence cardiaque et de la coloration;
- un murmure vésiculaire audible aux deux plages pulmonaires, mais peu audible ou inexistant au niveau de l'estomac (figure 5.26);
- l'absence de distension gastrique pendant la ventilation;
- une condensation à l'intérieur de la sonde pendant l'expiration;
- une excursion thoracique symétrique à chaque respiration.

Lorsque vous écoutez le murmure vésiculaire, assurez-vous d'utiliser un petit stéthoscope, que vous appuierez latéralement, haut sur la paroi thoracique (sous l'aisselle). Un gros stéthoscope ou un stéthoscope placé trop bas ou près du centre du thorax peut transmettre des bruits œsophagiens ou gastriques. Vérifiez l'absence de distension gastrique et l'excursion thoracique bilatérale à chaque ventilation.

Si vous entendez un murmure vésiculaire bilatéral et observez une excursion thoracique symétrique pendant la ventilation en pression positive, vous obtenez une confirmation secondaire du bon emplacement de la sonde trachéale dans les voies aériennes, juste au-dessus de la carène. Une augmentation rapide de la fréquence cardiaque est indicatrice d'une ventilation en pression positive efficace.

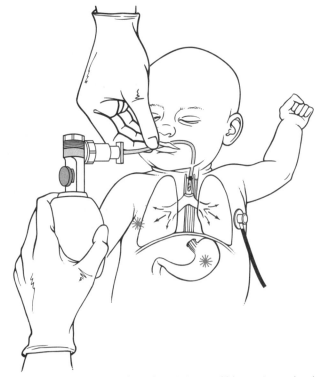

Figure 5.26. Le murmure vésiculaire devrait être audible au niveau des deux aisselles, mais pas de l'estomac (voir les astérisques).

 Soyez prudent lorsque vous interprétez le murmure vésiculaire d'un nouveau-né. Puisque les sons se propagent facilement, ceux que vous entendez dans le segment antérieur du thorax proviennent peut-être de l'estomac ou de l'œsophage. Le murmure vésiculaire peut également être transmis à l'abdomen.

Que faire si l'on croit que la sonde n'est *pas* dans la trachée?

 Assurez-vous que la sonde est bien dans la trachée. Une sonde mal placée cause plus de dommages que l'absence de sonde.

La sonde n'est probablement pas dans la trachée si :

- le bébé demeure cyanosé et bradycarde malgré la ventilation en pression positive;
- le détecteur de CO_2 n'indique pas la présence de CO_2;
- vous n'entendez pas vraiment de murmure vésiculaire dans les poumons;
- l'abdomen semble se distendre;
- vous entendez des bruits d'air dans l'estomac;
- la sonde ne s'embue pas;
- vous ne remarquez pas d'excursion thoracique symétrique à chaque ventilation en pression positive.

Si vous pensez que la sonde n'est pas dans la trachée, prenez les mesures suivantes :

- de la main droite, tenez la sonde en place pendant que vous réinsérez le laryngoscope de la main gauche afin de voir la glotte et de vérifier si la sonde passe bien entre les cordes vocales;

ou

- retirez la sonde, utilisez un appareil de réanimation et un masque pour stabiliser la fréquence cardiaque et la coloration, puis reprenez le processus d'intubation.

Remarque : Il se peut que la couleur du détecteur de CO_2 ne change pas si le débit cardiaque est très faible ou inexistant (p. ex., arrêt cardiaque). Si vous n'entendez pas le battement cardiaque, n'utilisez pas le détecteur de CO_2 pour confirmer la position de la sonde trachéale.

Comment faire pour savoir si le bout de la sonde est en bonne position dans la trachée?

Si la sonde est en bonne position, le bout se trouvera dans la trachée, à mi-chemin entre les cordes vocales et la carène. Aux rayons X, le bout devrait être visible à la hauteur des clavicules ou légèrement au-dessous (figure 5.27). S'il est trop profond, il se trouve généralement dans la bronche souche droite, et vous ne ventilez que le poumon droit (figure 5.28).

Si la sonde est en bonne position et que les poumons se gonflent, le murmure vésiculaire sera d'égale intensité dans les deux poumons.

Si la sonde est trop profonde, le murmure vésiculaire sera plus intense dans l'un des deux poumons (généralement le poumon droit). Dans ce cas, retirez la sonde très lentement tout en écoutant le poumon gauche. Lorsque le bout de la sonde atteindra la carène, l'intensité du murmure vésiculaire devrait devenir équivalente dans les deux poumons.

Vous pouvez également mesurer la distance entre le bout de la sonde et la lèvre pour évaluer la profondeur d'insertion de la sonde (tableau 5-3). Ajoutez six au poids du bébé, en kilogrammes, pour obtenir une estimation approximative de la profondeur entre le bout de la sonde et le bord de la lèvre supérieure. (**Remarque :** Cette règle n'est pas fiable chez les bébés atteints d'une anomalie congénitale du cou et des mandibules [telle que le syndrome de Pierre-Robin].)

Profondeur d'insertion

Poids (kg)	Profondeur d'insertion (en cm à partir de la lèvre supérieure)
1*	7
2	8
3	9
4	10

Tableau 5-3. Distance approximative entre le bout de la sonde et la lèvre du bébé, selon le poids du bébé.

* Pour les bébés de moins de 750 g, la profondeur d'insertion peut se limiter à 6 cm.

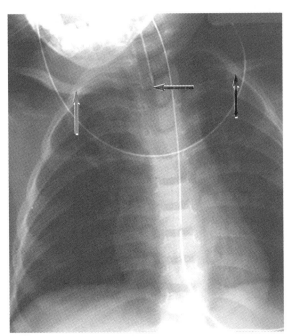

Figure 5.27. *Bonne* position de la sonde trachéale, le bout se trouvant dans la trachée, à mi-chemin entre les cordes vocales et la carène. La flèche horizontale indique le bout de la sonde, tandis que les flèches verticales indiquent les clavicules.

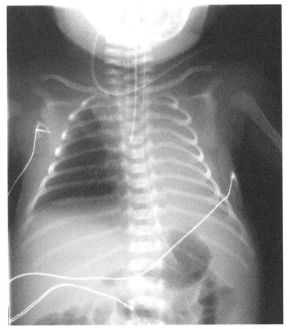

Figure 5.28. *Mauvaise* position de la sonde trachéale, le bout se trouvant dans la bronche souche droite. Remarquer l'atélectasie du poumon gauche.

Après vous être assuré que la sonde est en bonne position, vérifiez la graduation centimétrique à la hauteur de la lèvre supérieure. Cette indication vous aidera à conserver la bonne profondeur d'insertion (figure 5.29).

Si vous laissez la sonde en place après la réanimation initiale, vous devriez en confirmer la position par radiographie pulmonaire.

En cas de ventilation en pression positive prolongée, il faut également fixer la sonde sur le visage. La description de cette technique dépasse le cadre du présent programme. Si vous n'avez pas encore coupé la sonde, il est temps de le faire. Préparez-vous toutefois à réinsérer le raccord rapidement, car il doit être en place pour que vous puissiez rattacher le ballon de réanimation ou l'insufflateur néonatal.

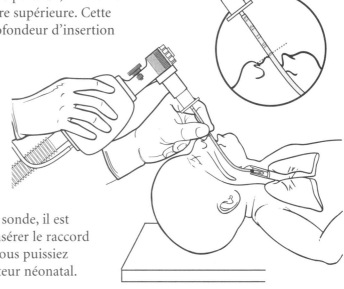

Figure 5.29. Lecture de la graduation centimétrique au niveau de la lèvre.

Comment poursuivre la réanimation pendant l'intubation?

Malheureusement, vous ne pouvez pas poursuivre la plupart des manœuvres de réanimation pendant l'intubation :

- il faut interrompre la ventilation pour retirer le ballon et le masque pendant le processus d'intubation;
- il faut interrompre les compressions thoraciques parce que le mouvement qu'elles produisent vous empêche de trouver les repères anatomiques.

Par conséquent, mettez tout en œuvre pour réduire l'hypoxie causée par l'intubation. Les mesures suivantes vous seront utiles :

- *Préoxygénez le bébé avant de tenter de l'intuber.*
  Oxygénez le bébé au moyen de l'appareil de réanimation et du masque avant d'amorcer l'intubation et entre les tentatives d'intubation. Vous ne pouvez pas le faire pendant l'intubation en vue d'aspirer le méconium ou d'améliorer une ventilation en pression positive inefficace.
- *Administrez de l'oxygène à débit libre pendant l'intubation.*
  Tenez de l'oxygène à débit libre 100 % près du visage du bébé pendant que l'intervenant dégage les voies aériennes et situe les repères anatomiques. Ainsi, si le bébé fait des efforts respiratoires spontanés pendant la manœuvre, il respirera de l'air enrichi d'oxygène.
- *Limitez la tentative à 20 secondes.*
  Ne poursuivez pas la tentative d'intubation plus d'une vingtaine de secondes. Si vous ne réussissez pas à voir la glotte et à insérer la sonde dans ce délai, retirez le laryngoscope et procédez à une ventilation au ballon et masque à l'aide d'oxygène 100 %. Assurez-vous que l'état du bébé se stabilise, puis reprenez l'intubation.

Début

Fin

20 secondes

Quels problèmes peuvent survenir pendant l'intubation?

Vous pouvez éprouver de la difficulté à voir la glotte.

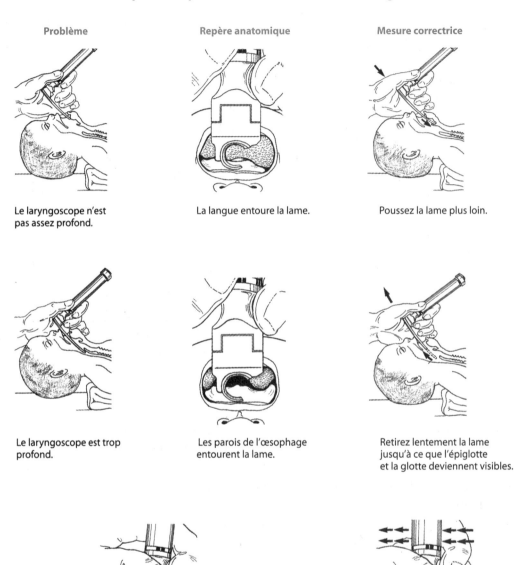

Problème	Repère anatomique	Mesure correctrice
Le laryngoscope n'est pas assez profond.	La langue entoure la lame.	Poussez la lame plus loin.
Le laryngoscope est trop profond.	Les parois de l'œsophage entourent la lame.	Retirez lentement la lame jusqu'à ce que l'épiglotte et la glotte deviennent visibles.
Le laryngoscope est décentré.	Vous voyez une partie de la glotte sur le côté de la lame.	Recentrez doucement la lame. Enfoncez ou retirez la lame selon les repères anatomiques.

Figure 5.30. Problèmes courants reliés à l'intubation.

Il se peut que la glotte ne soit pas bien visible parce que la langue n'est pas assez soulevée pour en dégager la vue (figure 5.31).

Il arrive qu'une pression exercée sur le cartilage cricoïde, qui couvre le larynx, permette de placer la glotte dans votre champ de vision (figure 5.32).

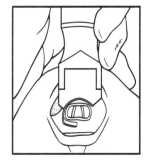

Figure 5.31. Pour corriger une vue partielle de la glotte (à gauche), soulevez la langue ou comprimez le larynx (à droite).

Vous y parviendrez à l'aide de l'annulaire ou de l'auriculaire de la main gauche ou en demandant à un assistant d'exercer une pression.

Exercez-vous à intuber un mannequin plusieurs fois pour situer les bons repères anatomiques et pour insérer la sonde en 20 secondes.

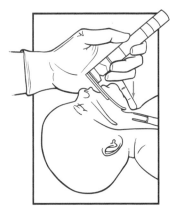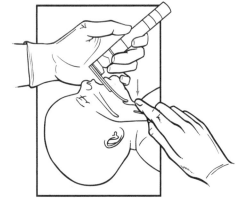

Figure 5.32. L'intervenant (à gauche) ou un assistant (à droite) corrige la vue de la glotte en exerçant une pression sur le larynx.

Par mégarde, vous pouvez insérer la sonde dans l'œsophage plutôt que dans la trachée.

Il est pire d'introduire la sonde trachéale dans l'œsophage que de ne pas insérer de sonde du tout, car celle-ci obstrue le passage pharyngé sans fournir de passage artificiel. Par conséquent :

- assurez-vous de bien voir la glotte avant d'introduire la sonde. Observez la sonde pénétrer dans la glotte, entre les cordes vocales.
- recherchez attentivement les signes d'intubation œsophagienne après l'insertion de la sonde. Utilisez un détecteur de CO_2.

Si vous craignez que la sonde se trouve dans l'œsophage, visualisez la glotte et la sonde au laryngoscope ou retirez la sonde, oxygénez le nouveau-né au ballon et masque et reprenez l'intubation.

Signes que la sonde trachéale se trouve dans l'œsophage plutôt que dans la trachée

• L'intubation ne donne pas de réel résultat (cyanose persistante, bradycardie, etc.).

• Le détecteur de CO_2 ne révèle pas la présence d'expiration de CO_2.

• Le murmure vésiculaire n'est pas audible.

• L'air est audible dans l'estomac.

• Vous remarquez une distension gastrique.

• La sonde ne s'embue pas.

• L'excursion thoracique est minime.

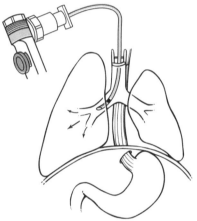

Figure 5.33. Sonde trachéale insérée trop profondément (le bout a pénétré dans la bronche souche droite).

Par mégarde, vous pouvez introduire la sonde trop profondément dans la trachée, jusqu'à la bronche souche droite.

La plupart du temps, une sonde introduite trop profondément pénètre dans la bronche souche droite (figure 5.33).

Pendant que vous introduisez la sonde, vous devez regarder le repère des cordes vocales indiqué sur la sonde et arrêter de pousser dès que ce repère atteint les cordes vocales.

Les signes suivants indiquent que la sonde se trouve dans la bronche souche droite :

• La fréquence cardiaque et la coloration du bébé ne s'améliorent pas.

• Le murmure vésiculaire est audible du côté droit du thorax, mais pas du côté gauche.

• Le murmure vésiculaire est plus audible du côté droit du thorax que du côté gauche.

Si vous pensez que la sonde a atteint la bronche souche droite, commencez par vérifier la distance entre le bout de la sonde et la lèvre pour voir si la graduation centimétrique au niveau de la lèvre est plus élevée que la mesure approximative (tableau 5-3). Même si la mesure semble bonne, si le murmure vésiculaire demeure asymétrique, vous devez retirer la sonde légèrement tout en écoutant le côté gauche du thorax pour entendre s'il s'améliore.

Vous pouvez affronter d'autres complications.

Complication	Causes possibles	Mesures préventives ou correctrices à envisager
Hypoxie	Manœuvre d'intubation trop lente	Préoxygéner au ballon et masque. Administrer de l'oxygène à débit libre pendant la manœuvre. Interrompre les tentatives d'intubation au bout de 20 secondes.
	Mauvaise position de la sonde	Remettre la sonde dans la bonne position.
Bradycardie ou apnée	Hypoxie Réaction vagale par le laryngoscope ou le cathéter d'aspiration	Préoxygéner au ballon et masque. Administrer de l'oxygène à débit libre pendant la manœuvre. Oxygéner au ballon sur la sonde après l'intubation.
Pneumothorax	Hyperinflation d'un poumon parce que la sonde se trouve dans la bronche souche droite	Mettre la sonde dans la bonne position.
	Pression de ventilation excessive	Ventiler à la pression convenable.
Contusions ou lacérations de la langue, des gencives ou des voies aériennes	Manipulation trop brusque du laryngoscope ou de la sonde Mouvement de bascule au lieu du soulèvement du laryngoscope	S'exercer davantage.
	Lame du laryngoscope trop longue ou trop courte	Choisir le bon matériel.
Perforation de la trachée ou de l'œsophage	Insertion trop vigoureuse de la sonde	Manipuler la sonde doucement.
	Mandrin plus long que la sonde	Bien placer le mandrin.
Obstruction de la sonde trachéale	Sonde coudée ou obstruée par des sécrétions	Essayer d'aspirer le contenu de la sonde avec un cathéter. Si cette manœuvre échoue, envisager de remplacer la sonde.
Infection	Introduction d'organismes par les mains ou le matériel	S'assurer de respecter les règles d'asepsie.

Tableau 5-4. Complications courantes de l'intubation trachéale.

Points à retenir

1. Un intervenant qui maîtrise l'intubation trachéale doit être disponible à chaque accouchement.

2. Les indications de l'intubation trachéale s'établissent comme suit :
   - Aspirer la trachée en présence de méconium si le nouveau-né n'est pas vigoureux.
   - Améliorer l'efficacité de la ventilation après une ventilation au ballon et masque de quelques minutes ou une ventilation au ballon et masque inefficace.
   - Faciliter la coordination des compressions thoraciques et de la ventilation et assurer l'efficacité maximale de chaque ventilation.
   - Administrer de l'adrénaline, au besoin, pour stimuler le cœur en attendant l'accès intraveineux.

3. L'intervenant tient toujours le laryngoscope de la main gauche.

4. Il faut une lame de laryngoscope n° 1 pour un nouveau-né à terme, et n° 0 pour un prématuré.

5. Le choix de la sonde trachéale dépend du poids du bébé.

Dimension de la sonde (mm) (diamètre interne)	Poids (g)	Âge gestationnel (en semaines)
2,5	moins de 1 000	moins de 28
3,0	de 1 000 à 2000	de 28 à 34
3,5	de 2 000 à 3 000	de 34 à 38
de 3,5 à 4,0	plus de 3 000	plus de 38

6. Idéalement, le processus d'intubation doit être terminé en 20 secondes.

Points à retenir — *suite*

7. Les étapes de l'intubation du nouveau-né s'établissent comme suit :
   - Stabiliser la tête du nourrisson en position de reniflement. Administrer de l'oxygène à débit libre pendant la manœuvre.
   - Glisser le laryngoscope du côté droit de la langue, repousser la langue du côté gauche de la bouche et pousser la lame jusqu'à ce que le bout repose juste derrière la base de la langue.
   - Soulever légèrement toute la lame, pas seulement le bout.
   - Situer les repères anatomiques. Les cordes vocales ressemblent à des cordons verticaux de chaque côté de la glotte ou à un « V » inversé.
   - Aspirer les sécrétions, au besoin, pour procurer un meilleur champ de vision.
   - Insérer la sonde du côté droit de la bouche, la courbure au plan horizontal.
   - Si les cordes vocales sont fermées, attendre qu'elles s'ouvrent. Introduire le bout de la sonde trachéale jusqu'à ce que le repère se trouve à la hauteur des cordes vocales.
   - Tenez la sonde fermement contre le palais du bébé pour retirer le laryngoscope. Tenir la sonde en place pour retirer le mandrin, s'il a été utilisé.

8. Les signes indicateurs d'une sonde trachéale dans la bonne position sont :
   - une amélioration des signes vitaux (fréquence cardiaque, coloration, activité);
   - la présence de CO_2 expiré, démontrée par le détecteur de CO_2;
   - un murmure vésiculaire perceptible aux deux plages pulmonaires, mais réduit ou inexistant au niveau de l'estomac;
   - l'absence de distension gastrique pendant la ventilation;
   - de la condensation à l'intérieur de la sonde pendant l'expiration;
   - une excursion thoracique à chaque ventilation;
   - la distance entre le bout de la sonde et la lèvre : ajouter six au poids du nouveau-né, en kilogrammes;
   - une confirmation radiographique si la sonde doit rester en place après la réanimation initiale;
   - une confirmation visuelle de la position de la sonde entre les cordes vocales.

Révision de la leçon 5

(Les réponses suivent.)

1. Un nouveau-né qui baignait dans le méconium et souffre de détresse respiratoire (a) (n'a pas) besoin d'une aspiration par intubation trachéale avant la ventilation en pression positive.

2. L'état d'un nouveau-né recevant une ventilation au ballon et masque ne s'améliore pas au bout de deux minutes, même si la technique utilisée semble irréprochable. Sa fréquence cardiaque n'augmente pas, et son excursion thoracique est minimale. Il (faut) (ne faut pas) envisager une intubation trachéale.

3. Si le bébé pèse moins de 1 000 g, le diamètre interne de la sonde trachéale doit être de _____ mm.

4. Pour un prématuré, la lame du laryngoscope doit être de calibre nᵒ _____, tandis que pour un nouveau-né à terme, elle doit plutôt être de calibre nᵒ _____.

5. Quelle illustration représente la vue de la cavité buccale si le laryngoscope est bien en place pour l'intubation?

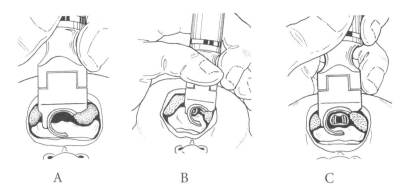

A   B   C

6. Les droitiers comme les gauchers doivent tenir le laryngoscope de la main _____.

7. Il faut tenter de terminer l'intubation trachéale en _____ secondes au maximum.

8. Si vous n'arrivez pas à terminer l'intubation trachéale dans le délai indiqué à la question 7, que devez-vous faire?

_____

_____

Révision de la leçon 5 — *suite*

(Les réponses suivent.)

9. Quelle illustration représente la bonne manière de soulever la langue pour bien dégager le passage pharyngé?

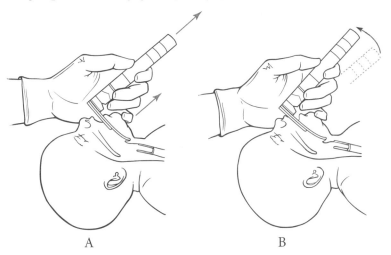

A   B

10. La glotte est visible, mais les cordes vocales sont fermées. Vous (devez) (ne devez pas) attendre qu'elles s'ouvrent pour introduire la sonde.

11. À quelle profondeur la sonde trachéale doit-elle être introduite dans la trachée du bébé? _____

12. Vous avez introduit la sonde trachéale par laquelle vous administrez une ventilation en pression positive. Lorsque vous auscultez le bébé, vous entendez un murmure vésiculaire d'égale intensité des deux côtés du thorax, et il n'y a pas d'air qui pénètre dans l'estomac. La sonde (est) (n'est pas) dans la bonne position.

13. Sur quelle radiographie la sonde trachéale est-elle dans la bonne position?

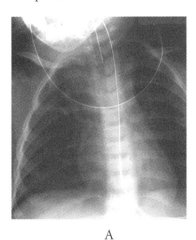 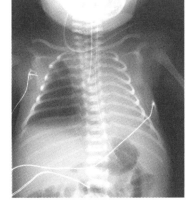

A   B

Révision de la leçon 5 — *suite*

(Les réponses suivent.)

14. Vous avez introduit la sonde trachéale, puis vous administrez une ventilation en pression positive. Lorsque vous auscultez le bébé, vous n'entendez pas de murmure vésiculaire d'un côté ou de l'autre du thorax, mais vous entendez de l'air pénétrer dans l'estomac. La sonde est dans (l'œsophage) (la trachée).

15. Si la sonde est dans l'œsophage, il faut l'en retirer, procéder à la _____ du nouveau-né au ballon et masque, puis réintroduire la sonde correctement.

16. Vous avez introduit la sonde trachéale, puis vous administrez une ventilation en pression positive. Lorsque vous auscultez le bébé, vous entendez un murmure vésiculaire du côté droit du thorax, mais pas du côté gauche. La distance entre le bout de la sonde et la lèvre est plus élevée que prévue. Vous devez légèrement (retirer) (pousser sur) la sonde et ausculter de nouveau le bébé.

Réponses aux questions de la leçon 5

1. Un nouveau-né qui baignait dans le méconium et souffre de détresse respiratoire **a** besoin d'une aspiration par intubation trachéale avant la ventilation en pression positive.

2. Il **faut** envisager une intubation trachéale lorsque l'état du bébé ne s'améliore pas, même si la technique de ventilation utilisée semble irréprochable.

3. Si le bébé pèse moins de 1 000 g, le diamètre interne de la sonde trachéale doit être de **2,5** mm.

4. Pour un prématuré, la lame du laryngoscope doit être de calibre n° **0**, tandis que pour un nouveau-né à terme, elle doit plutôt être de calibre n° **1**.

5. L'illustration **C** représente la vue à obtenir en prévision de l'intubation.

6. Les droitiers comme les gauchers doivent tenir le laryngoscope de la main **gauche**.

7. Il faut introduire la sonde trachéale et la raccorder à un ballon en **20 secondes** au maximum.

8. Si vous n'arrivez pas à terminer l'intubation trachéale en 20 secondes au maximum, vous devriez **retirer le laryngoscope, ventiler le bébé au ballon et masque et reprendre l'intubation.**

9. L'illustration **A** est la bonne.

10. Vous **devez** attendre que les cordes vocales s'ouvrent pour introduire la sonde.

11. Vous devez introduire la sonde **jusqu'au repère des cordes vocales**.

12. La sonde **est** dans la bonne position.

13. La radiographie **A** représente une sonde trachéale dans la bonne position.

14. La sonde est dans l'**œsophage**.

15. Vous devez procéder à la **ventilation** du nouveau-né au ballon et masque, puis réintroduire la sonde correctement.

16. Vous devez légèrement **retirer** la sonde et ausculter de nouveau le bébé.

Feuille de contrôle de la performance

Leçon 5 — L'intubation trachéale

Évaluateur : Le stagiaire doit être prié de commenter ses interventions tout au long du contrôle. Évaluez sa performance à chaque étape et cochez la case correspondante lorsque l'intervention est réussie. Si elle est ratée, encerclez la case pour en discuter plus tard avec lui. Vous devrez fournir de l'information sur l'état du bébé à plusieurs reprises au cours de l'évaluation.

Stagiaire : Pour réussir ce contrôle, vous devez effectuer toutes les étapes des interventions et prendre toutes les bonnes décisions. Vous devez commenter vos interventions tout au long du contrôle.

Matériel et fournitures

Mannequin d'intubation

Unité chauffante ou table pour simuler l'unité chauffante

Gants (il est possible d'en simuler la présence)

Stéthoscope

Serviette enroulée à mettre sous les épaules

Laryngoscope muni de piles neuves et d'une lumière fonctionnelle

Lame n° 1 (nouveau-né à terme) à utiliser sur le mannequin, ou n° 0, au besoin

Sondes trachéales de 2,5 mm, 3,0 mm, 3,5 mm et 4,0 mm

Mandrin (facultatif)

Ruban adhésif ou dispositif de fixation de la sonde trachéale

Ciseaux (facultatif)

Appareil d'aspiration mécanique (il est possible d'en simuler la présence) doté d'un cathéter d'aspiration au calibre minimal de 10F

Ballon autogonflable
ou

Ballon d'anesthésie fixé à un manomètre et à une source d'oxygène
ou

Insufflateur néonatal fixé à une source d'oxygène

Appareil d'administration d'oxygène à débit libre (masque à oxygène, tubulure à oxygène ou ballon d'anesthésie avec masque) (il est possible de simuler la présence d'oxygène)

Débitmètre (il est possible d'en simuler la présence)

Masques (pour nouveau-né à terme et pour prématuré)

Aspirateur de méconium

Détecteur de CO_2

Horloge avec aiguille des secondes

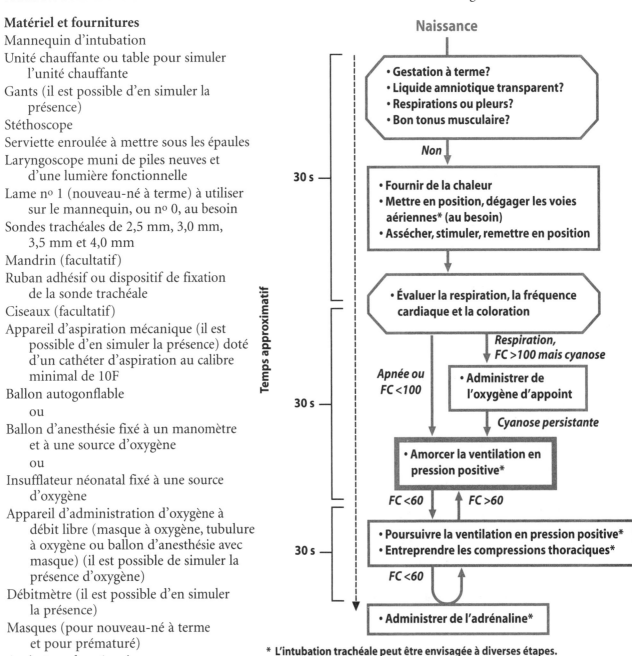

Feuille de contrôle de la performance

Leçon 5 — L'intubation trachéale

Nom _____ Évaluateur _____ Date _____

La présente feuille de contrôle de la performance peut être remplie par les stagiaires responsables de l'intubation ou qui jouent le rôle d'assistants. Si un seul stagiaire est évalué, l'évaluateur peut jouer le rôle de l'autre personne.

Les questions de l'évaluateur sont entre guillemets. Les questions et les bonnes réponses du stagiaire sont en caractères gras. L'évaluateur doit cocher les cases à mesure que le stagiaire répond correctement aux questions.

Section A — La préparation à l'intubation

« Un bébé à terme est sur le point de naître. Il a souffert de graves décélérations cardiaques fœtales et son liquide amniotique contient du méconium. Comment vous préparez-vous à la situation et à être assistant pour l'intervention? »

Sonde trachéale

☐ **Il choisit une sonde de la bonne dimension.**

☐ **Il coupe la sonde à 13 cm ou 15 cm, remet le raccord en place et s'assure qu'il est bien serré (facultatif).**

☐ **Il introduit le mandrin (facultatif).**

    ☐ **Le bout du mandrin est *à l'intérieur* du bout de la sonde.**

    ☐ **Il fixe le mandrin.**

Laryngoscope

☐ **Il choisit une lame de la bonne dimension.**

☐ **Il fixe la lame au laryngoscope et vérifie la lumière. Il remplace les piles ou l'ampoule, au besoin.**

Matériel supplémentaire

☐ **Il prend :**
    • une tubulure à oxygène et une source d'oxygène.
    • le matériel d'aspiration.

☐ **Il prend un ballon et un masque.**

    ☐ **Il vérifie si le ballon fonctionne bien.**

    ☐ **Il prépare le ballon pour administrer de l'oxygène à concentration de 90 % à 100 %.**

    ☐ **Il choisit un masque de la bonne dimension.**

☐ **Il prend un aspirateur de méconium.**

☐ **Il prend un détecteur de CO_2.**

☐ **Il coupe des bandes de ruban adhésif ou prépare le dispositif de fixation de la sonde trachéale.**

Section B — L'exécution de l'intubation trachéale ou le rôle d'assistant de l'intubation

Si vous intubez le bébé au lieu de jouer le rôle d'assistant, vous serez invité à effectuer l'intervention deux fois. La première fois, vous devrez « commenter » l'intervention et décrire chaque manœuvre et chaque observation. C'est nécessaire puisque l'évaluateur ne peut voir directement tous les aspects de l'intervention.

La deuxième fois, vous n'aurez pas à décrire ce que vous faites. Vous devrez plutôt travailler de la manière la plus efficace et la plus rapide possible pour terminer l'intervention en 20 secondes, depuis la mise en place du laryngoscope jusqu'à l'introduction de la sonde.

« Le bébé vient de naître, et sa peau est couverte de méconium. La fillette sans tonus est placée sur l'unité chauffante. Que faites-vous?

Procède à l'intubation   ### Assiste

- [ ] Il met le mannequin dans la bonne position.   [ ]
- [ ] Il utilise ou administre de l'oxygène à débit libre.   [ ]
- [ ] Il aspire les sécrétions, au besoin.   [ ]
- [ ] Il tient le laryngoscope correctement pour insérer la lame dans la bouche.
- [ ] Il introduit la lame derrière la langue et utilise le bon mouvement pour soulever le laryngoscope.
- [ ] Il exerce la bonne pression laryngée lorsqu'on le lui demande.   [ ]
- [ ] Il situe les repères anatomiques.
- [ ] D'après les repères anatomiques, il prend les mesures correctrices, au besoin.
- [ ] Il a une vue dégagée de la glotte.
- [ ] Il introduit la sonde dans la trachée.
- [ ] Il tient la sonde fermement en place pour retirer le laryngoscope (et le mandrin, s'il a été utilisé).
- [ ] Il raccorde (ou aide à raccorder) l'aspirateur de méconium.   [ ]
- [ ] Il retire la sonde pendant l'aspiration.
- [ ] Il effectue toute l'intervention en 20 secondes.

« Vous ne récupérez plus de méconium pendant l'aspiration. Le bébé est toujours sans tonus et ne se met pas à respirer spontanément après la stimulation et quelques minutes de ventilation au ballon et masque. La fillette est de coloration rosée et sa fréquence cardiaque est supérieure à 100 battements/min, mais vous décidez de réintroduire la sonde trachéale pour poursuivre la ventilation en pression positive. »

Procède à l'intubation   **Assiste**

☐ Il administre la ventilation en pression positive au ballon et masque.   ☐

☐ Il met le mannequin dans la bonne position.   ☐

☐ Il utilise ou administre de l'oxygène à débit libre.   ☐

☐ Il aspire les sécrétions, au besoin.   ☐

☐ Il tient le laryngoscope correctement pour insérer la lame dans la bouche.

☐ Il introduit la lame derrière la langue et utilise le bon mouvement pour soulever le laryngoscope.

☐ Il exerce la bonne pression laryngée lorsqu'on le lui demande.   ☐

☐ Il situe les repères anatomiques.

☐ D'après les repères anatomiques, il prend les mesures correctrices, au besoin.

☐ Il a une vue dégagée de la glotte.

☐ Il introduit la sonde dans la trachée et aligne les cordes vocales avec le repère des cordes vocales.

☐ Il tient la sonde fermement en place pour retirer le laryngoscope (et le mandrin, s'il a été utilisé) sans déplacer la sonde.

☐ Il retire le masque du ballon, le raccorde à la sonde trachéale et procède à la ventilation des poumons.   ☐

☐ Il effectue toute l'intervention en 20 secondes au maximum, depuis l'insertion de la lame jusqu'à la mise en place de la sonde.   ☐

Il confirme une première fois la position de la sonde.

☐ Il énumère correctement les étapes nécessaires pour confirmer la position de la sonde.   ☐

☐ Il souligne l'amélioration des signes vitaux.

☐ Il raccorde le détecteur de CO_2 et observe le changement de coloration.

☐ À l'auscultation, il entend un murmure vésiculaire d'égale intensité aux deux plages pulmonaires, mais pas dans l'estomac.

☐ Il n'observe pas d'augmentation de la distension gastrique.

☐ Il observe de la vapeur à l'intérieur de la sonde pendant l'expiration.

☐ Il remarque une excursion thoracique symétrique.

« Vous avez raccordé le ballon de réanimation à la sonde et repris la ventilation en pression positive. Cependant, le bébé est cyanosé, et sa fréquence cardiaque est de 80 battements/min. »

☐ **Il évalue s'il faut prendre des mesures correctrices et exécute les manœuvres nécessaires si la sonde est dans l'œsophage ou dans l'une des bronches.**

☐ **Il répète les étapes de confirmation.**

☐ **Il évalue correctement la distance entre le bout de la sonde et la lèvre.**

☐ **Il réintroduit le laryngoscope et vérifie si le repère des cordes vocales se trouve à la hauteur des cordes vocales.**

ou

☐ **Il retire la sonde trachéale, ventile le bébé au ballon et masque et reprend l'intubation.**

« La coloration du bébé s'est améliorée, et sa fréquence cardiaque est supérieure à 100 battements/min. Cependant, le bébé demeure apnéique, et vous décidez de laisser la sonde en place pendant le transfert aux soins postréanimation. »

Manœuvres finales

☐ **Il lit la graduation centimétrique indiquée à la hauteur de la lèvre supérieure.**

☐ **Il tient la sonde dans la bonne position pour la fixer.**
(La technique dépend de la méthode utilisée à l'hôpital du stagiaire.)

☐ **Il coupe la sonde si plus de 4 cm sortent de la bouche du bébé.**

Évaluation globale

☐ **Il manipule doucement le bébé, le laryngoscope et la sonde trachéale pour éviter les traumatismes.**

☐ **Il limite ses tentatives à 20 secondes.**

Annexe
L'utilisation du masque laryngé

Les notions suivantes sont abordées dans la présente annexe :

- Qu'est-ce qu'un masque laryngé
- Quand envisager d'utiliser un masque laryngé pour la ventilation en pression positive
- Comment mettre un masque laryngé en place

Le cas suivant illustre l'utilisation possible du masque laryngé pour administrer la ventilation en pression positive pendant la réanimation néonatale. À la lecture du cas, imaginez-vous au sein de l'équipe de réanimation. L'intervention sera détaillée dans le reste de l'annexe.

Cas 5.
Une intubation difficile

Un bébé naît à terme après un travail compliqué par des décélérations cardiaques fœtales. Le liquide amniotique est transparent, sans trace de méconium. Les membres de l'équipe de réanimation installent le bébé cyanosé, apnéique et sans tonus sur l'unité chauffante. Ils procèdent aux étapes initiales de la réanimation et amorcent la ventilation en pression positive au ballon et masque et à l'oxygène d'appoint, mais ils ne parviennent pas à obtenir une ventilation efficace, malgré les rajustements qui s'imposent. Ils tentent, sans succès, d'introduire une sonde trachéale par laryngoscopie directe. Le chef d'équipe remarque que la langue du bébé est relativement grosse, qu'il a une petite mâchoire et que ses caractéristiques faciales évoquent un syndrome de Down. Le nourrisson demeure cyanosé, apnéique et sans tonus.

Un membre de l'équipe introduit rapidement un masque laryngé, y raccorde un ballon de réanimation et obtient une ventilation en pression positive efficace qui permet d'accroître la fréquence cardiaque et d'améliorer le murmure vésiculaire du bébé. La coloration du bébé s'améliore, et il se met à respirer spontanément. Lorsqu'il se met à réagir davantage, on retire le masque laryngé et on le transfère à l'unité de soins intensifs néonatals ou il subira une évaluation plus approfondie et recevra les soins postréanimation.

Qu'est-ce qu'un masque laryngé?

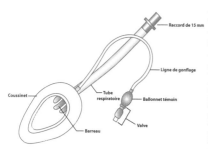

Figure 5.34. Masque laryngé néonatal de taille 1.

Le masque laryngé est un appareil de contrôle des voies aériennes qui peut être utilisé pour administrer une ventilation en pression positive. L'appareil néonatal de taille 1 (figure 5.34) est un masque elliptique mou, constitué d'un rebord gonflable relié à un tube respiratoire flexible. Il est introduit dans la bouche du bébé avec l'index et guidé le long du palais dur jusqu'à ce que son extrémité atteigne pratiquement l'œsophage. Aucun appareillage n'est utilisé. Une fois le masque introduit, on gonfle le coussinet. Le masque gonflé couvre le passage laryngé, et le rebord épouse les contours de l'hypopharynx, bloquant l'œsophage par une étanchéité à basse pression. Le tube respiratoire est pourvu d'un raccord normalisé de 15 mm qu'on relie à un ballon de réanimation ou à un ventilateur. Un ballonnet témoin fixé au rebord du coussinet permet de surveiller le gonflement du masque. Il existe des masques laryngés à usage unique et des masques laryngés réutilisables.

Comment fonctionne le masque laryngé?

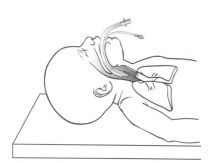

Figure 5.35. Masque laryngé fermant le passage laryngé.

Le larynx est une structure ferme qui forme l'ouverture de la trachée dans le pharynx antérieur. L'extrémité distale de l'appareil est un masque mou qui fonctionne comme un bouchon sur le larynx. Le masque est muni d'un rebord en forme de beignet (le coussinet) qui peut être gonflé pour fermer le larynx hermétiquement (figure 5.35). Des barreaux au centre de l'ouverture du masque empêchent l'épiglotte de se coincer dans le tube respiratoire. (Voir « barreau » à la figure 5.34.) Une fois le masque placé sur le larynx, le coussinet est gonflé pour assurer une bonne étanchéité. La pression positive appliquée au tube respiratoire est transmise dans la trachée du bébé par le tube respiratoire et le masque.

Quand envisager d'utiliser un masque laryngé?

Le masque laryngé peut être utile lorsqu'une pression positive appliquée à l'aide d'un masque facial ne procure pas une ventilation efficace et que les tentatives d'intubation trachéale échouent ou ne sont pas réalisables. Lorsque vous êtes incapable de ventiler et d'intuber le bébé, le masque laryngé représente une solution utile.

Par exemple, le masque laryngé peut être utile lorsque le nourrisson :

* souffre d'anomalies congénitales de la bouche, des lèvres ou du palais et qu'il est difficile d'assurer une bonne étanchéité au ballon et masque;

* présente des anomalies de la bouche, de la langue, du pharynx ou du cou et qu'il est difficile d'obtenir une vue du larynx au laryngoscope;

* a un maxillaire inférieur relativement petit ou une langue relativement grosse, parce qu'il souffre du syndrome de Pierre-Robin ou du syndrome de Down, par exemple.

Le masque laryngé peut également être utile si :

- la ventilation en pression positive au ballon et masque ou à l'insufflateur néonatal est inefficace et que les tentatives d'intubation échouent ou ne sont pas réalisables.

Le masque laryngé n'a pas à être placé hermétiquement sur le visage. Contrairement au masque facial ferme, le masque laryngé flexible évite la langue et permet ainsi une ventilation pulmonaire plus efficace. De plus, aucun appareillage n'est nécessaire pour visualiser le larynx avant d'introduire l'appareil. L'intervenant utilise son doigt pour placer le masque « à l'aveugle », sans appareillage. Le masque laryngé n'assure pas une aussi bonne étanchéité des voies aériennes que la sonde trachéale, mais il peut représenter une solution acceptable dans certaines situations.

Dans de nombreux blocs opératoires, les anesthésistes utilisent le masque laryngé pendant l'anesthésie pour ventiler des patients ayant des poumons normaux.

Quelles sont les limites du masque laryngé?

- L'appareil ne peut être utilisé pour aspirer le méconium dans les voies aériennes.
- Si vous devez appliquer une pression ventilatoire élevée, des fuites d'air peuvent survenir en raison de l'étanchéité insuffisante entre le larynx et le masque. La pression n'est alors pas suffisante pour ventiler les poumons et peut provoquer une distension gastrique.
- Les données probantes sont insuffisantes pour recommander le masque laryngé lorsqu'il faut effectuer des compressions thoraciques. Cependant, s'il est impossible d'introduire une sonde trachéale et que des compressions thoraciques s'imposent, il est raisonnable de tenter les compressions tandis que l'appareil est en place.
- Les données probantes sont insuffisantes pour recommander le masque laryngé lorsqu'il faut administrer des médicaments. Les médicaments administrés par voie trachéale peuvent s'écouler dans l'œsophage, entre le masque et larynx, et ne pas parvenir aux poumons.
- Les données probantes ne suffisent pas pour recommander le masque laryngé en cas de ventilation assistée prolongée du nouveau-né.

Les différentes tailles du masque laryngé

L'appareil de taille 1 est le seul qui convient aux nouveau-nés. Il est surtout utilisé chez les nourrissons à terme ou presque à terme de plus de 2 500 g. L'expérience du masque laryngé auprès des nourrissons de 1 500 g à 2 500 g est limitée. Selon toute probabilité, le masque est trop gros pour les bébés de moins de 1 500 g.

Comment mettre le masque laryngé en place?

Les directives suivantes s'appliquent à l'appareil jetable. Si vous employez un masque laryngé réutilisable, consultez les directives du fabricant pour bien le nettoyer et l'entretenir.

Préparez le masque laryngé.

1. Portez des gants et respectez les précautions d'usage.

2. Retirez l'appareil de taille 1 de son emballage stérile, conformément aux règles d'asepsie.

3. Inspectez rapidement l'appareil pour vous assurer que le masque, les barreaux, le tube respiratoire, le raccord de 15 mm et le ballonnet témoin sont intacts.

4. Fixez la seringue fournie à la valve du ballonnet témoin et remplissez le masque de 4 mL d'air pour en faire l'essai. À l'aide de la seringue, videz l'air du masque.

Préparez-vous à introduire le masque laryngé.

5. Placez-vous à la tête du bébé, que vous mettez en position de reniflement comme si vous vous prépariez à une intubation trachéale.

6. Tenez l'appareil comme un stylo, l'index à la jonction du coussinet et du tube (figure 5.36). Les barreaux au centre de l'ouverture du masque doivent être placés vers l'avant. La partie aplatie du masque ne comporte ni barreaux ni ouverture et sera située contre le palais du bébé.

7. Certains cliniciens conseillent de lubrifier l'arrière du masque laryngé à l'aide d'une gelée lubrifiante hydrosoluble. Si vous procédez à cette lubrification, assurez-vous de ne pas appliquer de gelée lubrifiante à l'avant des barreaux, à l'intérieur du masque.

Figure 5.36. Façon de tenir le masque laryngé pour l'insérer.

Introduisez le masque laryngé.

8. Ouvrez doucement la bouche du bébé et appuyez l'extrémité du masque contre son palais dur (figure 5.37A).

9. Aplatissez l'extrémité du masque sur le palais du bébé avec l'index. Assurez-vous que le masque demeure aplati et qu'il ne s'enroule pas sur lui-même.

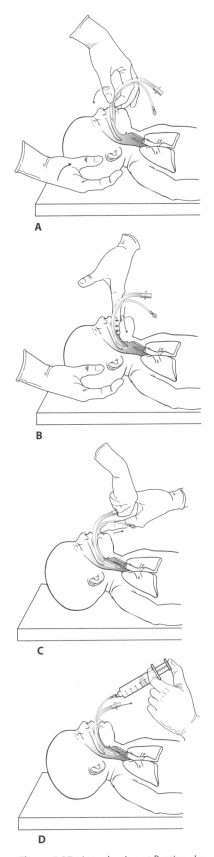

A

B

C

D

10. Avec l'index, guidez l'appareil sur les contours du palais dur du bébé jusqu'à l'arrière-gorge (figure 5.37B). **Vous n'avez pas à fournir d'effort**. D'un mouvement souple, guidez le masque derrière la langue et dans l'hypopharynx, jusqu'à ce que vous ressentiez une résistance.

Mettez le masque laryngé en place.

11. Avant de retirer le doigt, maintenez le tube respiratoire en place de l'autre main (figure 5.37C). Vous éviterez ainsi de faire sortir l'appareil en retirant votre doigt. L'extrémité du masque devrait reposer près de l'entrée de l'œsophage (sphincter œsophagien supérieur).

12. Gonflez le masque à l'aide de 2 mL à 4 mL d'air (figure 5.37D). Le coussinet devrait contenir juste assez d'air pour assurer l'étanchéité. Ne tenez pas le tube respiratoire pendant le gonflement du masque. Vous remarquerez peut-être que l'appareil ressort légèrement lorsqu'il est gonflé. C'est normal. **N'utilisez jamais plus de 4 mL d'air pour gonfler le coussinet d'un masque laryngé de taille 1.**

Figure 5.37. Introduction et fixation du masque laryngé. Bien qu'on ne le voie pas sur les illustrations, il faut dégonfler le coussinet avant l'introduction du masque, et le regonfler par la suite.

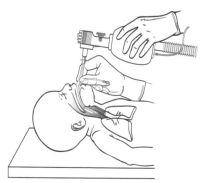

Figure 5.38. Ventilation en pression positive avec le masque laryngé.

Fixez le masque laryngé et procédez à la ventilation.

13. Fixez le ballon de réanimation au raccord de 15 mm et amorcez la ventilation en pression positive (figure 5.38).

14. Pour vous assurer que le masque laryngé est bien en place, vérifiez si la fréquence cardiaque augmente, si l'excursion thoracique est bien visible et si le murmure vésiculaire est audible au stéthoscope. Vous pouvez utiliser un détecteur de gaz carbonique (CO_2) pour confirmer un échange gazeux convenable.

15. Fixez le tube avec du ruban adhésif, comme s'il s'agissait d'une sonde trachéale.

Comment savoir si le masque laryngé est bien en place?

Si l'appareil est bien en place, vous remarquerez une augmentation rapide de la fréquence cardiaque du bébé, un murmure vésiculaire régulier au stéthoscope et une excursion thoracique satisfaisante, comme ce serait le cas si vous aviez bien installé une sonde trachéale. Si vous placez un détecteur de CO_2 colorimétrique sur l'adaptateur, vous constaterez un rapide changement de couleur, évocateur de CO_2 expiré. Vous ne devriez pas entendre de grosse fuite d'air sortir de la bouche du bébé ou remarquer un bombement de plus en plus prononcé du cou du bébé.

Quelles complications peuvent survenir avec le masque laryngé?

L'appareil peut provoquer des lésions des tissus mous, un laryngospasme ou une distension gastrique imputable à la fuite d'air autour du masque. Dans de rares cas, une utilisation prolongée, pendant plusieurs heures ou plusieurs jours, s'associe à une atteinte des nerfs oropharyngés ou à un œdème lingual.

Quand retirer le masque laryngé?

Vous pouvez retirer le masque laryngé lorsque le bébé se met à respirer spontanément ou que vous êtes en mesure d'introduire une sonde trachéale avec succès. Les bébés peuvent respirer spontanément à travers l'appareil. Au besoin, il est possible de raccorder le masque laryngé à un ventilateur ou à un appareil de pression positive continue (PPC) pendant le transfert à l'unité de soins intensifs néonatals, mais aucune étude ne porte sur l'usage prolongé du masque laryngé en vue de la ventilation des nouveau-nés.

Les médicaments

**Les notions suivantes sont abordées
dans la leçon 6 :**

- **Quels médicaments administrer pendant la réanimation**
- **Quand administrer des médicaments pendant la réanimation**
- **Par quelle voie administrer les médicaments pendant la réanimation**
- **Comment introduire un cathéter veineux ombilical**
- **Comment administrer de l'adrénaline**
- **Quand et comment administrer des solutions de remplissage vasculaire pendant la réanimation**

Le cas ci-dessous illustre l'utilisation possible de médicaments pendant une réanimation plus complexe. À la lecture du cas, imaginez-vous au sein de l'équipe de réanimation. L'administration des médicaments est détaillée dans le reste de la leçon.

Cas 6.
Une réanimation exigeant une ventilation en pression positive, des compressions thoraciques et l'administration de médicaments

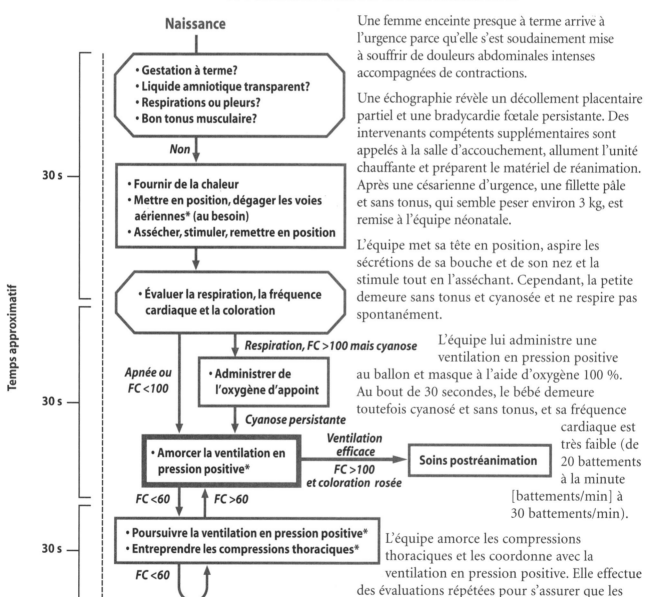

Naissance

Une femme enceinte presque à terme arrive à l'urgence parce qu'elle s'est soudainement mise à souffrir de douleurs abdominales intenses accompagnées de contractions.

Une échographie révèle un décollement placentaire partiel et une bradycardie fœtale persistante. Des intervenants compétents supplémentaires sont appelés à la salle d'accouchement, allument l'unité chauffante et préparent le matériel de réanimation. Après une césarienne d'urgence, une fillette pâle et sans tonus, qui semble peser environ 3 kg, est remise à l'équipe néonatale.

L'équipe met sa tête en position, aspire les sécrétions de sa bouche et de son nez et la stimule tout en l'asséchant. Cependant, la petite demeure sans tonus et cyanosée et ne respire pas spontanément.

L'équipe lui administre une ventilation en pression positive au ballon et masque à l'aide d'oxygène 100 %. Au bout de 30 secondes, le bébé demeure toutefois cyanosé et sans tonus, et sa fréquence cardiaque est très faible (de 20 battements à la minute [battements/min] à 30 battements/min).

L'équipe amorce les compressions thoraciques et les coordonne avec la ventilation en pression positive. Elle effectue des évaluations répétées pour s'assurer que les voies aériennes sont bien dégagées, et met la tête en position pour que le murmure vésiculaire soit audible au stéthoscope et que la ventilation entraîne une excursion thoracique suffisante. Néanmoins, 30 secondes plus tard, la fréquence cardiaque n'a toujours pas augmenté.

* L'intubation trachéale peut être envisagée à diverses étapes.

L'équipe procède rapidement à une intubation trachéale pour garantir une ventilation efficace et commence à installer un cathéter veineux ombilical. La fréquence cardiaque n'est plus perceptible. C'est pourquoi l'équipe administre 1,5 mL d'adrénaline 1:10 000 par la sonde trachéale pendant qu'elle établit l'accès veineux ombilical. Elle vérifie la fréquence cardiaque toutes les 30 secondes, tout en continuant de coordonner les compressions thoraciques avec la ventilation en pression positive. La fréquence cardiaque demeure non perceptible.

À trois minutes de vie, l'installation du cathéter veineux ombilical est en cours. Peu après, l'équipe administre une dose de 0,6 mL d'adrénaline par le cathéter, qu'elle rince ensuite avec un soluté physiologique. La fréquence cardiaque est maintenant perceptible au stéthoscope, mais elle est inférieure à 60 battements/min. Étant donné la bradycardie persistante et la perte sanguine possible, on lui administre 30 mL de soluté physiologique par le cathéter ombilical. La fréquence cardiaque augmente graduellement.

Sept minutes après la naissance, le bébé gaspe enfin. L'équipe arrête les compressions thoraciques lorsque la fréquence cardiaque passe au-dessus de 60 battements/min. La ventilation assistée se poursuit avec de l'oxygène d'appoint, et la fréquence cardiaque dépasse les 100 battements/min. La coloration de la fillette commence à s'améliorer, et elle se met à respirer spontanément.

Elle est transférée à l'unité néonatale pour les soins postréanimation, tandis que la ventilation assistée se poursuit.

Si les étapes de réanimation sont amorcées avec rapidité et dextérité, l'état de plus de 99 % des nouveau-nés qui ont besoin d'être réanimés s'améliorera sans qu'il soit nécessaire de recourir aux médicaments. D'ailleurs, avant leur usage, vous devez avoir vérifié plusieurs fois l'efficacité de la ventilation, c'est-à-dire vous être assuré d'une bonne excursion thoracique, d'un murmure vésiculaire bilatéral audible à chaque ventilation et de l'utilisation d'oxygène 100 % pour la ventilation en pression positive. Dans le cadre de l'évaluation, vous aurez peut-être décidé d'introduire une sonde trachéale pour assurer le dégagement optimal des voies aériennes et une coordination efficace des compressions thoraciques avec la ventilation en pression positive.

 Si la fréquence cardiaque demeure inférieure à 60 battements/min, malgré la ventilation et les compressions thoraciques, vous devez alors vous assurer de les administrer de façon optimale et de bien utiliser de l'oxygène 100 %.

Malgré une bonne ventilation pulmonaire avec la ventilation en pression positive et une amélioration du débit cardiaque grâce aux compressions thoraciques, quelques nouveau-nés (moins de deux pour 1 000 naissances) conservent une fréquence cardiaque inférieure à 60 battements/min. Le muscle cardiaque de ces bébés a peut-être été privé d'oxygène si longtemps qu'il ne peut se contracter avec efficacité, malgré la perfusion de sang oxygéné. Ces bébés pourraient profiter des bienfaits de l'administration d'adrénaline pour stimuler leur cœur. S'ils ont subi une hémorragie, une solution de remplissage vasculaire pourrait leur être utile.

Ce qui est abordé dans la présente leçon

Dans la présente leçon, vous apprenez quand administrer de l'*adrénaline*, comment établir la voie par laquelle l'administrer et comment en déterminer la dose.

Cette leçon traite également des *solutions de remplissage vasculaire* pour les bébés en état de choc par suite d'une hémorragie.

Pendant les phases initiales de la réanimation, il n'est pas nécessaire d'administrer de la naloxone, un antagoniste des narcotiques donné aux bébés qui souffrent de dépression respiratoire consécutive à l'administration de narcotiques à la mère. L'utilisation de ce médicament sera décrite à la leçon 7. Vous pouvez utiliser du bicarbonate de sodium pour traiter l'acidose métabolique, et des vasopresseurs, comme la dopamine, pour traiter l'hypotension ou une défaillance cardiaque, mais ces médicaments sont plutôt employés dans le cadre des soins postréanimation. C'est pourquoi ils seront aussi présentés à la leçon 7. D'autres médicaments, comme l'atropine et le calcium, sont parfois utilisés dans des circonstances de réanimation particulières, mais ils ne sont pas indiqués pendant les étapes initiales de la réanimation néonatale.

Si vous avez besoin d'administrer des médicaments, la voie intraveineuse est la plus fiable. Par conséquent, dès que vous envisagez la possibilité d'administrer des médicaments, demandez de l'aide. Il faut au moins deux intervenants pour coordonner la ventilation en pression positive avec les compressions thoraciques, mais vous aurez besoin d'un troisième, et peut-être même d'un quatrième intervenant pour installer une voie veineuse.

Comment établir l'accès intraveineux pendant la réanimation d'un nouveau-né?

La veine ombilicale
La veine ombilicale est la voie intraveineuse directe accessible le plus rapidement chez le nouveau-né. Si vous prévoyez administrer de l'adrénaline en raison de l'absence de réponse du bébé aux étapes précédentes de la réanimation, un membre de l'équipe de réanimation doit installer un cathéter veineux ombilical, tandis que les autres poursuivent les autres étapes de la réanimation.

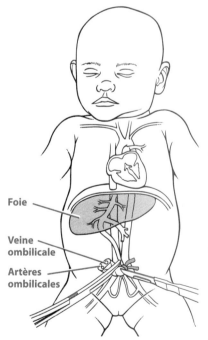

Foie

Veine
ombilicale

Artères
ombilicales

Figure 6.1. Section du bout du cordon ombilical en préparation à l'introduction d'un cathéter ombilical.

- Nettoyez le cordon à l'aide d'une solution antiseptique. Placez un ruban à cordon noué bien lâche autour de la base du cordon ombilical. Vous pourrez le serrer en cas de saignement trop prononcé après avoir coupé le cordon ombilical.

- À l'aide d'une seringue de 3 mL raccordée à un robinet à trois voies, remplissez de soluté physiologique un cathéter ombilical de calibre 3,5F ou 5F. Le cathéter doit être pourvu d'une seule ouverture terminale. Fermez le robinet vers le cathéter pour prévenir la perte de liquide et l'entrée d'air.

- Dans le respect des règles d'asepsie, coupez le cordon avec un scalpel sous la pince à cordon installée à la naissance, à environ 1 cm ou 2 cm de la surface de la peau (figure 6.1). Coupez-le perpendiculairement plutôt qu'en diagonale.

- La veine ombilicale est une large structure aux parois minces, située vers 11 h ou 12 h si vous visualisez une horloge autour du cordon. Les deux artères ombilicales aux parois plus épaisses sont plus rapprochées. Elles se situent aux environs de 4 h et 8 h. Cependant, les artères s'entortillent dans le cordon. Ainsi, plus le bout du cordon est long sous la section, plus les vaisseaux risquent de se trouver dans une tout autre position.

- Introduisez le cathéter dans la veine ombilicale (figure 6.2). (Voir également les figures E-1 et E-2 au centre du manuel.) La veine remonte vers le cœur. C'est donc dans cette direction que vous devez orienter le cathéter. Insérez le cathéter à une profondeur de 2 cm à 4 cm (moins chez les prématurés), jusqu'à obtenir un retour sanguin lorsque vous ouvrez le robinet à trois voies vers la seringue et que vous tirez lentement le piston de la seringue. Pendant une situation d'urgence comme la réanimation néonatale, il faut introduire l'extrémité du cathéter juste assez pour obtenir un retour sanguin. Si vous l'introduisez plus profondément, vous risquez d'infuser la majeure partie du soluté directement dans le foie et d'y causer des dommages.

- Injectez la dose adéquate d'adrénaline ou de solution de remplissage (voir les pages 6-6 à 6-10), suivie de 0,5 mL à 1 mL de soluté physiologique pour rincer la tubulure.

- Une fois la réanimation du bébé terminée, suturez le cathéter en place ou retirez-le, resserrez le ruban à cordon et nouez-le pour éviter les saignements du cordon ombilical. Arrêtez l'insertion du cathéter si les conditions stériles ne sont plus respectées.

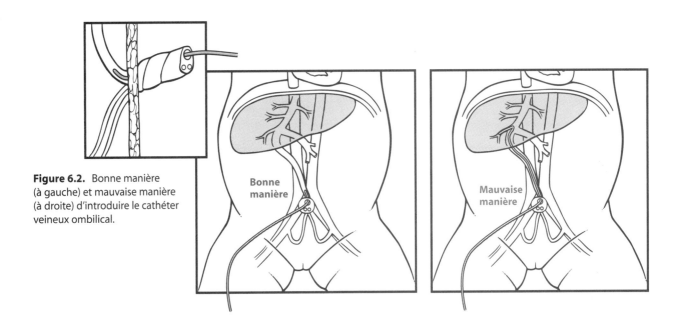

Figure 6.2. Bonne manière (à gauche) et mauvaise manière (à droite) d'introduire le cathéter veineux ombilical.

Bonne manière

Mauvaise manière

Peut-on administrer les médicaments par d'autres voies que la voie intraveineuse pendant la réanimation d'un nouveau-né?

La sonde trachéale

L'adrénaline administrée par la sonde trachéale peut être absorbée par les poumons et pénétrer dans le sang qui arrive directement au cœur. Bien que ce soit peut-être la voie la plus rapide pour administrer de l'adrénaline à un bébé intubé, le processus d'absorption pulmonaire est plus long et moins prévisible que si l'adrénaline est administrée directement dans le sang. D'après des recherches menées sur des modèles animaux, la dose intraveineuse habituelle n'est pas efficace par voie trachéale. Certaines données révèlent qu'une dose plus élevée pourrait compenser le délai d'absorption pulmonaire, mais aucune étude n'a confirmé l'efficacité ou l'innocuité de cette pratique. Néanmoins, puisque la voie trachéale est la plus accessible, certains cliniciens pensent qu'il faut envisager d'administrer une dose d'adrénaline par voie trachéale pendant l'installation de la voie intraveineuse. Si vous administrez de l'adrénaline par voie trachéale, vous aurez besoin d'une plus forte dose et donc, d'une plus grosse seringue. Il faut inscrire clairement « réservé à l'usage trachéal » sur cette seringue, afin d'éviter d'administrer par mégarde la plus forte dose par voie intraveineuse. Même s'il est question de la technique trachéale dans le programme, la voie veineuse demeure la meilleure.

L'accès intraosseux

De toute évidence, pendant la réanimation d'un nouveau-né en milieu hospitalier, la veine ombilicale est l'accès vasculaire le plus accessible. Cependant, à l'extérieur de l'hôpital, où les dispensateurs de soins n'utilisent pas tellement les cathéters ombilicaux mais sont peut-être plus habitués à la voie intraosseuse, cet accès vasculaire peut être préférable. Cependant, peu d'études portent sur l'évaluation de la voie intraosseusse chez les nouveau-nés, et cette technique n'est pas enseignée dans le programme.

Qu'est-ce que l'adrénaline et quand l'administrer?

Le chlorhydrate d'adrénaline (ou simplement adrénaline) est un stimulant cardiaque. L'adrénaline accroît la force et la fréquence des contractions cardiaques et provoque une vasoconstriction périphérique, susceptible d'augmenter le débit sanguin vers les artères coronaires et le cerveau.

 L'adrénaline est indiquée lorsque la fréquence cardiaque demeure inférieure à 60 battements/min malgré une ventilation assistée efficace maintenue pendant 30 secondes et des compressions thoraciques coordonnées avec la ventilation pendant 30 autres secondes.

L'adrénaline n'est pas indiquée avant l'établissement d'une ventilation efficace, pour les raisons suivantes :

* vous utiliseriez mieux votre temps à établir une ventilation et une oxygénation efficaces qu'à administrer de l'adrénaline;

* l'adrénaline accroît le travail du muscle cardiaque et sa consommation d'oxygène, ce qui peut endommager le myocarde s'il n'y a pas d'oxygène disponible.

Comment préparer l'adrénaline et quelle dose administrer?

Bien que l'adrénaline soit offerte en concentrations de 1:1 000 et de 1:10 000, la concentration 1:10 000 est recommandée pour les nouveau-nés, ce qui évite d'avoir à diluer la solution.

Il faut administrer l'adrénaline par voie intraveineuse, même s'il faut attendre d'installer l'accès intraveineux. D'ordinaire, la voie trachéale est plus rapide, mais les taux sanguins qui en résultent sont plus faibles, moins prévisibles et risquent de ne pas être efficaces. Certains cliniciens peuvent choisir d'administrer une dose d'adrénaline trachéale pendant l'installation du cathéter veineux ombilical.

La dose recommandée par voie intraveineuse est de 0,1 mL/kg à 0,3 mL/kg d'une solution de 1:10 000 (soit 0,01 mg/kg à 0,03 mg/kg). Vous devrez évaluer le poids du bébé après la naissance.

Par le passé, on proposait d'administrer de plus fortes doses intraveineuses aux adultes et aux enfants plus âgés qui ne réagissaient pas à une dose plus faible. Il n'existe cependant aucune donnée pour confirmer que cette pratique assure de meilleurs résultats, et selon certaines données, des doses plus élevées peuvent entraîner une atteinte cérébrale et cardiaque chez les bébés.

Des études menées sur des animaux et des humains adultes ont démontré que si l'adrénaline est administrée par la trachée, la dose doit être beaucoup plus élevée que celle qu'on recommandait auparavant pour obtenir un effet positif. Si vous décidez d'administrer une dose par voie trachéale pendant l'installation de la voie intraveineuse, envisagez d'en administrer une plus forte dose (de 0,3 mL/kg à 1 mL/kg, soit 0,03 mg/kg à 0,1 mg/kg), mais seulement par cette voie. Toutefois, aucune étude ne traite de l'innocuité de ces doses par voie trachéale. *N'administrez pas de fortes doses par voie intraveineuse.*

Lorsque vous administrez de l'adrénaline par sonde trachéale, assurez-vous d'infuser le médicament directement dans la sonde et de ne pas en laisser sur le raccord ou sur les parois de la sonde. Certaines personnes préfèrent glisser un cathéter dans la sonde pour administrer le médicament plus loin. Puisqu'il faut une plus forte dose par voie trachéale, vous administrerez un volume relativement élevé de liquide (jusqu'à 1 mL/kg). Vous devriez suivre cette administration de quelques ventilations en pression positive afin d'assurer la distribution et l'absorption du médicament dans les poumons.

Lorsque le médicament est administré par cathéter intraveineux, vous devez ensuite le rincer à l'aide de 0,5 mL à 1 mL de soluté physiologique pour vous assurer que le médicament atteint bien la circulation sanguine.

Concentration recommandée = 1:10 000

Voie recommandée = Voie intraveineuse (envisager la voie trachéale pendant l'installation de l'accès intraveineux)

Dose recommandée = 0,1 mL/kg à 0,3 mL/kg d'une solution 1:10 000 (envisager 0,3 mL/kg à 1 mL/kg par voie trachéale)

Préparation recommandée = Solution 1:10 000 dans une seringue de 1 mL (ou une seringue plus grosse par voie trachéale)

Rythme d'administration recommandé = *Rapidement* — le plus rapidement possible

Révision

(Les réponses figurent dans la section précédente et à la fin de la leçon.)

1. Moins de _____ bébés pour 1 000 naissances ont besoin d'adrénaline pour stimuler leur cœur.

2. Dès que vous envisagez la possibilité d'administrer des médicaments pendant la réanimation, un membre de l'équipe doit commencer à introduire un _____ en prévision de cette intervention.

3. Une ventilation efficace, coordonnée avec des compressions thoraciques, se poursuit depuis 30 secondes, et la fréquence cardiaque du bébé est inférieure à 60 battements à la minute. Vous devriez lui administrer _____ tout en poursuivant les compressions thoraciques et _____.

4. Quel est le problème relié à l'administration d'adrénaline par sonde trachéale? _____ _____ _____.

5. Il faut rincer la dose intraveineuse d'adrénaline avec un _____ pour vous assurer que la plus grande partie du médicament est administrée au bébé au lieu de demeurer dans le cathéter.

6. L'adrénaline (accroît) (réduit) la force des contractions cardiaques et en (augmente) (réduit) la fréquence.

7. La concentration d'adrénaline recommandée pour les nouveau-nés est de (1:1 000) (1:10 000).

8. La dose recommandée d'adrénaline à administrer aux nouveau-nés est une solution 1:10 000 de _____ mL/kg à _____ mL/kg par voie intraveineuse, et de _____ mL/kg à _____ mL/kg par voie trachéale.

9. L'adrénaline doit être administrée (lentement) (le plus rapidement possible).

À quoi s'attendre après l'administration d'adrénaline?

Vérifiez la fréquence cardiaque du bébé 30 secondes après avoir administré l'adrénaline. Tandis que vous poursuivez la ventilation en pression positive et les compressions thoraciques, la fréquence cardiaque devrait dépasser les 60 battements/min.

Si ce n'est pas le cas, vous pouvez administrer de nouvelles doses toutes les trois à cinq minutes. Dans la mesure du possible, ces doses devraient toutefois être administrées par voie intraveineuse. Par ailleurs, assurez-vous :

- qu'il y a de bons échanges gazeux, démontrés par l'excursion thoracique et le murmure vésiculaire bilatéral;

- que la profondeur des compressions thoraciques correspond au tiers du diamètre du thorax et qu'elles sont bien coordonnées avec la ventilation.

Envisagez sérieusement d'insérer une sonde trachéale, si ce n'est pas déjà fait. Ensuite, assurez-vous qu'elle est demeurée dans la trachée pendant les manœuvres de réanimation cardiopulmonaire.

Si le bébé est pâle, qu'il semble avoir subi une perte sanguine et qu'il réagit peu à la réanimation, vous devrez envisager la possibilité de perte volémique. Le traitement de l'hypovolémie est d'ailleurs expliqué aux pages suivantes.

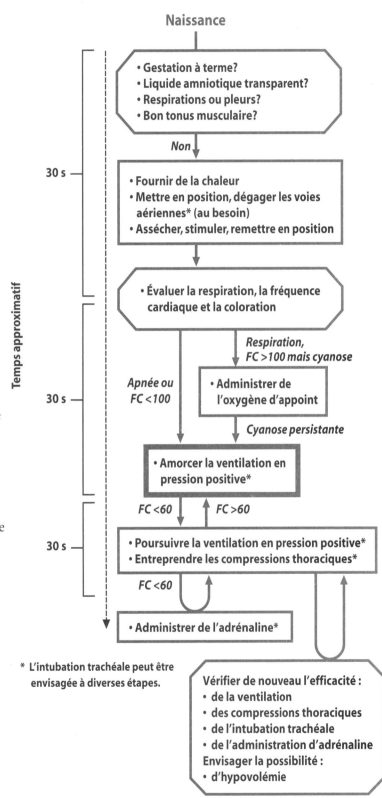

Naissance

- **Gestation à terme?**
- **Liquide amniotique transparent?**
- **Respirations ou pleurs?**
- **Bon tonus musculaire?**

Non

30 s

- **Fournir de la chaleur**
- **Mettre en position, dégager les voies aériennes* (au besoin)**
- **Assécher, stimuler, remettre en position**

- **Évaluer la respiration, la fréquence cardiaque et la coloration**

Temps approximatif

Apnée ou FC <100

Respiration, FC >100 mais cyanose

30 s

- **Administrer de l'oxygène d'appoint**

Cyanose persistante

- **Amorcer la ventilation en pression positive***

FC <60   *FC >60*

30 s

- **Poursuivre la ventilation en pression positive***
- **Entreprendre les compressions thoraciques***

FC <60

- **Administrer de l'adrénaline***

* L'intubation trachéale peut être envisagée à diverses étapes.

Vérifier de nouveau l'efficacité :
- **de la ventilation**
- **des compressions thoraciques**
- **de l'intubation trachéale**
- **de l'administration d'adrénaline**
Envisager la possibilité :
- **d'hypovolémie**

Que faire si le bébé est en état de choc, qu'il semble avoir subi une perte sanguine et qu'il réagit peu à la réanimation?

En cas de décollement placentaire, de *placenta praevia* ou de perte sanguine par le cordon ombilical, le bébé peut être en état de choc hypovolémique. Dans certaines situations, il peut avoir perdu du sang dans la circulation maternelle et présenter des signes d'état de choc sans trace de perte sanguine.

Les bébés en état de choc sont pâles et ont le pouls faible, sans compter que leur temps de remplissage capillaire est lent. Leur fréquence cardiaque peut demeurer très basse, et dans bien des cas, leur circulation ne s'améliore pas malgré une ventilation efficace, des compressions thoraciques et l'administration d'adrénaline.

 Si le bébé semble en état de choc et ne réagit pas à la réanimation, l'administration d'une solution de remplissage pourrait être indiquée.

Qu'administrer comme solution de remplissage? Quelle quantité administrer, et de quelle manière?

Un soluté cristalloïde isotonique est recommandé pour traiter une hypovolémie aiguë. Les solutés acceptables sont :
- le NaCl 0,9 % (« soluté physiologique »).
- le lactate Ringer.
- un culot globulaire O négatif. Vous devez l'envisager pour fournir du volume lorsqu'une grave anémie fœtale est documentée ou prévue. S'il est possible d'obtenir un diagnostic à point nommé, vous pouvez demander une épreuve de compatibilité croisée entre le sang du donneur et celui de la mère, de qui provient tout anticorps problématique. Autrement, l'administration d'un culot globulaire O négatif d'urgence pourrait s'imposer.

La première dose est de 10 mL/kg. Cependant, si l'état du bébé s'améliore peu, vous devrez peut-être lui en administrer une deuxième de 10 mL/kg. Dans les rares cas d'hémorragie grave, vous devez envisager d'administrer des doses supplémentaires.

Il faut injecter la solution de remplissage dans le système vasculaire. Règle générale, la veine ombilicale est la voie la plus accessible chez le nouveau-né, mais d'autres (p. ex., la voie intraosseuse) sont acceptables.

Si vous présumez la présence d'une hypovolémie, remplissez une grosse seringue de soluté physiologique ou d'une autre solution de remplissage pendant que le reste de l'équipe poursuit la réanimation.

Il faut corriger rapidement une hypovolémie aiguë qui exige une réanimation, mais certains cliniciens craignent qu'une administration trop rapide provoque une hémorragie intracrânienne chez le nouveau-né, surtout s'il est prématuré. Aucun essai clinique n'a été mené pour définir la rapidité optimale de la perfusion, mais il est raisonnable d'opter pour un débit d'infusion uniforme, réparti sur cinq à dix minutes.

Solution recommandée = **Soluté physiologique**

Dose recommandée = **10 mL/kg**

Voie recommandée = **Veine ombilicale**

Débit d'administration recommandé = **De cinq à dix minutes**

Révision

(Les réponses figurent dans la section précédente et à la fin de la leçon.)

10. Que devez-vous faire une trentaine de secondes après avoir administré de l'adrénaline? _____.

11. Si la fréquence cardiaque du bébé demeure inférieure à 60 battements à la minute, vous pouvez lui administrer une nouvelle dose d'adrénaline toutes les _____ à _____ minutes.

12. Si la fréquence cardiaque du bébé demeure inférieure à 60 battements à la minute après l'administration d'adrénaline, vous devriez également vérifier si la ventilation entraîne une excursion thoracique suffisante et si les _____ sont bien exécutées.

13. Si le bébé semble en état de choc, a subi une perte sanguine et que son état ne s'améliore pas malgré la réanimation, vous devriez envisager d'administrer _____ mL/kg de _____ par _____.

Que faire si l'état du bébé ne s'améliore toujours pas?

Si le bébé était en grande détresse et que toutes les mesures de réanimation se sont bien déroulées, vous devriez atteindre rapidement l'étape d'administration d'adrénaline. Vous devriez avoir consacré une trentaine de secondes à chacun des quatre blocs de réanimation suivants (peut-être un peu plus pour vous assurer de l'exécution irréprochable de chaque étape) :

- évaluation et étapes initiales,
- ventilation en pression positive,
- ventilation en pression positive et compressions thoraciques,
- ventilation en pression positive, compressions thoraciques et adrénaline.

Vous avez sûrement déjà procédé à une intubation trachéale, vérifié l'efficacité de chacune des étapes et envisagé la possibilité d'hypovolémie.

Si la fréquence cardiaque est perceptible, mais inférieure à 60 battements/min, il est encore probable que le bébé réagisse à la réanimation, à moins qu'il soit extrêmement immature ou qu'il souffre d'une malformation congénitale fatale. Si vous êtes certain d'effectuer une ventilation et des compressions thoraciques efficaces et que vous avez administré des médicaments, vous pouvez envisager des causes mécaniques à cette réponse si médiocre, telles qu'une malformation des voies aériennes, un pneumothorax, une hernie diaphragmatique ou une cardiopathie congénitale (voir la leçon 7).

En l'absence de fréquence cardiaque ou si l'état du bébé ne s'améliore pas à cause d'une extrême prématurité, par exemple, il peut être opportun d'abandonner les efforts de réanimation. Vous devez être certain d'avoir prodigué des interventions optimales pendant au moins dix minutes avant d'envisager une telle décision. La période pendant laquelle poursuivre les interventions de même que les considérations éthiques seront abordées à la leçon 9.

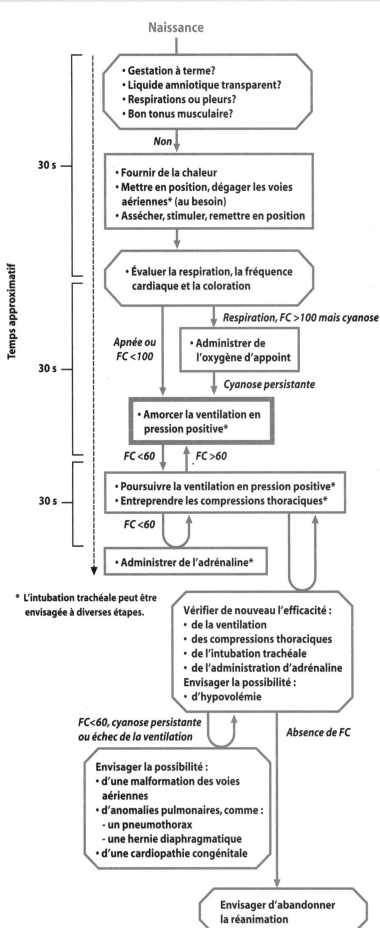

Points à retenir

1. Le recours à l'adrénaline, un stimulant cardiaque, est indiqué lorsque la fréquence cardiaque demeure inférieure à 60 battements à la minute, malgré une ventilation assistée pendant 30 secondes, suivie de compressions thoraciques coordonnées avec la ventilation pendant 30 secondes supplémentaires.

2. Recommandations relatives à l'administration d'adrénaline
   • Concentration : 1:10 000 (0,1 mg/mL)
   • Voie : Intraveineuse. L'administration trachéale peut être envisagée pendant l'installation de la voie intraveineuse.
   • Dose : de 0,1 mL/kg à 0,3 mL/kg (si et seulement si vous privilégiez la voie trachéale, envisagez une plus forte dose, de 0,3 mL/kg à 1 mL/kg)
   • Préparation : Solution de 1:10 000
   • Débit : *Rapidement* — le plus rapidement possible

3. Il faut administrer l'adrénaline par la veine ombilicale. La voie trachéale est souvent plus rapide à préparer et plus accessible que la voie ombilicale, mais elle s'associe à une absorption moins fiable et risque de ne pas être efficace à la dose la plus faible.

4. Indications pour administrer une solution de remplissage pendant la réanimation :
   • Le bébé ne réagit pas à la réanimation;
   ET
   • il semble en état de choc (pâle, faible pouls, fréquence cardiaque toujours basse, absence d'amélioration de la circulation malgré les manœuvres de réanimation);
   ET
   • il a subi une perte sanguine fœtale (p. ex., grave hémorragie vaginale, décollement placentaire, *placenta praevia*, syndrome transfuseur-transfusé, etc.).

5. Recommandations relatives à l'administration de solutions de remplissage
   • Solution : Soluté physiologique, lactate Ringer ou culot globulaire O négatif
   • Dose : 10 mL/kg
   • Voie : Veine ombilicale
   • Préparation : Prélèvement du bon volume avec une grosse seringue
   • Débit : En cinq à dix minutes

Révision de la leçon 6

(Les réponses suivent.)

1. Moins de _____ bébés pour 1 000 naissances ont besoin d'adrénaline pour stimuler leur cœur.

2. Dès que vous envisagez la possibilité d'administrer des médicaments pendant la réanimation, un membre de l'équipe doit commencer à introduire un _____ en prévision de cette intervention.

3. Une ventilation efficace, coordonnée avec des compressions thoraciques, se poursuit depuis 30 secondes, et la fréquence cardiaque du bébé est inférieure à 60 battements à la minute. Vous devriez lui administrer _____ tout en poursuivant les compressions thoraciques et _____.

4. Quel est le problème relié à l'administration d'adrénaline par sonde trachéale? _____ _____ _____.

5. Il faut rincer la dose intraveineuse d'adrénaline avec un _____ pour vous assurer que la plus grande partie du médicament est administrée au bébé au lieu de demeurer dans le cathéter.

6. L'adrénaline (accroît) (réduit) la force des contractions cardiaques et en (augmente) (réduit) la fréquence.

7. La concentration d'adrénaline recommandée pour les nouveau-nés est de (1:1 000) (1:10 000).

8. La dose recommandée d'adrénaline à administrer aux nouveau-nés est une solution 1:10 000 de _____ mL/kg à _____ mL/kg par voie intraveineuse, et de _____ mL/kg à _____ mL/kg par voie trachéale.

9. L'adrénaline doit être administrée (lentement) (le plus rapidement possible).

10. Que devez-vous faire une trentaine de secondes après avoir administré de l'adrénaline? _____

Révision de la leçon 6 — *suite*

11. Si la fréquence cardiaque du bébé demeure inférieure à 60 battements à la minute, vous pouvez lui administrer une nouvelle dose d'adrénaline toutes les _____ à _____ minutes.

12. Si la fréquence cardiaque du bébé demeure inférieure à 60 battements à la minute après l'administration d'adrénaline, **vous** devriez également vérifier si la ventilation entraîne une excursion thoracique suffisante et si les _____ sont bien exécutées.

13. Si le bébé semble en état de choc, a subi une perte sanguine et que son état ne s'améliore pas malgré la réanimation, vous devriez envisager d'administrer _____ mL/kg de _____ par _____.

Réponses aux questions de la leçon 6

1. Moins de **deux** bébés pour 1 000 naissances ont besoin d'adrénaline pour stimuler leur cœur.

2. Un membre de l'équipe doit commencer à introduire un **cathéter veineux ombilical** dès que vous envisagez la possibilité d'administrer des médicaments.

3. Vous devriez administrer **de l'adrénaline** au bébé, tout en poursuivant les compressions thoraciques et **la ventilation**.

4. **L'absorption d'adrénaline n'est pas fiable par voie trachéale. Une plus forte dose (0,3 mL/kg à 1 mL/kg) peut être envisagée si l'adrénaline est administrée pendant l'installation de l'accès veineux ombilical.**

5. Il faut rincer la dose intraveineuse d'adrénaline avec un **soluté physiologique.**

6. L'adrénaline **accroît** la force des contractions cardiaques et en **augmente** la fréquence.

7. La concentration d'adrénaline recommandée pour les nouveau-nés est de **1:10 000.**

8. La dose recommandée d'adrénaline à administrer aux nouveau-nés est une solution 1:10 000 de **0,1** mL/kg à **0,3** mL/kg par voie intraveineuse, et de **0,3** mL/kg à **1** mL/kg par voie trachéale.

9. L'adrénaline doit être administrée **le plus rapidement possible.**

10. Vous devez **vérifier la fréquence cardiaque** une trentaine de secondes après avoir administré de l'adrénaline.

11. Si la fréquence cardiaque du bébé demeure inférieure à 60 battements à la minute, vous pouvez lui administrer une nouvelle dose d'adrénaline toutes les **trois** à **cinq** minutes.

12. Vérifiez si la ventilation entraîne une excursion thoracique suffisante et si les **compressions thoraciques** sont bien exécutées.

13. Envisagez d'administrer **10** mL/kg de **solution de remplissage** par **la veine ombilicale.**

Feuille de contrôle de la performance

Leçon 6 — Les médicaments

Évaluateur : Le stagiaire doit être prié de commenter ses interventions tout au long du contrôle. Évaluez sa performance à chaque étape et cochez la case correspondante lorsque l'intervention est réussie. Si elle est ratée, encerclez la case pour en discuter plus tard avec lui. Vous devrez fournir de l'information sur l'état du bébé à plusieurs reprises au cours de l'évaluation.

Stagiaire : Pour réussir ce contrôle, vous devez effectuer toutes les étapes des interventions et prendre toutes les bonnes décisions. Vous devez commenter vos interventions tout au long du contrôle.

Matériel et fournitures

Pour administrer de l'adrénaline ou une solution de remplissage par cathéter veineux ombilical :

Segment de cordon ombilical en vue du cathétérisme (il est possible d'en simuler la présence)*

Seringues de 3 mL

Seringues de 20 mL

Robinet à trois voies

Cathéters ombilicaux de calibre de 3,5F ou 5F

Soluté physiologique pour rinçage

Solution antiseptique (il est possible d'en simuler la présence)

Gants

Ruban à cordon

Manche et lame de scalpel

Pince hémostatique incurvée

Forceps

Adrénaline 1:10 000 (il est possible d'en simuler la présence)

Soluté physiologique pour solution de remplissage vasculaire (il est possible d'en simuler la présence)

Aiguille

Étiquettes pour les médicaments

Feuille de route pour inscrire les médicaments administrés

* Si vous utilisez des segments de cordon humain :

Cordon ombilical humain stabilisé dans la tétine d'un biberon (voir le manuel de l'évaluateur, disponible en anglais seulement)

Équipement de protection individuelle (blouse de protection, gants, masque protecteur)

Contenants pour déchets biologiques (sac à lessive, contenant pour objets tranchants, sac pour matières contaminées)

Pour administrer de l'adrénaline par la sonde trachéale :

Mannequin d'intubation

Adrénaline 1:10 000 (vous pouvez en simuler la présence)

Seringues de 3 mL ou 5 mL

Étiquettes de médicament

Ballon autogonflable raccordé à un réservoir

ou

Ballon d'anesthésie raccordé à une source d'oxygène

Feuille de route pour inscrire les médicaments administrés

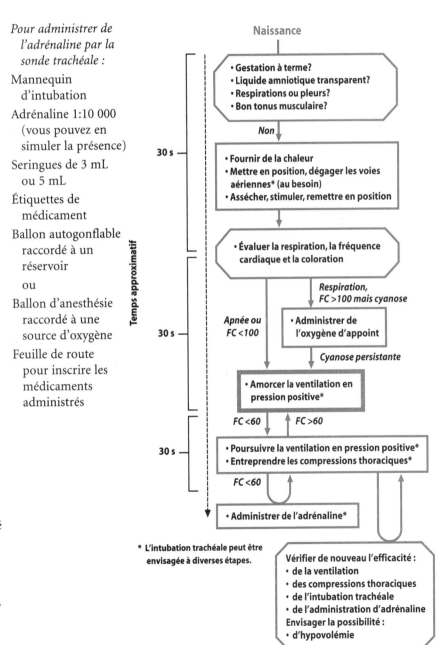

Feuille de contrôle de la performance

Leçon 6 — L'administration de médicaments par la voie ombilicale

Nom _____ Évaluateur _____ Date _____

La première partie de la présente feuille de contrôle de la performance représente les responsabilités de deux stagiaires : celui qui introduit le cathéter et celui qui prépare ou administre les médicaments. Si un seul stagiaire est évalué, celui-ci peut jouer les deux rôles, ou l'évaluateur peut jouer le rôle du deuxième stagiaire.

Les questions de l'évaluateur sont entre guillemets. Les questions et les bonnes réponses du stagiaire sont en caractères gras. L'évaluateur doit cocher les cases à mesure que le stagiaire répond correctement aux questions.

« Une nouveau-née à terme manque de tonus musculaire, est apnéique et cyanosée. Elle a été installée sur l'unité chauffante. Jusqu'à maintenant, les manœuvres de réanimation ont inclus une ventilation au ballon et masque, une intubation trachéale et l'administration de compressions thoraciques pendant 30 secondes. La fréquence cardiaque de la fillette demeure à 30 battements/min. Que faites-vous? »

Mise en place du cathéter   ## Préparation

Le stagiaire prépare le cathéter ombilical qui sera utilisé.

    Il remplit une seringue de 3 mL de soluté physiologique. ☐

    Il raccorde un robinet à trois voies au cathéter ombilical. ☐

    Il rince le cathéter ombilical et le robinet à trois voies avec du soluté physiologique. ☐

    Il ferme l'orifice du robinet vers le cathéter pour prévenir la perte de liquide et l'entrée d'air dans le cathéter. ☐

☐ **Il nettoie la base et les quelques centimètres inférieurs du cordon à l'aide d'une solution antiseptique adéquate.**

☐ **Il noue un ruban à cordon à la base du cordon, sans le serrer.**

☐ **Dans le respect des règles d'asepsie, il coupe le cordon avec un scalpel pour exposer la veine.**

Il installe le cathéter veineux ombilical dans la veine ombilicale.

    ☐ **Il introduit le cathéter dans la veine.**

    Il ouvre le robinet à trois voies entre le bébé et la seringue et tire doucement le piston de la seringue pour déceler le retour sanguin. ☐

    ☐ **Il pousse le cathéter jusqu'à l'obtention d'un retour sanguin.**

    Il enlève toute trace d'air du cathéter et du robinet à trois voies. ☐

☐ Il demande une évaluation du poids du bébé.

« Le bébé semble peser environ 3 kg. »

☐ Il déclare qu'il faut administrer de l'adrénaline et indique la dose convenable (0,1 mL/kg à 0,3 mL/kg).

☐ Il lit l'étiquette du médicament pour en vérifier le nom et la concentration (adrénaline 1:10 000).

☐ Il utilise la bonne seringue (1 mL).

☐ Il calcule le bon volume d'adrénaline à administrer à ce nourrisson (0,3 mL à 0,9 mL).

☐ Il prélève la bonne dose d'adrénaline dans une seringue de 1 mL et l'étiquette convenablement.

☐ Il prépare le soluté physiologique pour rinçage.

☐ Il vérifie de nouveau le nom et la dose du médicament en verbalisant ce qu'il faut administrer. ☐

☐ Il tient le cathéter en place pendant l'administration rapide d'adrénaline et s'assure de l'absence de bulle d'air. ☐

Il rince la tubulure pour s'assurer que toute la dose est administrée. ☐

☐ Il ausculte le cœur et indique la fréquence cardiaque.

Il inscrit la dose d'adrénaline, la voie d'administration, l'heure et la réaction du nouveau-né sur la feuille de route. ☐

« Ce bébé a bien réagi à vos interventions et a maintenant une fréquence cardiaque de 120 battements/min, qui continue d'augmenter. Cependant, si les antécédents incluent une hémorragie vaginale de la mère et que la fréquence cardiaque demeure à 50 battements/min malgré tout ce que vous avez fait, décrivez quelles autres interventions vous pourriez envisager. »

☐ Il vérifie le bon fonctionnement de la ventilation en pression positive et l'efficacité des compressions thoraciques et demande si le bébé semble en état de choc (pâle et mauvaise perfusion).

☐ Il déclare qu'il envisagerait d'administrer une solution de remplissage.

« Quel type de solution de remplissage utiliseriez-vous, et comment l'administreriez-vous? »

☐ Il précise qu'il utiliserait un soluté physiologique, du lactate Ringer ou un culot globulaire O négatif, s'il y en a.

☐ Il administre une dose de 10 mL/kg.

☐ Il décrit le débit d'infusion par le cathéter ombilical, qui doit être réparti sur cinq à dix minutes.

« Vous décelez maintenant 12 battements en six secondes. Le bébé est toujours apnéique. »

Mise en place du cathéter   Préparation

☐ Il indique qu'il peut mettre un terme aux compressions thoraciques, qu'il faut poursuivre la ventilation en pression positive et qu'il peut retirer le cathéter.

☐ Il retire le cathéter, resserre le ruban à cordon et vérifie si l'ombilic saigne.

Prestation globale

☐ Il comprend la technique nécessaire pour prélever une seule dose du médicament dans l'emballage original.   ☐

☐ Il comprend le fonctionnement directionnel du robinet à trois voies.   ☐

☐ Il connaît le bon volume de médicament ou de solution de remplissage.

☐ Il administre le médicament ou la solution de remplissage pendant la période désignée.   ☐

☐ Il emploie les précautions d'usage et respecte les règles d'asepsie.

Feuille de contrôle de la performance

Leçon 6 — L'administration de médicaments par la voie trachéale

Nom _____ Évaluateur _____ Date _____

Cette feuille de contrôle de la performance supplémentaire traite de l'administration d'adrénaline par la sonde trachéale. Tel qu'il est décrit au cours de la leçon, il est démontré que le taux sanguin d'adrénaline administrée par voie trachéale est imprévisible et que la réaction du bébé n'est pas fiable. Néanmoins, dans la pratique, le manque d'intervenants et le temps nécessaire pour établir la voie intraveineuse incitent certains cliniciens à administrer une dose d'adrénaline par voie trachéale pendant l'installation de la voie ombilicale. La présente liste de contrôle de la performance permet de décrire la méthode d'administration du médicament par voie trachéale et de mettre en lumière les principales différences entre la voie trachéale et la voie ombilicale.

« Une nouveau-née à terme manque de tonus musculaire, est apnéique et cyanosée. Elle a été installée sur l'unité chauffante. Jusqu'à maintenant, les manœuvres de réanimation ont inclus une ventilation au ballon et masque, une intubation trachéale et l'administration de compressions thoraciques pendant 30 secondes. Sa fréquence cardiaque demeure à 30 battements/min. Pendant qu'un intervenant prépare la voie ombilicale, il est décidé d'administrer une dose d'adrénaline par voie trachéale. Que faites-vous? »

- [ ] **Le stagiaire demande une évaluation du poids du bébé.**

« Le bébé semble peser environ 3 kg. »

- [ ] **Il déclare qu'il faut administrer de l'adrénaline et indique la dose convenable.**
- [ ] **Il lit l'étiquette du médicament pour en vérifier le nom et la concentration.**
- [ ] **Il utilise la bonne seringue (3 mL ou 5 mL).**
- [ ] **Il calcule le bon volume d'adrénaline à administrer à ce nourrisson (0,9 mL à 3 mL).**
- [ ] **Il prélève la bonne dose d'adrénaline dans une seringue de 3 mL à 5 mL et l'étiquette convenablement.**
- [ ] **Il vérifie de nouveau le nom et la dose du médicament en verbalisant ce qu'il faut administrer.**

- [ ] **Il administre le médicament directement dans la sonde.**
  • Il évite les dépôts de médicament sur le raccord de la sonde.
- [ ] **Il effectue la ventilation après l'administration du médicament.**
- [ ] **Il inscrit la dose d'adrénaline, la voie d'administration, l'heure et la réaction du nouveau-né sur la feuille de route.**

2

Les considérations particulières

Les notions suivantes sont abordées dans la leçon 7 :

- Les situations particulières qui peuvent compliquer la réanimation et provoquer des problèmes soutenus

- La prise en charge du bébé qui a dû être réanimé

- L'application des principes du présent programme aux bébés qui doivent subir une réanimation après la période néonatale immédiate ou à l'extérieur de la salle d'accouchement de l'hôpital

Quelles complications envisager si l'état du bébé ne s'améliore toujours pas après les manœuvres habituelles de la réanimation?

Vous avez appris que presque tous les nouveau-nés en détresse réagissent à une stimulation et à des mesures adéquates pour améliorer la ventilation. Quelques-uns ont besoin de compressions thoraciques et de médicaments pour que leur état s'améliore, et un très petit nombre meurt malgré toutes les mesures de réanimation adéquates.

Cependant, un autre petit groupe de nouveau-nés commencent par réagir à la réanimation mais demeurent en détresse. Ces bébés peuvent souffrir d'une malformation congénitale ou d'une infection, d'une complication reliée à la naissance ou à la réanimation. Vous pourrez parfois anticiper le problème avant la naissance parce qu'il aura été décelé à l'échographie ou au moyen d'un autre mode de diagnostic anténatal.

Les difficultés que vous rencontrerez différeront pour chaque bébé, selon la nature du problème. Vous serez peut-être incapable de ventiler certains bébés adéquatement, malgré tous vos efforts en vue de leur procurer une ventilation en pression positive. D'autres seront ventilés sans problème mais demeureront cyanosés ou conserveront une fréquence cardiaque basse. D'autres encore ne se mettront pas à respirer spontanément après une ventilation en pression positive efficace.

La démarche la plus efficace auprès des bébés dont l'état ne continue pas à s'améliorer après la réanimation dépendra de leur présentation clinique.

- La ventilation en pression positive échoue-t-elle à assurer une ventilation pulmonaire adéquate?
- Le bébé demeure-t-il cyanosé ou bradycarde malgré une bonne ventilation?
- Le bébé échoue-t-il à respirer spontanément?

Chacune de ces trois situations sera abordée séparément.

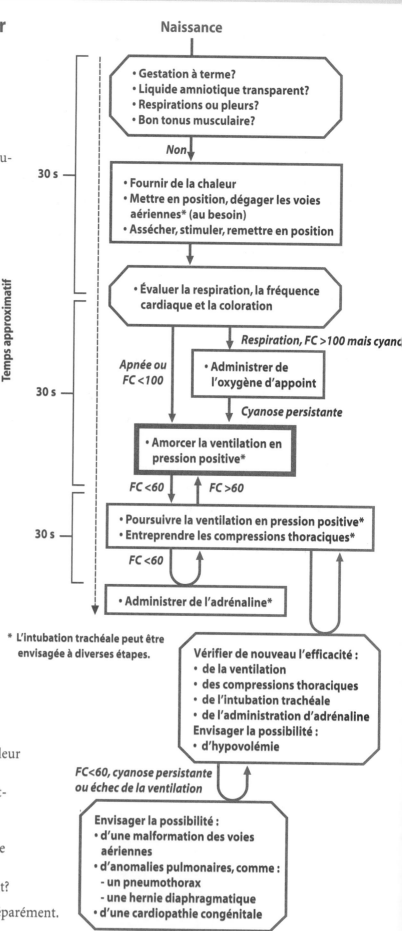

Que faire si la ventilation en pression positive n'assure pas une ventilation pulmonaire adéquate?

Si vous avez dégagé les voies aériennes, mis la tête du bébé en position de reniflement, vérifié l'étanchéité entre le masque et le visage du bébé et effectué une ventilation en pression positive suffisante, la fréquence cardiaque, la coloration et le tonus musculaire devraient s'améliorer. Si le bébé demeure bradycarde, vous devriez vérifier si l'excursion thoracique est perceptible à chaque ventilation en pression positive et si vous entendez le murmure vésiculaire. Si vous n'observez pas d'excursion thoracique et n'entendez pas de murmure vésiculaire, l'un des éléments suivants peut poser problème :

L'obstruction mécanique des voies aériennes, causée par :

- la présence de méconium ou de mucus dans le pharynx ou la trachée,
- une atrésie des choanes,
- une malformation de l'espace oropharyngé (comme le syndrome de Pierre-Robin),
- d'autres maladies rares (comme une palmure laryngée).

Une anomalie de la fonction pulmonaire, qui peut être causée par :

- un pneumothorax,
- des épanchements pleuraux congénitaux,
- une hernie diaphragmatique congénitale,
- une hypoplasie pulmonaire,
- une extrême immaturité,
- une pneumonie congénitale.

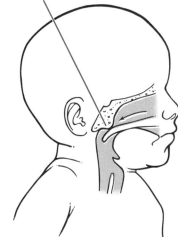

Obstruction congénitale
du nasopharynx postérieur

Figure 7.1. Atrésie des choanes.

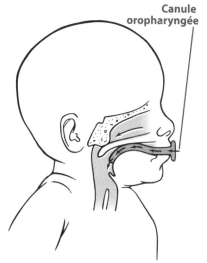

Canule
oropharyngée

Figure 7.2. Canule oropharyngée pour
stabiliser une atrésie des choanes.

L'obstruction mécanique des voies aériennes

La présence de méconium ou de mucus dans la trachée

Les voies aériennes ne sont pas fonctionnelles avant la naissance du bébé. Si l'aspiration initiale du méconium dans les voies aériennes ou de simples mesures non effractives, telles que la mise en position de la tête et l'aspiration des sécrétions de la bouche et du nez, n'assurent pas la perméabilité des voies aériennes, envisagez de procéder à une aspiration plus profonde de la bouche et du nez à l'aide d'un cathéter d'aspiration de plus gros calibre (10F ou 12F).

Le meilleur moyen d'écarter la possibilité d'accumulation de mucus ou de méconium dans les voies aériennes consiste à insérer une sonde trachéale et à aspirer les sécrétions (tel qu'il est décrit aux leçons 2 et 5). Il arrive qu'un gros bouchon de méconium bloque les voies aériennes d'un bébé.

L'atrésie des choanes

En raison de l'anatomie des voies aériennes du bébé, la cavité nasale doit être fonctionnelle pour que l'air atteigne les poumons pendant la respiration spontanée. Les bébés ne respirent pas bien par la bouche, à moins de pleurer énergiquement. Ainsi, si la cavité nasale est remplie de mucus ou de méconium ou si elle est malformée (atrésie des choanes), le bébé souffrira d'une grave détresse respiratoire (figure 7.1). Bien qu'en général, l'atrésie des choanes ne vous empêche pas de procéder à une ventilation en pression positive par l'oropharynx, il se peut que le bébé soit incapable d'inspirer l'air de lui-même par le nasopharynx obstrué.

Pour dépister l'atrésie des choanes, vous pouvez introduire un cathéter d'aspiration de petit calibre dans le pharynx postérieur, d'abord par une narine, puis par l'autre. Orientez le cathéter perpendiculairement au visage du bébé pour le faire glisser le long du plancher de la cavité nasale. Si le cathéter ne passe pas même s'il est bien orienté, le bébé est peut-être atteint d'une atrésie des choanes. Vous devrez introduire une canule oropharyngée (de type Mayo ou Guedel) pour permettre à l'air de circuler par la bouche (figure 7.2) ou vous servir d'une sonde trachéale comme canule oropharyngée, en la glissant par la bouche jusque dans le pharynx postérieur, sans toutefois l'enfoncer jusque dans la trachée.

Une malformation de l'espace oropharyngé (syndrome de Pierre-Robin)

Certains bébés naissent avec un très petit maxillaire inférieur, ce qui provoque un rétrécissement marqué de l'espace oropharyngé (figure 7.3). D'ordinaire, pendant les quelques mois suivant la naissance, le maxillaire inférieur se développe assez pour que les voies aériennes s'élargissent, mais le bébé peut éprouver d'énormes difficultés à respirer immédiatement après la naissance. À la naissance, son principal problème provient du fait que sa langue, en position trop postérieure, tombe dans le pharynx et obstrue les voies aériennes juste au-dessus du larynx.

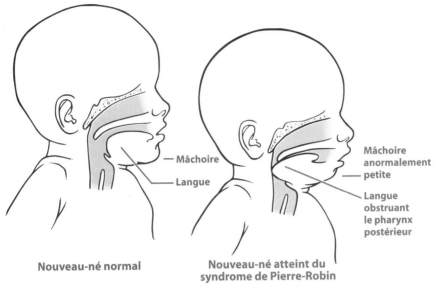

Figure 7.3. Nouveau-né normal et nouveau-né atteint du syndrome de Pierre-Robin.

Vous devez d'abord tourner le bébé sur le ventre (en décubitus ventral). Souvent, la langue du bébé bascule alors vers l'avant, ce qui dégage les voies aériennes. Si cette manœuvre ne suffit pas chez un bébé atteint du syndrome de Pierre-Robin, vous devez introduire un cathéter de gros calibre (12 F) ou une petite sonde trachéale (2,5 mm) dans le nez, que vous insérez profondément dans le pharynx postérieur (figure 7.4). Cette sonde peut pallier l'effet de succion de la langue, souvent responsable de l'obstruction des voies aériennes. Règle générale, ces deux interventions (mettre le bébé en décubitus ventral et introduire une sonde nasopharyngée) permettent au bébé de bien respirer seul, sans l'aide de la ventilation en pression positive.

 Il est souvent très difficile d'installer une sonde trachéale chez un bébé atteint du syndrome de Pierre-Robin. Le décubitus ventral et l'introduction d'une sonde nasopharyngée suffisent souvent à maintenir les voies aériennes dégagées.

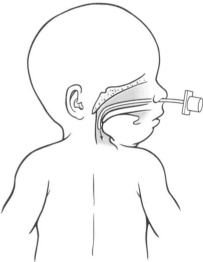

Figure 7.4. D'ordinaire, le décubitus ventral et l'introduction d'une sonde dans le pharynx postérieur permettent de dégager les voies aériennes du bébé atteint du syndrome de Pierre-Robin.

Si aucune de ces interventions n'assure une circulation d'air suffisante et que les tentatives d'intubation trachéale échouent, certains cliniciens trouvent l'installation d'un masque laryngé efficace (voir la leçon 5.)

D'autres problèmes rares
Dans de rares cas, certaines malformations congénitales, telles que la palmure laryngée, l'hygroma kystique ou le goitre congénital, sont responsables d'une atteinte des voies aériennes du nouveau-né. La plupart de ces malformations, mais pas toutes, sont visibles à l'examen externe du bébé. S'il est impossible d'introduire une sonde trachéale, il peut être nécessaire d'effectuer une trachéotomie d'urgence. Cette intervention n'est pas décrite dans le présent manuel.

L'atteinte de la fonction pulmonaire

Toute substance qui s'accumule entre la paroi externe du poumon et la surface interne du thorax peut nuire à l'expansion du poumon dans la cage thoracique. Cette accumulation peut provoquer une détresse respiratoire qui entraînera une cyanose et une bradycardie persistantes.

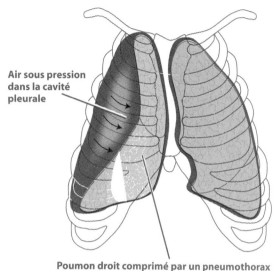

Air sous pression dans la cavité pleurale

Poumon droit comprimé par un pneumothorax

Figure 7.5. Pneumothorax compromettant la fonction pulmonaire.

Le pneumothorax

Il n'est pas rare que de petites fuites d'air se développent tandis que les poumons du nouveau-né se remplissent d'air. Cette probabilité augmente considérablement en cas de ventilation en pression positive, notamment en présence de méconium ou de malformation pulmonaire, telle qu'une hernie diaphragmatique congénitale (voir la page 7-8). Le pneumothorax désigne l'air qui s'échappe des poumons et s'accumule dans la cavité pleurale (figure 7.5). S'il devient assez important, l'air sous pression peut empêcher l'expansion pulmonaire et bloquer la circulation sanguine vers le poumon, ce qui donne lieu à une détresse respiratoire, une cyanose et une bradycardie.

Le murmure vésiculaire sera restreint du côté du pneumothorax. La radiographie permet de poser un diagnostic définitif. La transillumination thoracique peut également constituer un mode de dépistage utile.

> **!** Avertissement : L'absence de murmure vésiculaire dans le poumon gauche peut également indiquer l'insertion trop profonde de la sonde trachéale, jusque dans la bronche souche droite.

Si le pneumothorax entraîne une grave détresse respiratoire, il faut l'évacuer à l'aide d'un cathéter percutané, d'une aiguille ou d'un drain thoracique inséré dans la cavité pleurale (voir la page 7-7). En temps normal, un petit pneumothorax se résorbe spontanément et n'exige pas de traitement.

Les épanchements pleuraux

L'accumulation de liquide dans la cavité pleurale peut provoquer les mêmes symptômes qu'un pneumothorax. Dans de rares cas, des transsudats, du chyle (du liquide lymphatique) ou du sang s'accumulent dans la cavité pleurale du nouveau-né et empêchent l'expansion pulmonaire. D'habitude, d'autres signes sont présents chez ces nouveau-nés, tels qu'un anasarque *(hydrops fœtalis)*.

La radiographie peut permettre de diagnostiquer un épanchement pleural. Si la détresse respiratoire est importante, introduisez un cathéter percutané, une aiguille ou un drain thoracique dans la cavité pleurale pour aspirer le liquide, tel qu'il est décrit ci-dessous.

La mise en place du drain thoracique dépasse la portée du présent programme. Cependant, en cas d'urgence, lorsque le bébé souffre d'une insuffisance respiratoire imputable à un pneumothorax ou à un épanchement pleural, il est possible de drainer l'air ou le liquide au moyen d'un cathéter percutané ou d'une aspiration à l'aiguille.

> **Si la bradycardie et la cyanose du bébé s'aggravent et que son murmure vésiculaire demeure asymétrique après la réanimation initiale, vous pouvez décider d'introduire d'urgence un cathéter percutané ou une aiguille dans le thorax, du côté où le murmure est le plus faible, en attendant les résultats d'une radiographie pulmonaire.**

Vous devez d'abord tourner le bébé sur le côté, le poumon atteint du pneumothorax vers le haut, pour permettre à l'air d'occuper la partie supérieure de la cavité. Vous introduisez un cathéter percutané de calibre 18F ou 20F perpendiculairement à la paroi thoracique, dans l'espace intercostal situé juste au-dessus de la quatrième côte, à la hauteur de la ligne axillaire antérieure du côté atteint (figure 7.6 – illustration en médaillon). Le quatrième espace intercostal se trouve à la hauteur des mamelons. Vous retirez ensuite l'aiguille du cathéter et le raccordez à un robinet à trois voies déjà raccordé à une seringue de 20 mL (figure 7.6). Vous ouvrez ensuite le robinet entre la seringue et le cathéter et vous aspirez l'air ou le liquide en tirant le piston de la seringue. Une fois la seringue pleine, vous fermez la voie du robinet vers le thorax le temps de vider la seringue. Vous rouvrez ensuite le robinet et aspirez de nouveau l'air ou le liquide, jusqu'à ce que l'état du bébé s'améliore. Vous devez obtenir une radiographie pour documenter la présence ou l'absence de pneumothorax ou d'épanchement résiduel.

Si vous n'avez pas de cathéter percutané du calibre voulu, vous pouvez utiliser une aiguille à ailettes de calibre 19 ou 21. Vous pouvez alors raccorder le robinet à trois voies directement à la tubulure de l'aiguille à ailettes. Cependant, il existe un faible risque de perforer le poumon pendant l'aspiration d'air ou de liquide.

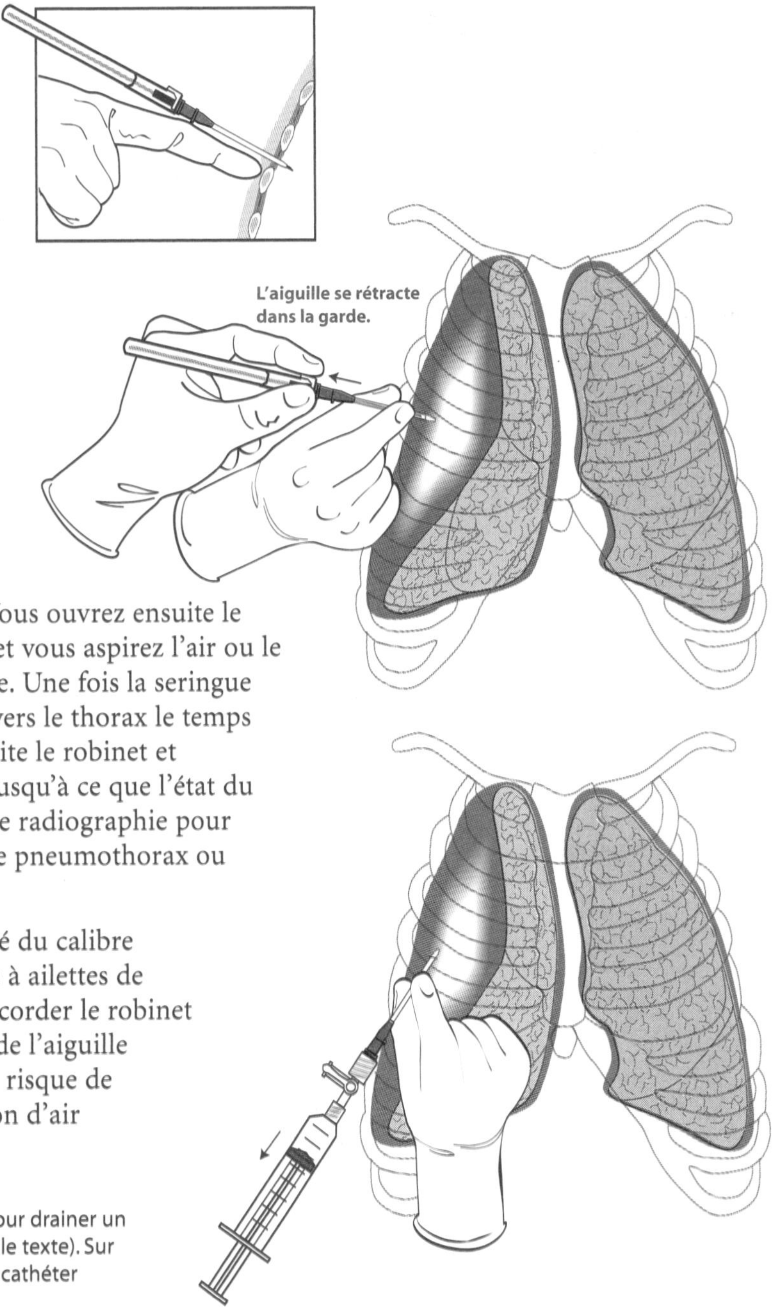

L'aiguille se rétracte dans la garde.

Figure 7.6. Insertion d'un cathéter percutané pour drainer un pneumothorax ou un épanchement pleural (voir le texte). Sur l'illustration du bas, l'aiguille est retirée, et seul le cathéter demeure dans la cavité pleurale.

La hernie diaphragmatique congénitale

Règle générale, le diaphragme sépare les organes de la cavité abdominale de ceux de la cage thoracique. Lorsque le diaphragme n'est pas entièrement formé, une partie des organes de la cavité abdominale (généralement les intestins et l'estomac, et parfois aussi le foie) se déploie dans la cavité thoracique et empêche le poumon situé de ce côté de se développer normalement. Il est souvent possible de diagnostiquer une hernie diaphragmatique à l'échographie avant la naissance. Sans diagnostic anténatal, le bébé atteint d'une hernie diaphragmatique peut souffrir d'une détresse respiratoire totalement imprévue à la naissance.

Souvent, la hernie diaphragmatique se manifeste par une détresse respiratoire persistante et un abdomen particulièrement plat (scaphoïde), car son contenu est plus limité qu'il le devrait. Le murmure vésiculaire est réduit du côté atteint. Le bébé souffre également d'hypertension pulmonaire persistante et, par conséquent, peut demeurer cyanosé en raison de la mauvaise circulation du sang dans les poumons.

À la naissance du bébé, le poumon sous-développé ne peut pas se gonfler normalement. Si une pression positive est administrée au masque pendant la réanimation, une partie du gaz en pression positive pénètre dans l'estomac et dans les intestins (figure 7.7). Puisque les intestins se trouvent dans le thorax, l'expansion pulmonaire devient de plus en plus compromise. De plus, la pression positive appliquée dans le poumon sous-développé peut provoquer un pneumothorax.

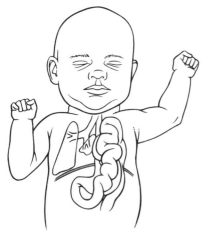

Figure 7.7. Perturbation de la fonction pulmonaire imputable à une hernie diaphragmatique congénitale.

 Les bébés atteints d'une hernie diaphragmatique connue ou présumée ne doivent pas subir une réanimation prolongée en pression positive au masque. Procédez à une intubation trachéale et installez un cathéter orogastrique de gros calibre (10F) pour évacuer le contenu de l'estomac (figure 7.8). Le drain à deux lumières (Replogle) est le plus efficace.

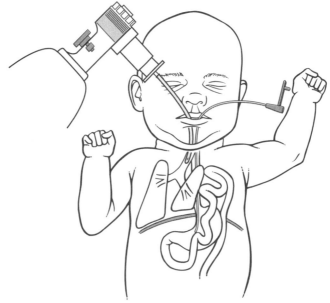

Figure 7.8. Traitement stabilisateur d'une hernie diaphragmatique (installation de la sonde trachéale et de la sonde orogastrique).

L'hypoplasie pulmonaire

Pour se développer normalement, les poumons doivent être remplis de liquide amniotique avant la naissance. Tout trouble responsable d'un grave oligoamnios (une agénésie rénale, par exemple) peut occasionner une hypoplasie pulmonaire. De fortes pressions ventilatoires devront être appliquées, et les pneumothorax sont fréquents. En temps normal, une hypoplasie pulmonaire grave est fatale.

L'extrême immaturité

Il peut être très difficile de ventiler les bébés dont les poumons sont très immatures, malgré de très fortes pressions ventilatoires (voir la leçon 8).

La pneumonie congénitale

Même si la pneumonie congénitale se manifeste souvent par une maladie pulmonaire qui s'aggrave après la naissance, certaines infections graves (telles que l'infection streptococcique de groupe B) peuvent provoquer une insuffisance respiratoire à la naissance. De plus, l'aspiration de liquide amniotique, surtout s'il est contaminé par du méconium, peut susciter de graves perturbations respiratoires.

Que faire si le bébé demeure cyanosé ou bradycarde malgré une bonne ventilation?

D'abord, vérifiez si l'excursion thoracique est satisfaisante, si vous entendez un bon murmure vésiculaire symétrique et si vous administrez de l'oxygène 100 %. Si le bébé demeure bradycarde ou cyanosé, il est peut-être atteint d'une cardiopathie congénitale. Il peut être nécessaire d'obtenir une confirmation par radiographie, électrocardiogramme ou échocardiogramme. Toutefois, le bloc cardiaque congénital ou même la cardiopathie cyanogène congénitale sont des maladies rares, tandis qu'une ventilation inefficace après la naissance constitue une cause beaucoup plus courante de cyanose et de bradycardie persistantes.

 Les bébés atteints d'une cardiopathie congénitale sont rarement gravement malades juste après la naissance. Les problèmes en cours de réanimation sont presque toujours attribuables à l'incapacité d'assurer une ventilation efficace.

Que faire si le bébé ne se met pas à respirer spontanément?

Si, après la ventilation en pression positive, la fréquence cardiaque et la coloration du bébé deviennent normales, mais que son tonus musculaire demeure mauvais et qu'il ne respire pas spontanément, le bébé souffre peut-être d'une diminution de l'activité cérébrale ou musculaire causée par :

- une atteinte cérébrale (encéphalopathie hypoxique ischémique), une grave acidose ou une maladie neuromusculaire congénitale,

ou

- la sédation découlant de l'administration de médicaments à la mère pendant le travail, lesquels ont traversé la barrière placentaire.

Les narcotiques administrés à la mère pendant le travail pour soulager la douleur peuvent inhiber les efforts et l'activité respiratoires du nouveau-né. Il faut alors lui administrer de la naloxone (un antagoniste des narcotiques) pour neutraliser l'effet des narcotiques.

 Un antagoniste des narcotiques n'est pas le premier traitement à administrer au bébé qui ne respire pas. La première intervention est plutôt la ventilation en pression positive.

Chlorhydrate de naloxone

Concentration recommandée = Solution de 1,0 mg/mL

Voie d'administration recommandée = Voie intraveineuse préférable, voie intramusculaire acceptable, mais délai d'action. Aucune étude ne traite de l'efficacité de la naloxone administrée par voie trachéale.

Dose recommandée = 0,1 mg/kg

*Avant d'administrer de la **naloxone** au bébé, vous devez observer les deux situations suivantes :*

- une insuffisance respiratoire qui se poursuit après que la ventilation en pression positive a permis de rétablir la fréquence cardiaque et la coloration,

et

- l'administration de narcotiques à la mère dans les quatre heures précédant la naissance.

Après l'administration de naloxone, poursuivez la ventilation en pression positive jusqu'à ce que le bébé respire normalement. La durée d'action du narcotique est souvent plus longue que celle de la naloxone, ce qui peut vous obliger à administrer d'autres doses. Par conséquent, surveillez étroitement le bébé pour déceler tout signe d'insuffisance respiratoire, ce qui vous indiquera s'il est nécessaire d'administrer une nouvelle dose de naloxone.

 Avertissement : N'administrez pas de naloxone au nouveau-né d'une mère que vous pensez dépendante aux narcotiques ou qui reçoit un traitement à la méthadone, car le nouveau-né risque de faire des convulsions.

D'autres médicaments administrés à la mère, tels que le sulfate de magnésium, les analgésiques non narcotiques ou l'anesthésie générale, peuvent également provoquer l'insuffisance respiratoire du nouveau-né, mais ils ne réagissent pas à la naloxone. Si aucun narcotique n'a été administré à la mère ou si la naloxone ne rétablit pas la respiration spontanée, transférez le bébé à l'unité néonatale pour continuer à l'évaluer et pour le prendre en charge tout en poursuivant la ventilation en pression positive.

Révision

(Les réponses figurent dans la section précédente et à la fin de la leçon.)

1. Quelle intervention permet d'éliminer la possibilité d'atrésie des choanes? _____

2. Pour secourir un bébé atteint du syndrome de Pierre-Robin dont les voies aériennes supérieures sont obstruées, il faut introduire une _____ et l'installer en _____. D'ordinaire, il est (facile) (difficile) de procéder à l'intubation trachéale de ces bébés.

3. Il faut envisager la présence d'un pneumothorax ou d'une hernie diaphragmatique congénitale si le murmure vésiculaire est (symétrique) (asymétrique).

4. Il faut envisager la présence d'une hernie diaphragmatique congénitale si l'abdomen est _____. Il ne faut pas réanimer ce bébé par _____ _____.

5. Selon toute probabilité, une bradycardie et une cyanose persistantes pendant la réanimation sont attribuables à (des troubles cardiaques) (une ventilation inefficace).

6. Un bébé qui ne respire pas spontanément et dont la mère a pris des narcotiques doit d'abord recevoir une _____ _____, puis, s'il ne se met pas à respirer spontanément, on peut lui administrer de _____.

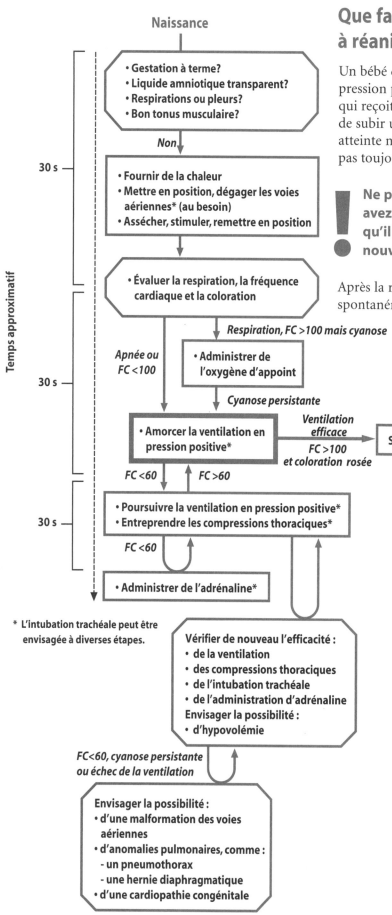

Naissance

- **Gestation à terme?**
- **Liquide amniotique transparent?**
- **Respirations ou pleurs?**
- **Bon tonus musculaire?**

Non

30 s

- **Fournir de la chaleur**
- **Mettre en position, dégager les voies aériennes* (au besoin)**
- **Assécher, stimuler, remettre en position**

- **Évaluer la respiration, la fréquence cardiaque et la coloration**

Respiration, FC >100 mais cyanose

Apnée ou FC <100

- **Administrer de l'oxygène d'appoint**

Cyanose persistante

30 s

- **Amorcer la ventilation en pression positive***

Ventilation efficace / *FC >100 et coloration rosée*

Soins postréanimation

FC <60 / *FC >60*

30 s

- **Poursuivre la ventilation en pression positive***
- **Entreprendre les compressions thoraciques***

FC <60

- **Administrer de l'adrénaline***

* L'intubation trachéale peut être envisagée à diverses étapes.

Vérifier de nouveau l'efficacité :
- **de la ventilation**
- **des compressions thoraciques**
- **de l'intubation trachéale**
- **de l'administration d'adrénaline**

Envisager la possibilité :
- **d'hypovolémie**

FC<60, cyanose persistante ou échec de la ventilation

Envisager la possibilité :
- **d'une malformation des voies aériennes**
- **d'anomalies pulmonaires, comme :**
  - **un pneumothorax**
  - **une hernie diaphragmatique**
- **d'une cardiopathie congénitale**

Temps approximatif

Que faire après avoir réussi à réanimer le bébé?

Un bébé qui a besoin d'une ventilation en pression positive prolongée, qui est intubé ou qui reçoit des compressions thoraciques risque de subir un profond stress physique et une atteinte multisystémique qui ne se manifestent pas toujours dans l'immédiat.

! **Ne présumez pas qu'un bébé que vous avez réussi à réanimer est en santé et qu'il peut être traité comme un nouveau-né normal.**

Après la réanimation, certains bébés respirent spontanément, tandis que d'autres ont besoin de ventilation assistée continue. La fréquence cardiaque de tous les bébés doit être supérieure à 100 battements à la minute (battements/min), et ils doivent avoir une coloration rosée.

S'il a subi une réanimation importante, le bébé a besoin d'un environnement où on pourra lui prodiguer des soins constants. Comme il est décrit à la leçon 1, les soins postréanimation incluent le contrôle de la température, le monitorage étroit des signes vitaux et l'anticipation des complications. Poursuivez le monitorage de la saturation en oxygène du bébé, de sa fréquence cardiaque et de sa tension artérielle. Demandez des tests de laboratoire comme l'hématocrite et la glycémie. Une gazométrie sanguine peut également être indiquée.

Le risque de complications postréanimation est proportionnel à la durée et à la complexité de la réanimation. Le pH et le déficit basique déterminés par un prélèvement de sang du cordon ou par gazométrie sanguine chez le bébé peu après la réanimation peuvent contribuer à évaluer la gravité de l'atteinte.

Les principales complications dont peuvent souffrir les bébés qui ont subi une réanimation sont décrites dans les pages suivantes.

L'hypertension pulmonaire

Comme il est exposé à la leçon 1, les vaisseaux sanguins pulmonaires sont très contractés chez le fœtus. La ventilation et l'oxygénation à la naissance sont les principaux facteurs qui stimulent la dilatation des vaisseaux sanguins et favorisent la circulation du sang vers les poumons pour s'enrichir d'oxygène.

Les vaisseaux sanguins pulmonaires du bébé qui ont subi un énorme stress à la naissance peuvent demeurer contractés, ce qui provoque une hypoxémie causée par l'hypertension pulmonaire et exige une oxygénothérapie. Une hypertension pulmonaire persistante aggrave l'hypoxémie et peut exiger des soins tertiaires, tels qu'un traitement au monoxyde d'azote inhalé ou une oxygénation extracorporelle.

Pour éviter une aggravation de la vasoconstriction pulmonaire, il faut éviter l'hypoxémie après la réanimation du bébé.

L'oxymétrie et la gazométrie artérielle vous permettront de vous assurer qu'un bébé qui a eu besoin d'être réanimé demeure bien oxygéné.

La pneumonie et les autres complications pulmonaires

Un bébé qui a besoin d'être réanimé est plus prédisposé à contracter une pneumonie à cause d'un syndrome d'aspiration ou d'une infection congénitale qui peut être responsable de la détresse périnatale. L'hypertension pulmonaire s'associe également à la pneumonie néonatale.

Si le bébé réanimé continue de présenter des signes de détresse respiratoire ou a besoin d'oxygène d'appoint, envisagez la possibilité d'une pneumonie ou d'une septicémie bactérienne et commencez à administrer des antibiotiques par voie parentérale.

En présence d'une dégradation respiratoire aiguë pendant ou après la réanimation, il se peut que le bébé ait un pneumothorax. Si le bébé est toujours intubé, il se peut que la sonde trachéale se soit déplacée ou bouchée.

L'acidose métabolique

Même si le recours au bicarbonate de sodium demeure controversé pendant la réanimation, il peut être utile pour corriger une acidose métabolique secondaire à une accumulation d'acide lactique. L'acide lactique se forme lorsque les tissus sont privés d'oxygène. Une acidose sévère empêche la bonne contraction du myocarde et provoque une constriction des vaisseaux sanguins pulmonaires, ce qui limite la circulation sanguine vers les poumons et empêche la bonne oxygénation du sang.

Cependant, le bicarbonate de sodium peut être néfaste, surtout s'il est administré trop tôt pendant la réanimation. Assurez-vous que la ventilation des poumons est suffisante. Lorsque le bicarbonate de sodium se mêle à l'acide, du gaz carbonique (CO_2) se forme. Les poumons doivent être bien ventilés pour en expulser le CO_2.

N'administrez pas de bicarbonate de sodium, à moins que les poumons soient bien ventilés.

Si vous décidez d'administrer du bicarbonate de sodium, souvenez-vous qu'il est très caustique et hypertonique. Par conséquent, il faut l'administrer dans une grosse veine qui possède un bon retour sanguin. La dose habituelle est de 2 mEq/kg/dose, administrée sous forme de solution 4,2 % (0,5 mEq/mL) à un débit ne dépassant pas 1 mEq/kg/min.

Le bicarbonate de sodium est très caustique et n'est JAMAIS administré par la sonde trachéale pendant la réanimation.

L'hypotension

La détresse périnatale peut endommager le muscle cardiaque ou réduire le tonus vasculaire, ce qui occasionne une hypotension. Un souffle cardiaque est souvent audible par suite d'une insuffisance tricuspide transitoire, qui peut refléter une diminution du débit ventriculaire droit. Si le bébé a dû être réanimé en raison d'une septicémie ou d'une perte sanguine, le volume sanguin circulant peut être réduit, ce qui peut également provoquer une hypotension.

Il faut surveiller la fréquence cardiaque et la tension artérielle du bébé qui a eu besoin d'être réanimé tant que sa tension artérielle et que sa circulation périphérique ne se sont pas normalisées et stabilisées. Vous pouvez administrer une transfusion sanguine ou une autre solution de remplissage, tel qu'il est décrit à la leçon 6. Dans certains cas, un médicament à action inotrope, comme la dopamine, peut améliorer le débit cardiaque et le tonus vasculaire si la solution de remplissage n'a pas normalisé la tension artérielle.

Les déséquilibres hydriques ou électrolytiques

La détresse périnatale peut aussi causer une dysfonction rénale, généralement transitoire (une nécrose tubulaire aiguë), mais qui peut être responsable de graves déséquilibres hydriques ou électrolytiques. Envisagez d'analyser l'urine du bébé pour vérifier si elle contient du sang et des protéines, afin d'écarter la possibilité de nécrose tubulaire aiguë. Certains nouveau-nés très atteints peuvent également développer un syndrome de sécrétion inappropriée de l'hormone antidiurétique (SIADH). Après une grave détresse périnatale, vérifiez régulièrement le débit urinaire, le poids corporel et les électrolytes sériques du bébé pendant les quelques premiers jours suivant sa naissance. Il faut parfois limiter les apports hydriques ou électrolytiques jusqu'à ce que la fonction rénale se normalise ou que le SIADH se résorbe. De plus, il faut parfois administrer des suppléments de calcium. Les anomalies électrolytiques accroissent le risque d'arythmies cardiaques.

Les convulsions ou l'apnée

Le nouveau-né qui souffre de détresse périnatale et subit une réanimation peut finir par présenter des symptômes d'encéphalopathie hypoxique ischémique. Le bébé peut commencer par manquer de tonus musculaire, puis se mettre à avoir des convulsions au bout de quelques heures. L'apnée ou l'hypoventilation peut également refléter une encéphalopathie hypoxique ischémique.

Les mêmes symptômes peuvent également être une manifestation d'anomalies métaboliques (comme l'hypoglycémie) ou de déséquilibres électrolytiques (comme l'hyponatrémie ou l'hypocalcémie).

Un bébé qui a subi une réanimation complexe doit être suivi de près au cas où il ferait des convulsions. Il aura peut-être besoin d'un traitement au glucose ou aux électrolytes (par voie intraveineuse). Si vous croyez les convulsions associées à une encéphalopathie hypoxique ischémique, il faudra peut-être lui administrer des anticonvulsivants, tels que du phénobarbital.

L'hypoglycémie

Le métabolisme privé d'oxygène (une situation possible en présence de détresse périnatale) consomme beaucoup plus de glucose qu'en temps normal. Bien qu'au départ, la sécrétion de catécholamines accroisse le glucose sérique, les réserves de glucose (le glycogène) s'épuisent rapidement en présence de détresse périnatale et peuvent provoquer une hypoglycémie. Le glucose est un carburant essentiel de la fonction cérébrale des nouveau-nés.

Vous devez vérifier la glycémie du bébé peu après la réanimation, puis régulièrement, jusqu'à ce que plusieurs valeurs se situent dans la plage normale et qu'un apport suffisant de glucose soit assuré. Il est souvent nécessaire de l'administrer par voie intraveineuse pour traiter l'hypoglycémie.

Les troubles d'alimentation

Le tube digestif du nouveau-né est très sensible à l'hypoxie ischémie. Un iléus, des saignements gastro-intestinaux et même une entérocolite nécrosante peuvent en découler. De plus, en raison de l'agression neurologique, il faudra peut-être plusieurs jours avant que le bébé récupère son réflexe de succion et coordonne la succion, la déglutition et la respiration. Il faudra l'alimenter par voie intraveineuse pendant cette période.

Le maintien de la chaleur

Le bébé qui a été réanimé peut se refroidir pour diverses raisons. Des techniques particulières pour maintenir la température normale du prématuré seront exposées à la leçon 8. D'autres bébés, notamment ceux dont la mère souffrait d'une chorioamnionite, peuvent avoir une température trop élevée dans la salle d'accouchement. Puisque l'hyperthermie peut être néfaste pour le bébé, il est important de ne pas le surchauffer pendant et après la réanimation. Il faut maintenir sa température dans la plage normale.

 L'hyperthermie (surchauffe) peut être très néfaste pour le bébé. Assurez-vous de ne pas surchauffer le bébé pendant et après la réanimation.

Il ne faut pas confondre la recommandation précédente avec les récentes études qui ont évalué le potentiel neuroprotecteur d'une légère hypothermie chez les nouveau-nés à terme ou presque à terme dont l'état risque de se détériorer progressivement vers une encéphalopathie hypoxique ischémique. Tant que cette recherche n'aura pas été complétée, il est conseillé de maintenir une température corporelle normale pendant et après la réanimation.

Les soins postréanimation

Système organique	Complication potentielle	Mesure postréanimation
Cerveau	Apnée Convulsions	Assurer le monitorage de l'apnée. Assister la ventilation, au besoin. Surveiller les taux de glucose et d'électrolytes. Éviter l'hyperthermie. Envisager un traitement aux anticonvulsivants.
Poumons	Hypertension pulmonaire Pneumonie Pneumothorax Tachypnée transitoire Syndrome d'aspiration méconiale Carence en surfactant	Maintenir une oxygénation et une ventilation suffisantes. Envisager d'administrer des antibiotiques. Demander une radiographie en présence de détresse respiratoire. Envisager une thérapie avec du surfactant. Retarder l'alimentation en présence de détresse respiratoire.
Appareil cardiovasculaire	Hypotension	Assurer le monitorage de la tension artérielle et de la fréquence cardiaque. Envisager l'administration de médicaments à action inotrope (p. ex., dopamine) ou de la solution de remplissage.
Reins	Nécrose tubulaire aiguë	Surveiller le débit urinaire. Limiter l'apport liquidien si le bébé est oligurique et que son espace vasculaire est adéquat. Assurer le suivi des électrolytes sériques.
Appareil gastro-intestinal	Iléus Entérocolite nécrosante	Retarder le début de l'alimentation. Administrer des liquides intraveineux. Envisager l'alimentation parentérale.
Système métabolique et hématologique	Hypoglycémie Hypocalcémie; hyponatrémie Anémie Thrombocytopénie	Surveiller la glycémie. Surveiller les électrolytes. Surveiller l'hématocrite. Surveiller les plaquettes.

Révision

(Les réponses figurent dans la section précédente et à la fin de la leçon.)

7. Après la réanimation, la tension artérielle du circuit pulmonaire d'un nouveau-né à terme ou presque à terme est plus susceptible d'être (élevée) (faible). Grâce à une bonne oxygénation, sa circulation pulmonaire est susceptible (de baisser) (d'augmenter).

8. Si un bébé qui baignait dans le méconium a été réanimé puis que son état se détériore subitement, il faut présumer un

   _____.

9. La tension artérielle d'un bébé qui a été réanimé est toujours basse, et sa circulation périphérique laisse toujours à désirer après une transfusion sanguine consécutive à une présomption de perte sanguine périnatale. Il a peut-être besoin d'une perfusion de

   _____

   pour améliorer son débit cardiaque et son tonus vasculaire.

10. Un bébé qui a été réanimé peut avoir souffert d'une atteinte rénale et est plus susceptible d'avoir besoin de (plus) (moins) de liquides après la réanimation.

11. Un bébé a des convulsions dix heures après avoir été réanimé. Le dépistage de la glycémie et des électrolytes sériques est normal. Quelle classe de médicaments doit-on utiliser pour traiter les convulsions? _____

12. Nommez trois causes de convulsions après la réanimation.
    1) _____
    2) _____
    3) _____

13. Puisque les réserves d'énergie sont consommées plus rapidement en l'absence d'oxygène, la _____ du bébé peut être basse après la réanimation.

Les techniques de réanimation diffèrent-elles à l'extérieur de l'hôpital ou après la période néonatale immédiate?

Tout au long du présent programme, vous avez appris à réanimer les nouveau-nés qui viennent au monde en milieu hospitalier et qui éprouvent de la difficulté à faire le passage de la vie intra-utérine à la vie extra-utérine. Bien sûr, certains bébés peuvent éprouver des problèmes et avoir besoin d'être réanimés s'ils naissent à l'extérieur de l'hôpital, tandis que d'autres ont besoin d'être réanimés après la période néonatale immédiate.

Par exemple, une réanimation peut s'imposer dans les circonstances particulières suivantes :

- un bébé qui naît trop vite à la maison ou dans un véhicule automobile, où les ressources sont limitées;
- un bébé qui fait de l'apnée à l'unité néonatale;
- un bébé septique de deux jours, en état de choc;
- un bébé intubé à l'unité de soins intensifs néonatals dont l'état se détériore subitement. (Dans ce cas, l'état du bébé est plus souvent attribuable à un trouble mécanique de la sonde trachéale ou du ventilateur qu'à un nouveau problème médical. L'équipe de réanimation devrait débrancher le bébé du ventilateur et lui ventiler les poumons manuellement pendant l'évaluation et le traitement du problème.)

Bien que les scénarios soient différents à l'extérieur de la salle d'accouchement, les principes physiologiques et les étapes à respecter pour rétablir les signes vitaux pendant la période néonatale (le premier mois après la naissance) demeurent les mêmes :

- Réchauffer, mettre en position, dégager les voies aériennes, stimuler le bébé à respirer et lui administrer de l'oxygène (au besoin).
- Établir une ventilation efficace.
- Effectuer les compressions thoraciques.
- Administrer des médicaments.

 En tout temps pendant la période néonatale, la priorité pendant la réanimation demeure le rétablissement d'une ventilation efficace, quel que soit le lieu où se trouve le bébé.

Une fois une ventilation efficace établie, évaluez les antécédents du bébé pour orienter vos manœuvres de réanimation.

Bien que le présent programme ne soit pas conçu pour enseigner la réanimation néonatale ailleurs qu'à l'hôpital, certaines stratégies pour en appliquer les principes à l'extérieur de la salle d'accouchement sont présentées dans les pages suivantes. Il existe d'autres programmes pour obtenir de l'information plus détaillée, tels que le programme *Pediatric Advanced Life Support* (PALS) de l'*American Heart Association* ou le programme *Pediatric Education for Prehospital Professionals* (PEPP) de l'*American Academy of Pediatrics*.

Cas 7.
La réanimation d'un nouveau-né apparemment en santé

Un bébé de 3 400 g naît à l'hôpital, à terme, après une grossesse, un travail et un accouchement normaux. La période de transition se passe bien, et le bébé reste avec sa mère, qui commence à l'allaiter peu après la naissance.

Environ 20 heures après la naissance du bébé, sa mère le découvre apnéique et amorphe dans sa couchette. Elle appuie sur la sonnette d'alarme, et une infirmière de l'étage de périnatalité répond immédiatement.

L'infirmière trouve le bébé apnéique, sans tonus et cyanosé. Elle le place sur l'unité chauffante et dégage ses voies aériennes en le mettant en position de reniflement. Elle aspire rapidement les sécrétions de sa bouche et de son nez à l'aide d'une poire d'aspiration. Elle lui frotte le dos et lui donne des chiquenaudes sur la plante des pieds, mais le bébé ne se remet pas à respirer. L'infirmière demande de l'aide.

L'infirmière utilise un ballon autogonflable et un masque qui se trouvent à proximité pour administrer la ventilation en pression positive. Une deuxième infirmière arrive pour l'aider et raccorde le ballon à de l'oxygène 100 %. Après une trentaine de secondes de ventilation en pression positive, la deuxième infirmière ausculte le bébé pour obtenir sa fréquence cardiaque, qui correspond à 30 battements/min.

Les infirmières se mettent à coordonner des compressions thoraciques avec la ventilation en pression positive. Au bout de 30 secondes, elles vérifient de nouveau la fréquence cardiaque, qui atteint 40 battements/min. Un troisième intervenant arrive et introduit une sonde dans la trachée du bébé. Il installe un cathéter intraveineux dans lequel il administre 1 mL d'adrénaline 1:10 000. Au bout de 30 autres secondes, la fréquence cardiaque est de 80 battements/min.

Les infirmières mettent un terme aux compressions thoraciques mais poursuivent la ventilation en pression positive. Une minute plus tard, la fréquence cardiaque du bébé passe à plus de 100 battements/min, et il se remet à respirer spontanément.

Un saturomètre est installé, et le bébé est placé dans un incubateur de transport. Une infirmière réconforte la mère angoissée et lui fournit de l'information pendant que son bébé est transporté à l'unité néonatale pour évaluer la cause de son arrêt respiratoire.

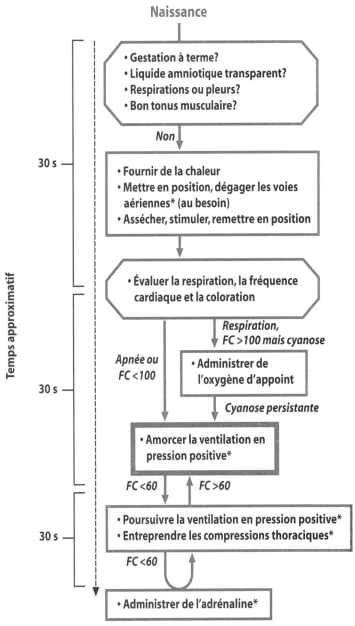

* L'intubation trachéale peut être envisagée à diverses étapes.

Quelles autres stratégies utiliser, entre autres, pour réanimer un bébé à l'extérieur de l'hôpital ou après la période néonatale immédiate?

Le maintien de la chaleur

Il reste important de maintenir une température corporelle normale pendant la réanimation, mais c'est moins difficile si le bébé ne vient pas juste de naître, parce qu'en général, il n'est pas mouillé. Si c'est un nouveau-né qui a besoin d'être réanimé à l'extérieur de l'hôpital, le maintien de la température corporelle peut devenir un énorme défi, car vous n'avez probablement pas d'unité chauffante à votre disposition. Quelques suggestions suivent pour réduire la perte de chaleur au minimum :

- augmentez le chauffage dans la pièce ou le véhicule;
- asséchez bien le bébé avec des serviettes de bain, une couverture ou un vêtement propre;
- utilisez le corps de la mère comme source de chaleur. Installez le bébé en contact peau à peau sur la poitrine de sa mère pour le réchauffer et recouvrez à la fois le bébé et sa mère d'une couverture.

Le dégagement des voies aériennes

Si vous devez procéder à la réanimation à l'extérieur de la salle d'accouchement ou de l'unité néonatale, vous n'avez probablement pas d'appareil d'aspiration mural sous la main. Quelques suggestions suivent pour dégager les voies aériennes :

- utilisez une poire d'aspiration;
- essuyez la bouche et le nez du bébé avec un mouchoir propre ou un autre bout de tissu enroulé autour de votre index.

La ventilation

La plupart des bébés respirent spontanément après la naissance. Assécher le nouveau-né, lui frotter le dos et lui donner des chiquenaudes sur la plante des pieds sont toutes des méthodes de stimulation acceptables. Cependant, certains bébés nés à l'extérieur de l'hôpital auraient besoin d'une ventilation en pression positive. Si vous n'avez pas d'appareil de réanimation au ballon et masque avec vous, vous pouvez faire du bouche-à-bouche et nez. Placez le bébé en position de reniflement, et recouvrez hermétiquement sa bouche et son nez de votre bouche. Si le bébé est très gros ou que vous avez une petite bouche, couvrez-lui seulement la bouche, et pincez-lui le nez pour bloquer ses voies aériennes. Cette technique comporte toutefois un risque de transmission de maladies infectieuses.

L'accès vasculaire

En temps normal, il n'est pas possible de procéder au cathétérisme d'un vaisseau ombilical à l'extérieur de l'hôpital ou après les quelques premiers jours suivant la naissance. Vous pouvez alors procéder à l'installation rapide d'un cathéter veineux périphérique ou à l'introduction d'une aiguille intraosseuse dans le tibia. La description détaillée de ces techniques n'entre pas dans le cadre du présent programme.

Les médicaments

L'adrénaline demeure le principal médicament utilisé pour la réanimation du bébé qui ne réagit pas à la ventilation en pression positive et aux compressions thoraciques. Cependant, il faut peut-être administrer d'autres médicaments (comme le calcium), selon la cause de l'arrêt cardiaque. Les étapes diagnostiques nécessaires et le mode d'utilisation détaillé de ces médicaments dépassent la portée du présent programme.

Révision

(Les réponses figurent dans la section précédente et à la fin de la leçon.)

14. Vous êtes susceptible d'éprouver (plus de) (moins de) (environ les mêmes) difficultés à contrôler la température corporelle des bébés qui ont besoin d'être réanimés après la période néonatale immédiate.

15. La mesure prioritaire à respecter pendant la réanimation d'un nouveau-né après la période néonatale immédiate est :
    A. la défibrillation cardiaque.
    B. l'administration d'une solution de remplissage.
    C. la mise en place d'une ventilation efficace.
    D. l'administration d'adrénaline.
    E. les compressions thoraciques.

16. En l'absence d'appareil d'aspiration mural pour dégager les voies aériennes, les deux autres méthodes suggérées sont _____ _____ et _____.

17. Pour réanimer un bébé de 15 jours qui perd du sang, les voies d'accès vasculaires privilégiées sont _____ _____ et _____.

Points à retenir

1. L'intervention auprès d'un bébé qui ne réagit pas à la réanimation dépend du problème observé : incapacité de ventiler, cyanose ou bradycardie persistante ou incapacité de respirer spontanément.

2. Il est possible de régler les symptômes d'atrésie des choanes par la mise en place d'une canule oropharyngée.

3. Il est possible de régler l'obstruction des voies aériennes imputable au syndrome de Pierre-Robin par l'introduction d'une sonde nasopharyngée et à l'installation du bébé en décubitus ventral.

4. En cas d'urgence, il est possible de déceler un pneumothorax par transillumination et de le traiter grâce à l'insertion d'une aiguille dans le thorax.

5. En cas de présomption de hernie diaphragmatique, il faut éviter la ventilation en pression positive au masque, mais plutôt procéder immédiatement à une intubation trachéale et introduire une sonde orogastrique dans l'estomac.

6. La cyanose et la bradycardie persistantes sont rarement imputables à une cardiopathie congénitale. Elles sont plus souvent causées par une ventilation inefficace.

7. Après la réanimation, il faut vérifier étroitement l'oxygénation, la tension artérielle, les apnées, la température corporelle, l'équilibre hydrique, la glycémie et l'alimentation, s'assurer de l'absence d'infection et traiter les troubles, au besoin.

8. Il faut éviter de surchauffer le bébé pendant ou après la réanimation.

9. Si une mère a récemment reçu des narcotiques et que son bébé ne respire pas, il faut d'abord procéder à une ventilation en pression positive, puis envisager d'administrer de la naloxone au bébé.

10. Le rétablissement d'une ventilation adéquate demeure la priorité pendant la réanimation d'un bébé, que ce soit dans la salle d'accouchement à la naissance ou plus tard, à l'unité néonatale ou ailleurs.

11. Quelques techniques sont proposées pour réanimer le bébé à l'extérieur de la salle d'accouchement :

    • Maintenir la température corporelle du bébé en le mettant en contact peau à peau avec sa mère et en montant le chauffage.

    • Dégager les voies aériennes à l'aide d'une poire d'aspiration ou d'un morceau de tissu enroulé autour du doigt.

    • Envisager le bouche-à-bouche et nez pour administrer la pression positive.

    • Introduire un cathéter dans une veine périphérique ou dans l'espace intraosseux pour assurer un accès vasculaire.

Révision de la leçon 7

(Les réponses suivent.)

1. Quelle intervention permet d'éliminer la possibilité d'atrésie des choanes? _____

2. Pour secourir un bébé atteint du syndrome de Pierre-Robin dont les voies aériennes supérieures sont obstruées, il faut introduire une _____ et l'installer en _____. D'ordinaire, il est (facile) (difficile) de procéder à l'intubation trachéale de ces bébés.

3. Il faut envisager la présence d'un pneumothorax ou d'une hernie diaphragmatique congénitale si le murmure vésiculaire est (symétrique) (asymétrique).

4. Il faut envisager la présence d'une hernie diaphragmatique congénitale si l'abdomen est _____. Il ne faut pas réanimer ce bébé par _____ _____.

5. Selon toute probabilité, une bradycardie et une cyanose persistantes pendant la réanimation sont attribuables à (des troubles cardiaques) (une ventilation inefficace).

6. Un bébé qui ne respire pas spontanément et dont la mère a pris des narcotiques doit d'abord recevoir une _____ _____, puis, s'il ne se met pas à respirer spontanément, on peut lui administrer de _____.

7. Après la réanimation, la tension artérielle du circuit pulmonaire d'un nouveau-né à terme ou presque à terme est plus susceptible d'être (élevée) (faible). Grâce à une bonne oxygénation, sa circulation pulmonaire est susceptible (de baisser) (d'augmenter).

8. Si un bébé qui baignait dans le méconium a été réanimé puis que son état se détériore subitement, il faut présumer un _____.

9. La tension artérielle d'un bébé qui a été réanimé est toujours basse, et sa circulation périphérique laisse toujours à désirer après une transfusion sanguine consécutive à une présomption de perte sanguine périnatale. Il a peut-être besoin d'une perfusion de _____ pour améliorer son débit cardiaque et son tonus vasculaire.

Révision de la leçon 7 — *suite*

10. Un bébé qui a été réanimé peut avoir souffert d'une atteinte rénale et est plus susceptible d'avoir besoin de (plus) (moins) de liquides après la réanimation.

11. Un bébé a des convulsions dix heures après avoir été réanimé. Le dépistage de la glycémie et des électrolytes sériques est normal. Quelle classe de médicaments doit-on utiliser pour traiter les convulsions? _____

12. Nommez trois causes de convulsions après la réanimation.
    1) _____
    2) _____
    3) _____

13. Puisque les réserves d'énergie sont consommées plus rapidement en l'absence d'oxygène, la _____ du bébé peut être basse après la réanimation.

14. Vous êtes susceptible d'éprouver (plus de) (moins de) (environ les mêmes) difficultés à contrôler la température corporelle des bébés qui ont besoin d'être réanimés après la période néonatale immédiate.

15. La mesure prioritaire à respecter pendant la réanimation d'un nouveau-né après la période néonatale immédiate est :
    A. la défibrillation cardiaque.
    B. l'administration d'une solution de remplissage.
    C. la mise en place d'une ventilation efficace.
    D. l'administration d'adrénaline.
    E. les compressions thoraciques.

16. En l'absence d'appareil d'aspiration mural pour dégager les voies aériennes, les deux autres méthodes suggérées sont _____ _____ et _____.

17. Pour réanimer un bébé de 15 jours qui perd du sang, les voies d'accès vasculaires privilégiées sont _____ _____ et _____.

Réponses aux questions de la leçon 7

1. Il est possible d'éliminer la possibilité d'atrésie des choanes par **l'introduction d'un cathéter nasopharyngé**.

2. Un bébé atteint du syndrome de Pierre-Robin dont les voies aériennes supérieures sont bloquées peut être secouru grâce à l'introduction d'une **sonde nasopharyngée** et à son installation en **décubitus ventral (sur le ventre)**. En général, il est **difficile** de procéder à l'intubation trachéale de ces bébés.

3. Il faut envisager la présence d'un pneumothorax ou d'une hernie diaphragmatique congénitale si le murmure vésiculaire est **asymétrique** à l'auscultation. Si une sonde trachéale est en place, il faut aussi s'assurer qu'elle n'a pas été introduite trop profondément.

4. Il faut envisager la présence d'une hernie diaphragmatique congénitale si l'abdomen est **plat (scaphoïde)**. Il ne faut pas réanimer ces bébés par **ventilation en pression positive au masque**.

5. Selon toute probabilité, une bradycardie et une cyanose persistantes pendant la réanimation sont attribuables à **une ventilation inefficace**.

6. Un bébé qui ne respire pas spontanément et dont la mère a pris des narcotiques doit d'abord recevoir une **ventilation en pression positive** puis, s'il ne se met pas à respirer spontanément, on peut lui administrer de **la naloxone**.

7. Après la réanimation, la tension artérielle du circuit pulmonaire d'un nouveau-né à terme ou presque à terme est plus susceptible d'être **élevée**. Grâce à une bonne oxygénation, sa résistance vasculaire pulmonaire est susceptible de baisser et, par conséquent, sa circulation pulmonaire est susceptible **d'augmenter**.

8. Si un bébé qui baignait dans le méconium a été réanimé puis que son état se détériore subitement, il faut présumer un **pneumothorax**. (La sonde trachéale peut également être obstruée par le méconium.)

9. Le bébé a peut-être besoin d'une perfusion de **dopamine (ou d'un autre médicament à action inotrope)** pour améliorer son débit cardiaque et son tonus vasculaire.

10. Un bébé qui a été réanimé est plus susceptible d'avoir besoin de **moins** de liquides après la réanimation.

11. Un bébé qui a des convulsions dix heures après avoir été réanimé et dont la glycémie est normale a besoin **d'un anticonvulsivant (comme le phénobarbital)**.

Réponses aux questions de la leçon 7 — *suite*

12. Les convulsions après la réanimation peuvent être attribuables
    à 1) **une encéphalopathie hypoxique ischémique**, 2) **un trouble
    métabolique, comme l'hypoglycémie** ou 3) **des anomalies
    électrolytiques, comme l'hyponatrémie ou l'hypocalcémie**.

13. La **glycémie** du bébé peut être basse après la réanimation.

14. Vous êtes susceptible d'éprouver **moins de** difficulté à contrôler
    la température corporelle des bébés qui ont besoin d'être réanimés
    après la période néonatale immédiate, parce qu'en général, il ne
    sont pas mouillés.

15. La mesure prioritaire à respecter après la période néonatale
    immédiate consiste à procéder à **la mise en place d'une ventilation
    efficace**.

16. En l'absence d'appareil d'aspiration mural pour dégager les voies
    aériennes, les deux méthodes privilégiées sont **la poire d'aspiration**
    et **le nettoyage des voies aériennes avec un morceau de tissu
    propre**.

17. Pour réanimer un bébé de 15 jours qui perd du sang, les voies
    d'accès vasculaires privilégiées sont **l'installation d'un cathéter
    veineux périphérique** et **l'introduction d'une aiguille
    intraosseuse**.

La réanimation des prématurés

Les notions suivantes sont abordées dans la leçon 8 :

- Les facteurs de risque reliés à la prématurité
- Les ressources supplémentaires nécessaires en prévision d'un accouchement prématuré
- Les stratégies supplémentaires pour maintenir la température corporelle du prématuré
- Des considérations supplémentaires pour l'utilisation de l'oxygène chez le prématuré
- La ventilation assistée lorsqu'un prématuré éprouve de la difficulté à respirer
- Les moyens de réduire le risque de lésions cérébrales
- Les précautions particulières après la réanimation d'un prématuré

Le cas suivant décrit la naissance et la réanimation d'un grand prématuré. À la lecture du cas, imaginez-vous au sein de l'équipe de réanimation, à compter de l'annonce de l'accouchement en passant par les préparatifs, la réanimation et la stabilisation jusqu'au transfert final à une unité de soins intensifs.

Cas 8.
La réanimation et la stabilisation d'un grand prématuré

À 26 semaines de grossesse, une femme de 24 ans arrive à l'unité d'accouchement en début de travail. Elle indique que ses contractions ont commencé environ six heures auparavant. Elle précise également que ses membranes se sont rompues juste avant son arrivée à l'hôpital et que le liquide était sanglant.

À l'admission, son col est dilaté à 6 cm, il est possible de palper un pied du fœtus, et l'accouchement est jugé imminent. En raison de la présentation par le siège, il est décidé de procéder à une césarienne. Une équipe expérimentée en réanimation néonatale, comptant des intervenants possédant des compétences en matière d'intubation et de cathétérisme ombilical, est appelée à la salle d'accouchement. L'un des intervenants raccorde un mélangeur à des sources d'oxygène et d'air et fixe un masque pour grand prématuré au ballon de réanimation. On monte le chauffage dans la salle d'accouchement et on active un coussin chauffant jetable qu'on place sur une unité chauffante allumée et qu'on recouvre de plusieurs couvertures déjà chaudes. Le fond d'un sac de polyéthylène refermable est coupé, puis le sac est déposé sur les couvertures. Un intervenant prépare un laryngoscope muni d'une lame nº 0 et vérifie le fonctionnement de l'ampoule, et une sonde trachéale de 2,5 mm est placée près de la table de réanimation. On nomme un chef d'équipe, et l'équipe discute du déroulement probable de la réanimation, y compris le responsable des voies aériennes, du monitorage de la fréquence cardiaque, du cathétérisme de la veine ombilicale et de la préparation des médicaments. Un intervenant supplémentaire est choisi pour consigner le déroulement des événements. Le chef d'équipe se présente à la mère et au père, à qui il explique le déroulement anticipé des événements.

Le bébé naît. On coupe le cordon ombilical, puis on remet le bébé à un membre de l'équipe de réanimation qui le glisse dans le sac de polyéthylène jusqu'au cou puis le dépose doucement sur les couvertures de l'unité chauffante. Le bébé pèse environ un kilogramme. Un intervenant aspire le liquide amniotique sanglant de sa bouche et de son nez, un autre stimule sa respiration en lui frottant doucement les extrémités, et le troisième installe un saturomètre sur le pied du bébé. Son tonus est plutôt bon, mais sa respiration, laborieuse. Une pression positive continue (PPC) est administrée par masque.

À 30 secondes de vie, sa fréquence cardiaque est d'environ 70 battements à la minute (battements/min), et ses efforts respiratoires diminuent. On lui administre une ventilation en pression positive coordonnée avec de l'oxygène d'appoint, mais malgré la remise en position de la tête et l'aspiration des voies aériennes, aucun murmure vésiculaire n'est perceptible au stéthoscope, il n'y a pas d'excursion thoracique et la fréquence cardiaque n'augmente pas. On procède à l'intubation trachéale, on vérifie l'emplacement de la sonde à l'aide d'un détecteur de CO_2, le murmure vésiculaire bilatéral est symétrique et la graduation de 7 cm de la sonde se situe au niveau des lèvres du bébé. Une ventilation en pression positive intermittente au moyen d'oxygène 100 % est administrée doucement, avec une pression d'environ 20 cm à 22 cm d'eau. Le saturomètre commence à indiquer une fréquence cardiaque supérieure à 100 battements/min et une saturation d'oxygène dans les 70, qui va en augmentant. Le bébé a deux minutes de vie. Le murmure vésiculaire est audible, et on remarque une légère excursion thoracique. À mesure que la saturation augmente, la concentration d'oxygène est graduellement réduite. À cinq minutes de vie, la fréquence cardiaque du bébé est de 150 battements/min et sa saturation, d'environ 90 %, tandis que la ventilation en pression positive intermittente à l'aide d'oxygène à concentration de 50 % se poursuit. La pression inspiratoire de pointe est réduite à la quantité minimale nécessaire pour maintenir une fréquence cardiaque soutenue au-dessus de 100 battements/min et une excursion thoracique perceptible. À dix minutes de vie, on lui administre du surfactant par la sonde trachéale. À 15 minutes, la concentration d'oxygène n'est plus que de 25 %. On montre le bébé à ses parents et on le transporte à l'unité néonatale dans un incubateur de transport pendant que la ventilation en pression positive se poursuit.

Ce qui est abordé dans la présente leçon

Dans les sept premières leçons, on vous a enseigné une démarche systématique pour réanimer un bébé après la naissance et l'application de ces principes pour réanimer les nourrissons pendant les quelques premières semaines suivant la naissance. Les étapes de la réanimation que vous connaissez maintenant si bien aident les bébés dans leur transition d'un milieu intra-utérin liquidien à la vie extra-utérine, pour la plupart au moment où ils le devraient mais qui, pour une raison ou pour une autre, n'y parviennent pas seuls.

Lorsque la naissance est prématurée, le foetus doit vaincre de nombreux problèmes supplémentaires pour réussir cette transition difficile. La probabilité qu'un prématuré ait besoin de votre aide augmente avec le degré de la prématurité. Les complications de la prématurité et bon nombre des troubles permanents qui s'associent à une naissance prématurée sont reliés à des événements qui se produisent juste avant et pendant ces quelques minutes de transition. Bien que les étapes de la réanimation que vous avez apprises jusqu'à présent s'appliquent aussi à la réanimation du prématuré, cette leçon porte sur les problèmes supplémentaires propres à une naissance prématurée et expose les mesures à prendre pour les prévenir.

Pourquoi les prématurés sont-ils plus vulnérables?

Les bébés qui naissent avant terme sont prédisposés à plusieurs complications après la naissance. D'ailleurs, certains facteurs de risque ont peut-être contribué à leur prématurité. Les prématurés sont immatures, tant du point de vue anatomique que physiologique.

- Leur peau mince, leur surface cutanée importante par rapport à leur poids, et leur peu de tissu adipeux augmentent leur perte de chaleur.
- Leurs tissus immatures peuvent s'endommager plus rapidement par un apport excessif d'oxygène.
- En raison de leur faible musculature, ils peuvent éprouver de la difficulté à respirer.
- Leur excursion thoracique peut être restreinte en raison de l'immaturité de leur système nerveux.
- Leurs poumons peuvent être immatures et manquer de surfactant, ce qui rend la ventilation difficile et favorise les lésions pulmonaires causées par la ventilation en pression positive.
- Leur système immunitaire est immature, ce qui augmente la probabilité d'infection à la naissance et après la naissance.
- Les capillaires fragiles de leur cerveau en développement peuvent se rompre.
- Leur petit volume sanguin les rend plus vulnérables aux effets hypovolémiques d'une perte sanguine.

Ces aspects de la prématurité, et d'autres encore, devraient vous inciter à demander de l'aide supplémentaire lorsque vous prévoyez la naissance d'un bébé prématuré.

De quelles ressources supplémentaires a-t-on besoin?

- *Personnel formé supplémentaire*
  Les risques qu'un prématuré ait besoin d'être réanimé sont beaucoup plus élevés que lorsque le bébé naît à terme. Un monitorage supplémentaire s'impose, et il faudra peut-être utiliser du matériel respiratoire plus élaboré. De plus, s'il s'agit d'un grand prématuré, la probabilité qu'il doive subir une intubation trachéale augmente. Par conséquent, il faut recruter des intervenants supplémentaires pour l'accouchement, dont l'un sera expérimenté en intubation trachéale.
- *Moyens supplémentaires de maintenir la température corporelle*
  Montez le chauffage de la salle d'accouchement et allumez l'unité chauffante pour vous assurer que le bébé se trouvera dans un milieu chaud. Si vous savez qu'il s'agira d'un grand prématuré (moins de 28 semaines d'âge gestationnel, par exemple), vous pouvez préparer un sac de polyéthylène refermable et un coussin chauffant portatif, tel qu'il est décrit dans la prochaine section. Un incubateur de transport est utile pour maintenir la température du bébé pendant son transfert à l'unité néonatale après la réanimation.

D'après les recommandations du présent Programme de réanimation néonatale (PRN), pour réanimer un très grand prématuré, il faut idéalement avoir la possibilité d'administrer de l'oxygène à une concentration inférieure à 100 %. Cependant, dans un hôpital où l'on transfère habituellement les mères à haut risque vers un établissement de soins plus spécialisés, il est très rare d'avoir à réanimer un très grand prématuré. Ces rares cas peuvent survenir lorsque le transfert de la mère est contre-indiqué, par exemple parce que le travail est trop avancé pour pouvoir le faire en toute sécurité. Il est alors acceptable de procéder à la réanimation à l'aide d'oxygène 100 %, car les recherches n'ont pas démontré qu'il est essentiel d'utiliser une concentration inférieure pendant la brève période nécessaire à la réanimation. Par conséquent, le matériel suivant est recommandé à l'unité d'accouchement d'un établissement où naissent régulièrement des bébés de moins de 32 semaines d'âge gestationnel environ. Lorsque d'autres recherches deviendront disponibles, il se pourrait que ce matériel soit recommandé dans tous les hôpitaux où l'on procède à des accouchements.

- *Source d'air comprimé*
  Vous aurez besoin d'une source d'air comprimé (au mur ou dans une bonbonne) afin de mêler l'air à de l'oxygène 100 % pour obtenir une concentration pouvant être réglée entre 21 % (air ambiant) et de l'oxygène 100 %.

- *Mélangeur d'oxygène (figure 8.1)*
  Il faut un mélangeur d'oxygène pour administrer de l'oxygène à concentration de 21 % à 100%. Des tubulures à haute pression relient les sources d'oxygène et d'air au mélangeur, qui est doté d'un bouton de commande pour régler la concentration d'oxygène entre 21 % et 100 %. Un débitmètre réglable est rattaché au mélangeur pour qu'une concentration d'oxygène d'un débit de 0 L/min à 20 L/min soit administrable directement au bébé ou à l'appareil de ventilation en pression positive.

- *Saturomètre (figure 8.2)*
  L'oxygène est transporté des poumons aux tissus par l'hémoglobine des globules rouges. L'hémoglobine passe du bleu au rouge à mesure que sa concentration d'oxygène augmente. Il est possible de mesurer ce changement de couleur à l'aide d'un saturomètre fixé à la main ou au pied du bébé. Le saturomètre procure une lecture qui oscille entre 0 % et 100 %, utile pour déterminer si une quantité satisfaisante d'oxygène circule dans le sang du bébé.

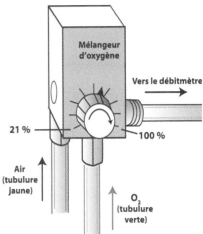

Figure 8.1. Mélange d'oxygène et d'air à l'aide d'un mélangeur d'oxygène. Un bouton de commande permet de régler la concentration d'oxygène.

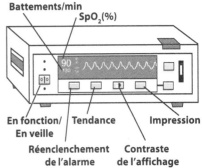

Figure 8.2. Saturomètre pour mesurer la saturation en oxygène.

Comment maintenir le bébé au chaud?

Les prématurés sont particulièrement vulnérables au stress causé par le froid. Leur surface cutanée importante par rapport à leurs poids, leur peau mince et plus perméable, leur peu de tissu adipeux sous-cutané et leur réponse métabolique limitée au froid peuvent provoquer une perte de chaleur accrue et une diminution rapide de leur température corporelle. Il faut prendre toutes les mesures pour éviter la perte de chaleur chez les prématurés, même si, au départ, ils ne semblent pas avoir besoin de réanimation. Par conséquent, en présence d'un accouchement prématuré, prévoyez avoir de la difficulté à maintenir la température du bébé, et préparez-vous en conséquence.

- *Montez le chauffage dans la salle d'accouchement.* Souvent, la salle d'accouchement et les salles d'opération sont relativement fraîches pour assurer le confort de la mère en travail et du personnel chirurgical qui doit porter de multiples couches de vêtements protecteurs. En prévision de la naissance d'un prématuré, dans la mesure du possible, montez le chauffage dans la pièce pendant la brève période nécessaire à la réanimation et à la stabilisation du bébé. Certains établissements sont dotés de zones de réanimation adjacentes et distinctes pour le bébé. Si c'est le cas, cette zone doit aussi être préchauffée.

- *Allumez l'unité chauffante* bien avant l'accouchement.

- *Placez un coussin chauffant portatif sous les couvertures* déposées sur la table de réanimation. Ces coussins sont offerts sur le marché et ne se réchauffent qu'au besoin, par activation chimique. Ils sont conçus pour ne pas surchauffer. Respectez les recommandations du fabricant relativement à leur activation et placez le bon côté du coussin près du bébé.

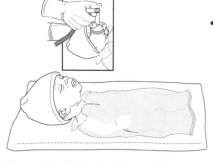

Figure 8.3. Utilisation d'un sac de polyéthylène pour réduire la perte de chaleur par évaporation.

- *Si le bébé a moins de 28 semaines d'âge gestationnel, envisagez de le glisser jusqu'au cou dans un sac de polyéthylène refermable (figure 8.3).* Vous avez appris à la leçon 2 qu'il est possible de réduire la perte de chaleur par évaporation en asséchant le bébé immédiatement après la naissance. Vous obtiendrez le même résultat en glissant le bébé jusqu'au cou dans un sac de plastique, sans d'abord l'assécher. Vous évitez ainsi le stress éventuel d'un frottage vigoureux et gagnez le temps habituellement nécessaire pour changer les serviettes mouillées. Vous pouvez utiliser un sac de polyéthylène standard de 3,75 litres que vous trouvez à l'épicerie. Avant l'accouchement, pratiquez une ouverture au fond du sac, assez large pour y faire passer la tête du bébé. Après avoir glissé le bébé dans le sac et fait ressortir sa tête par le fond, puis l'avoir réanimé correctement, vous pouvez sceller le bout refermable pour réduire l'évaporation au minimum.

- Pendant le transport du bébé à l'unité néonatale après la réanimation, *utilisez un incubateur de transport chauffé* pour maintenir un bon contrôle de la température en cours de route.

Remarque : On a décrit de rares cas d'hyperthermie avec la technique du sac de plastique. L'utilisation simultanée de toutes ces stratégies de maintien de la température n'a jamais fait l'objet d'études. Assurez-vous de surveiller la température du bébé et d'éviter autant l'excès que la perte de chaleur. Vous devez chercher à obtenir une température axillaire d'environ 36,5 °C.

Révision

(Les réponses figurent dans la section précédente et à la fin de la leçon.)

1. Énumérez cinq facteurs qui accroissent le risque que le prématuré ait besoin d'être réanimé.

   _____

   _____

   _____

   _____

   _____

2. Un bébé est sur le point de naître, à 30 semaines d'âge gestationnel. Quelles ressources supplémentaires demanderez-vous?

   _____

   _____

   _____

   _____

3. Vous avez allumé l'unité chauffante en prévision de la naissance d'un bébé à 27 semaines d'âge gestationnel. Que pouvez-vous prévoir d'autre pour maintenir sa température?

   _____

   _____

   _____

   _____

Combien d'oxygène utiliser?

Vous avez appris dans les leçons précédentes que les lésions subies pendant la transition périnatale résultent d'une anomalie du débit sanguin et de l'apport d'oxygène vers les tissus, et que le rétablissement de ces facteurs représente un objectif important de la réanimation. Cependant, d'après les recherches à l'échelle cellulaire et organique, un excès d'oxygène, administré à des tissus privés jusque-là de perfusion et d'oxygène, peut provoquer des lésions encore plus graves. Les lésions de reperfusion hyperoxique peuvent constituer un risque encore plus important pour le prématuré, car pendant la vie fœtale, le développement des tissus s'effectue dans un environnement relativement faible en oxygène, sans compter que les mécanismes qui protègent l'organisme des stress oxydatifs ne sont pas encore tout à fait développés.

Tel qu'il est souligné à la leçon 3, les études n'ont pas encore défini avec exactitude la rapidité à laquelle un bébé qui a été privé d'oxygène devrait être oxygéné. Pendant la réanimation des bébés à terme, la recommandation du PRN consiste à utiliser de l'oxygène 100 % dès que le bébé est cyanosé ou qu'une ventilation en pression positive s'impose. Cependant, pendant la réanimation du prématuré, en plus d'administrer assez d'oxygène pour corriger l'hypoxémie, vous devez également vous assurer d'éviter les excès d'oxygène. Pour y parvenir, vous aurez besoin d'un mélangeur d'oxygène et d'un saturomètre pour varier la quantité d'oxygène administrée et pour mesurer la quantité d'oxygène qu'absorbe le bébé. Ce matériel supplémentaire est particulièrement recommandé si des prématurés de moins de 32 semaines d'âge gestationnel environ naissent régulièrement dans votre établissement. Si votre établissement ne dispose pas de ces ressources et que vous n'avez pas assez de temps pour transférer la mère vers un autre établissement, la prise en charge des ressources et de l'oxygène décrite pour les bébés à terme aux leçons 1 à 7 convient à la réanimation. (Voir les photos couleur F-1, F-2, F-3 et F-4 au centre du manuel.)

Comment régler l'oxygène?

La quantité d'oxygène utilisée pendant la réanimation dépend de votre évaluation clinique, de la concentration d'oxygène administrée et de la lecture du saturomètre relié au bébé. Pendant son développement *in utero*, le fœtus possède habituellement une saturation en oxygène d'environ 60 %. Les enfants et les adultes, qui respirent de l'air, présentent normalement une saturation en oxygène de 95 % à 100 %. D'après des études par observation menées auprès de bébés à terme après une naissance sans complication et le début de la respiration d'air, en temps normal, il peut falloir plus de dix minutes pour que la saturation en oxygène atteigne 90 %. Des chutes occasionnelles dans la plage supérieure des 80 % sont normales pendant les quelques premiers jours de vie extra-utérine.

Aucune étude n'a été menée pour définir la saturation en oxygène idéale pour le prématuré pendant les quelques premières minutes suivant sa naissance. Cependant, parce que les prématurés sont particulièrement sensibles à un excès d'oxygène dans les tissus, de longues périodes de saturation supérieure à 95 % peuvent être trop élevées s'il reçoit de l'oxygène d'appoint. Par conséquent, plusieurs étapes sont recommandées pour réduire l'oxygénation excessive des tissus après la naissance d'un grand prématuré dans un établissement où de telles naissances sont fréquentes. Ces étapes augmentent en importance avec la diminution de l'âge gestationnel. Par contre, si votre salle d'accouchement n'est pas dotée des ressources pour diluer l'oxygène, il n'existe aucune donnée probante pour indiquer qu'une brève période d'oxygénation à 100 % sera nocive au bébé pendant la réanimation.

1. Raccordez un mélangeur à des sources d'oxygène et d'air comprimés et à l'appareil de ventilation en pression positive. Il est recommandé de commencer par une concentration qui se situe entre l'air ambiant (21 %) et l'oxygène 100 % afin de pouvoir accroître ou décroître cette concentration selon l'état du bébé. Aucune étude ne justifie de commencer à une concentration donnée.

2. Fixez un saturomètre sur le pied ou la main du bébé pendant les premières étapes de la réanimation. Le mode de fixation du capteur dépend de la marque de saturomètre. Respectez les recommandations du fabricant.

3. Attendez d'obtenir un signal fiable du saturomètre. Celui-ci affichera à la fois la fréquence cardiaque et la saturation. La fréquence cardiaque indiquée doit correspondre à celle que vous palpez sur le cordon ombilical ou que vous entendez au stéthoscope. La saturation n'est pas fiable tant que la fréquence cardiaque n'est pas exacte. Il peut falloir quelques minutes pour obtenir des lectures fiables. Si le saturomètre ne transmet aucune lecture, il se peut que le débit cardiaque soit trop faible ou que le capteur doive être réinstallé.

Il ne faut pas attendre un signal fiable du saturomètre pour entreprendre les manœuvres de réanimation.

4. Augmentez ou diminuez la concentration d'oxygène du mélangeur pour obtenir une saturation en oxygène qui augmente peu à peu vers les 90 %. Pendant les quelques premières minutes, une saturation de 70 % à 80 % peut être acceptable, pourvu que la fréquence cardiaque augmente, que le bébé soit ventilé avec efficacité et que la saturation d'oxygène soit en hausse. Si la saturation est inférieure à 85 % et qu'elle n'augmente pas, accroissez la concentration d'oxygène en provenance du mélangeur (ou la pression positive si vous ne remarquez pas d'excursion thoracique). Réduisez la concentration d'oxygène lorsque la saturation dépasse 95 %.

Si la fréquence cardiaque ne passe pas rapidement à plus de 100 battements/min, le bébé est probablement mal ventilé. Corrigez le problème de ventilation et utilisez de l'oxygène 100 %, jusqu'à l'obtention d'une oxygénation adéquate.

Comment procurer une ventilation assistée?

Les bébés très prématurés ont des poumons immatures qui peuvent être difficiles à ventiler et qui sont également plus faciles à endommager par une ventilation en pression positive intermittente. Si le bébé respire spontanément et que sa fréquence cardiaque est supérieure à 100 battements/min, il peut être préférable de le laisser progresser sans aide pendant les premières minutes de transition. Cependant, utilisez les mêmes critères de ventilation assistée pour le prématuré que ceux que vous avez appris à employer pour la ventilation assistée d'un nouveau-né à terme (voir l'algorithme). Les conseils suivants sont des considérations particulières pour la ventilation assistée des prématurés.

Envisagez une PPC. Si le bébé respire spontanément et que sa fréquence cardiaque est supérieure à 100 battements/min mais qu'il semble avoir une respiration laborieuse, qu'il est cyanosé ou que sa saturation d'oxygène est faible, l'administration d'une pression positive continue (PPC) peut l'aider. Pour ce faire, vous placez le masque d'un ballon d'anesthésie ou un insufflateur néonatal hermétiquement sur le visage du bébé et vous réglez la valve de contrôle du débit (figure 8.4) ou la valve de pression expiratoire positive (PEP) (figure 8.5) à la PPC désirée. En général, de 4 cm d'eau à 6 cm d'eau suffisent. *On ne peut pas administrer de pression positive continue à l'aide d'un ballon autogonflable.*

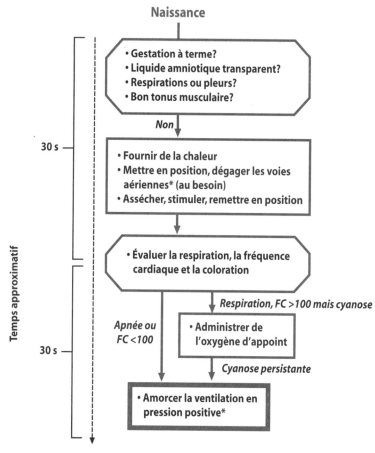

Naissance

- Gestation à terme?
- Liquide amniotique transparent?
- Respirations ou pleurs?
- Bon tonus musculaire?

Non

30 s

- Fournir de la chaleur
- Mettre en position, dégager les voies aériennes* (au besoin)
- Assécher, stimuler, remettre en position

Temps approximatif

- Évaluer la respiration, la fréquence cardiaque et la coloration

Respiration, FC >100 mais cyanose

Apnée ou FC <100

- Administrer de l'oxygène d'appoint

30 s

Cyanose persistante

- Amorcer la ventilation en pression positive*

* L'intubation trachéale peut être envisagée à diverses étapes.

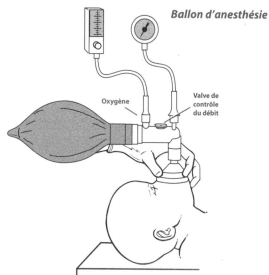

Ballon d'anesthésie

Oxygène

Valve de contrôle du débit

Figure 8.4. Administration de la pression positive continue à l'aide d'un ballon d'anesthésie.

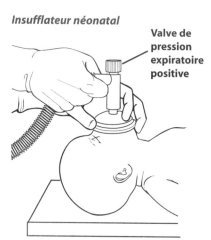

Insufflateur néonatal

Valve de pression expiratoire positive

Figure 8.5. Administration de la pression positive continue à l'aide d'un insufflateur néonatal.

Utilisez la pression inspiratoire la plus basse possible pour obtenir une réponse suffisante. Si une ventilation en pression positive intermittente s'impose en raison d'apnée, d'une fréquence cardiaque inférieure à 100 battements/min ou d'une cyanose persistante, une pression inspiratoire initiale de 20 cm d'eau à 25 cm d'eau suffit pour la plupart des prématurés. En l'absence d'amélioration rapide de la fréquence cardiaque ou de l'excursion thoracique, il faut souvent administrer des pressions plus élevées. Cependant, assurez-vous d'éviter une excursion thoracique excessive pendant la ventilation du prématuré juste après la naissance, car ses poumons sont plus vulnérables aux lésions traumatiques.

Envisagez d'administrer du surfactant si le bébé est très prématuré. Les études révèlent que les bébés de moins de 30 semaines d'âge gestationnel qui reçoivent du surfactant après la réanimation pendant qu'ils sont encore dans la salle d'accouchement, même s'ils n'ont pas encore présenté de signes de détresse respiratoire, en retirent des bienfaits. Cependant, les indications pour administrer le surfactant et le moment de le faire demeurent controversés. L'administration prophylactique du surfactant est déterminée par les pratiques locales.

 Il faut achever la réanimation du bébé avant de lui administrer du surfactant.

Que faire pour réduire les risques de lésions cérébrales?

Le cerveau des bébés nés avant 32 semaines d'âge gestationnel environ a une structure très fragile, qu'on appelle matrice germinale. La matrice germinale se compose d'un réseau de capillaires vulnérables à la rupture, notamment si le bébé est manipulé trop vigoureusement, si le gaz carbonique sanguin (CO_2) ou la tension artérielle subissent des fluctuations trop rapides ou si quelque chose nuit au retour veineux cérébral. Une rupture des vaisseaux sanguins de la matrice germinale provoque une hémorragie intraventriculaire qui s'associe parfois à des invalidités permanentes. Les précautions suivantes s'appliquent à tous les nouveau-nés, quel que soit leur âge gestationnel, mais elles sont particulièrement importantes pendant la réanimation d'un prématuré, afin d'éviter une hémorragie intraventriculaire :

Manipulez doucement le bébé. Cette mesure peut sembler évidente pour traiter n'importe quel bébé, mais il est possible d'oublier cet aspect des soins du fait du stress de la réanimation et pendant que tous les membres de l'équipe tentent d'agir avec rapidité et efficacité.

Évitez de placer le bébé la tête vers le bas (position de Trendelenburg). La table de réanimation doit être horizontale.

Évitez d'administrer une pression positive ou une PPC excessive. Il faut offrir une pression suffisante pour obtenir une augmentation de la fréquence cardiaque et une ventilation convenable, mais une pression inspiratoire ou une PPC excessive peut limiter le retour veineux cérébral ou créer un pneumothorax, qui sont tous deux reliés à une augmentation du risque d'hémorragie intraventriculaire.

Utilisez la saturométrie et la gazométrie sanguine pour régler la ventilation et la concentration d'oxygène graduellement et convenablement. Des modifications rapides de CO_2 s'accompagnent de modifications simultanées du débit sanguin cérébral, qui peuvent accroître le risque de saignement.

N'administrez pas de perfusions rapides de liquides. S'il faut administrer une solution de remplissage (voir la leçon 6), évitez de le faire trop rapidement. Évitez également d'administrer des solutés hypertoniques par voie intraveineuse. Pour commencer, s'il est indiqué d'administrer du dextrose par voie intraveineuse pour traiter l'hypoglycémie, évitez d'utiliser des concentrations supérieures à environ 10 %.

Quelles précautions particulières prendre après la réanimation d'un prématuré?

La majeure partie de la préparation physiologique du bébé pour qu'il devienne indépendant de sa mère se produit pendant le dernier trimestre de la grossesse. Si le bébé est prématuré, bon nombre de ces adaptations ne se sont pas enclenchées, et le prématuré qui a dû être réanimé est encore plus susceptible aux stress d'une survie indépendante. Envisagez les précautions suivantes pendant la prise en charge initiale d'un prématuré qui a dû être réanimé à la naissance :

Surveillez sa glycémie. Les réserves de glycogène des prématurés sont inférieures à celle des bébés à terme. Si vous devez procéder à une réanimation, il est probable que ces réserves s'épuisent rapidement. Par conséquent, les prématurés qui subissent une réanimation sont très vulnérables à l'hypoglycémie.

Surveillez l'apparition d'apnées et de bradycardies. Les prématurés présentent souvent un contrôle respiratoire instable : si l'oxygène, le CO_2, les électrolytes ou d'autres variables métaboliques fluctuent (ce qui est plus probable après une réanimation), la première manifestation clinique peut être de l'apnée, suivie d'une bradycardie.

Assurez une oxygénation et une ventilation suffisantes. Après la réanimation, les prématurés demeurent très vulnérables à la fois à l'hypoxémie et à l'hyperoxémie. Continuez de surveiller la saturométrie jusqu'à ce que vous soyez certain que le bébé peut conserver une oxygénation normale en respirant l'air ambiant. Si le bébé a toujours besoin d'une ventilation en pression positive, mesurez la gazométrie sanguine pour orienter le degré de ventilation assistée requis.

Avec prudence, amorcez lentement une alimentation entérique tout en maintenant l'alimentation parentérale. Les prématurés sont vulnérables à l'entérocolite nécrosante, une maladie intestinale qui met la vie en danger et qui est plus susceptible de se déclarer après une ischémie intestinale. Par conséquent, les prématurés qui doivent être réanimés sont particulièrement susceptibles de développer une entérocolite nécrosante. De nombreux néonatologistes et gastroentérologues pensent que, chez les bébés prédisposés à l'entérocolite nécrosante, l'alimentation entérique doit être reportée ou introduite lentement et avec précaution. Une alimentation parentérale peut être nécessaire pendant cette période.

Surveillez les signes d'infection. Les mécanismes immunitaires des prématurés sont immatures, et on pense que l'amnionite constitue l'une des principales raisons du déclenchement d'un travail prématuré. L'infection fœtale peut être responsable d'une dépression respiratoire néonatale et exiger une réanimation. Si un prématuré qui a subi une réanimation continue d'être symptomatique, envisagez la possibilité d'une infection et songez à amorcer une antibiothérapie.

Points à retenir

1. Les prématurés risquent davantage de devoir être réanimés en raison de :
   • leur perte de chaleur excessive,
   • leur vulnérabilité aux dommages hyperoxiques,
   • leur immaturité pulmonaire et leur excursion thoracique restreinte,
   • leur cerveau immature enclin aux saignements,
   • leur vulnérabilité à l'infection,
   • leur petit volume sanguin qui accroît les conséquences d'une perte sanguine.

2. Les ressources supplémentaires nécessaires en prévision d'une naissance prématurée sont :
   • l'ajout de personnel compétent, y compris des intervenants expérimentés en matière d'intubation,
   • des stratégies supplémentaires pour contrôler la température,
   • de l'air comprimé,
   • un mélangeur d'oxygène,
   • un saturomètre.

3. Les prématurés sont plus vulnérables à l'hyperoxie. Utilisez un saturomètre et un mélangeur d'oxygène pour parvenir graduellement à une saturation en oxygène dans une plage de 85 % à 95 % pendant et tout de suite après la réanimation.

4. Pendant la ventilation assistée du prématuré :
   • respectez les mêmes critères que pour la ventilation en pression positive d'un bébé à terme;
   • utilisez la pression inspiratoire la plus faible possible pour obtenir une réponse satisfaisante;
   • envisagez de recourir à la PPC si le bébé respire spontanément et que sa fréquence cardiaque est supérieure à 100 battements/min mais qu'il éprouve des difficultés, telles qu'une respiration laborieuse, une cyanose persistante et une faible saturation d'oxygène;
   • envisagez d'administrer du surfactant en prophylaxie.

5. Réduisez le risque d'atteinte cérébrale en :
   • manipulant doucement le bébé;
   • évitant la position de Trendelenburg;
   • évitant les pressions élevées des voies aériennes, dans la mesure du possible;
   • réglant graduellement la ventilation d'après l'examen physique, la saturométrie et la gazométrie sanguine;
   • évitant l'administration trop rapide de solutions de remplissage et de solutés hypertoniques.

6. Après la réanimation du prématuré :
   • surveillez et contrôlez la glycémie;
   • surveillez l'apparition d'apnées, de bradycardies ou de désaturation d'oxygène et intervenez rapidement;
   • surveillez et contrôlez l'oxygénation et la ventilation;
   • envisagez de retarder les boires ou l'alimentation entérique si l'atteinte périnatale est importante;
   • surveillez les signes d'infection.

Révision de la leçon 8

(Les réponses suivent.)

1. Énumérez cinq facteurs qui accroissent le risque que le prématuré ait besoin d'être réanimé.

   _____

   _____

   _____

   _____

   _____

2. Un bébé est sur le point de naître, à 30 semaines d'âge gestationnel. Quelles ressources supplémentaires demanderez-vous?

   _____

   _____

   _____

   _____

   _____

3. Vous avez allumé l'unité chauffante en prévision de la naissance d'un bébé à 27 semaines d'âge gestationnel. Que pouvez-vous prévoir d'autre pour maintenir sa température?

   _____

   _____

   _____

   _____

4. Un bébé naît à 30 semaines d'âge gestationnel. Il a besoin d'une ventilation en pression positive pour obtenir une fréquence cardiaque initiale de 80 battements/min, malgré la stimulation tactile. Il réagit rapidement par l'augmentation de sa fréquence cardiaque et une respiration spontanée. À deux minutes de vie, il respire, sa fréquence cardiaque est de 140 battements/min et il reçoit une pression positive continue au ballon d'anesthésie ainsi que de l'oxygène à concentration de 50 %. Vous avez installé un saturomètre dont la lecture indique 85 % et qui augmente. Vous devriez (accroître la concentration d'oxygène) (réduire la concentration d'oxygène) (laisser la concentration d'oxygène telle quelle).

5. Il est possible d'administrer la pression positive continue à l'aide d'un (sélectionnez toutes les réponses correctes) :
   A. ballon autogonflable
   B. ballon d'anesthésie
   C. insufflateur néonatal

Révision de la leçon 8 — *suite*

6. Pour réduire le risque d'hémorragie cérébrale, la meilleure position est (à l'horizontale sur la table) (la tête vers le bas).

7. Il faut administrer les liquides intraveineux (rapidement) (lentement) aux prématurés.

8. Énumérez trois précautions dans la prise en charge d'un prématuré qui a eu besoin d'être réanimé.

   _____

   _____

   _____

Réponses aux questions de la leçon 8

1. Les facteurs de risque sont :
   - **la perte de chaleur,**
   - **les dommages tissulaires causés par l'excès d'oxygène,**
   - **une faiblesse musculaire qui rend la respiration difficile,**
   - **des poumons qui manquent de surfactant,**
   - **un système immunitaire immature,**
   - **des capillaires cérébraux fragiles,**
   - **un petit volume sanguin.**

2. Les ressources supplémentaires sont :
   - **du personnel supplémentaire,**
   - **d'autres moyens de contrôler la température,**
   - **de l'air comprimé,**
   - **un mélangeur d'oxygène,**
   - **un saturomètre.**

3. Les considérations supplémentaires sont :
   - **l'augmentation de la température dans la salle d'accouchement,**
   - **l'activation du coussin chauffant portatif,**
   - **la préparation d'un sac de plastique,**
   - **la préparation d'un incubateur de transport.**

4. **Laisser la concentration d'oxygène telle quelle.**

5. La pression positive continue peut être administrée à l'aide du **ballon d'anesthésie** ou de l'**insufflateur néonatal.**

6. La meilleure position est **à l'horizontale sur la table.**

7. Il faut administrer les liquides intraveineux **lentement.**

8. Après la réanimation :
   - **vérifier la glycémie,**
   - **surveiller l'apparition d'apnées,**
   - **contrôler l'oxygénation,**
   - **envisager de retarder l'alimentation entérique ou les boires,**
   - **surveiller les signes d'infection.**

L'éthique et les soins en fin de vie

Les notions suivantes sont abordées dans la leçon 9 :

- Les principes éthiques associés à l'amorce et à l'arrêt de la réanimation néonatale

- La communication avec les parents et leur participation à la prise de décision éthique

- Le moment possible de suspendre la réanimation

- Que faire lorsque le pronostic est incertain

- Combien de temps poursuivre les tentatives de réanimation en l'absence de réactions du bébé

- Que faire lorsque le bébé meurt

- Comment aider les parents pendant le processus de deuil

- Comment aider le personnel pendant le processus de deuil

Remarques : Bien que cette leçon soit destinée au membre de l'équipe de réanimation qui oriente les prises de décisions médicales, tous les membres de l'équipe doivent comprendre le raisonnement qui justifie les décisions. Dans la mesure du possible, il faut offrir un soutien unifié aux parents pendant cette période de crise très personnelle. Il est question des « parents » pendant la leçon, mais il arrive que la mère ou le père affronte la crise seul ou que la famille élargie ou des proches soient présents pour apporter leur soutien. Cette leçon s'applique aux professionnels de la santé qui participent à tous les niveaux de la réanimation néonatale ainsi qu'aux professionnels qui s'occupent des familles qui ont subi un décès néonatal.

Les données relatives à la mortalité et à la morbidité d'après l'âge gestationnel figurent, en anglais, dans le site Web du Programme de réanimation néonatale (NRP), à l'adresse <http://www.aap.org/nrp>.

Il est entendu que, dans une certaine mesure, les recommandations présentées dans la leçon sont déterminées par le contexte culturel des États-Unis et qu'il faut les adapter aux autres cultures et aux autres pays. Il est également entendu que les recommandations se fondent sur l'expérience actuelle sur l'issue des bébés et que l'expérience future ne les appuiera pas nécessairement.

Cas 9.
Les soins d'un bébé qui n'a pas pu être réanimé

À 23 semaines de grossesse, une femme gravida 3 est admise au service d'obstétrique d'un hôpital général rural. Fiévreuse, elle a des contractions et ses membranes sont rompues. L'âge gestationnel est évalué d'après des échographies répétées aux premier et deuxième trimestres. L'obstétricien vous demande de l'accompagner pour expliquer aux parents les conséquences d'un accouchement si précoce. Avant la rencontre, vous discutez tous deux des statistiques régionales de mortalité depuis cinq ans et de l'information nationale au sujet de la morbidité à long terme des survivants nés à 23 semaines d'âge gestationnel et après une chorioamnionite présumée. L'obstétricien déconseille une tocolyse en raison de la présomption de chorioamnionite et déclare que le travail est trop avancé pour transférer la mère. Vous entrez tous deux dans la chambre de la mère, vous vous présentez et vous suggérez aux visiteurs d'aller à la salle d'attente pendant que vous parlez avec les deux parents, à moins que ceux-ci préfèrent qu'ils restent. Vous éteignez la télévision si elle est allumée et vous vous assoyez tous les deux sur des chaises près du lit de la mère.

L'obstétricien décrit le plan d'intervention obstétrical. Vous expliquez les conséquences d'une très grande prématurité accompagnée d'une chorioamnionite, y compris les statistiques sur la mortalité et la morbidité et certaines perspectives associées aux soins intensifs néonatals. Vous décrivez l'équipe de réanimation qui sera présente à l'accouchement, les interventions qu'il faudra peut-être entreprendre pour favoriser la survie du bébé, et vous précisez que certains parents demandent qu'on n'entreprenne pas la réanimation en raison des risques reliés à l'issue du bébé. Les parents répondent qu'ils veulent que « toutes les mesures soient prises si leur bébé a des chances de survivre. »

Au cours de l'heure suivante, le travail progresse, l'accouchement devient imminent, et on avise l'équipe de transport néonatal du centre médical régional. Le matériel est préparé, et les intervenants s'apprêtent à assister à la naissance d'un très grand prématuré. Lorsque le bébé est remis à l'équipe néonatale, sa peau est mince et gélatineuse, il n'a aucun tonus musculaire et ses efforts respiratoires sont minimes. Une mauvaise odeur laisse supposer une chorioamnionite. Les étapes initiales de la réanimation sont amorcées, de même que la ventilation en pression positive au masque. On décèle une fréquence cardiaque d'environ 40 battements à la minute (battements/min). On procède à l'intubation trachéale, puis on poursuit la ventilation en pression positive par la sonde trachéale. Cependant, malgré la poursuite des étapes de réanimation, la fréquence cardiaque diminue graduellement, et le pédiatre explique aux parents que la réanimation a échoué. La sonde trachéale est retirée, le bébé est enveloppé dans une couverture propre, et les parents sont invités à le prendre s'ils le désirent. Les parents le prennent, et un membre de l'équipe reste avec eux pour leur offrir son soutien. On prend une photo, qu'on remet aux parents. Le décès du bébé est prononcé lorsqu'il ne présente plus aucun signe de vie.

Plus tard au cours de la journée, un membre de l'équipe de l'unité néonatale se rend à la chambre des parents, offre ses condoléances, répond aux questions au sujet de la réanimation et leur demande l'autorisation d'effectuer une autopsie. Le lendemain, un salon funéraire est désigné. Environ un mois plus tard, un membre de l'équipe de l'unité néonatale téléphone aux parents pour leur proposer un rendez-vous en cabinet afin de discuter des résultats de l'autopsie et des conséquences et des problèmes qu'eux et leurs autres enfants peuvent affronter pour s'adapter au décès. Cette rencontre permettra également de répondre aux dernières questions qu'ils peuvent se poser au sujet de la mort de leur fils.

Quels principes éthiques s'appliquent à la réanimation néonatale?

Les principes éthiques de la réanimation néonatale ne diffèrent pas de ceux qui suivent la réanimation d'un enfant plus âgé ou d'un adulte. Les principes déontologiques communs à toutes les situations médicales sont le respect des droits de l'individu et de la liberté d'apporter des changements qui ont des répercussions sur sa vie (l'autonomie), les actes pour le bien d'autrui (la bienfaisance), l'abstention de poser tout acte qui serait un mal pour le patient (la non-malfaisance) et l'administration d'un traitement avec impartialité et sincérité (la justice). C'est en raison de ces principes que le consentement éclairé des patients est obtenu avant un traitement. Les exceptions à cette règle s'appliquent en cas d'urgence médicale mettant la vie en danger et lorsque les patients ne sont pas aptes à prendre leurs propres décision. La réanimation néonatale est un traitement médical souvent compliqué par ces deux exceptions.

Contrairement aux adultes, les nourrissons ne peuvent pas prendre leurs propres décisions et ne peuvent pas exprimer leurs désirs. Il faut trouver un décideur substitut qui prendra la responsabilité de respecter l'intérêt du nourrisson. En général, les parents sont considérés comme les meilleurs décideurs substituts de leur propre nourrisson. Pour assumer cette responsabilité, ils ont besoin d'information pertinente, exacte et honnête quant aux risques et aux avantages de chaque possibilité de traitement. De plus, ils doivent avoir le temps d'évaluer chaque possibilité de manière réfléchie, de poser des questions et d'obtenir d'autres avis. Malheureusement, la nécessité d'une réanimation survient souvent pendant une situation d'urgence imprévue qui laisse peu l'occasion aux parents de donner un consentement pleinement éclairé avant les interventions. Même si vous avez l'occasion de rencontrer les parents, les incertitudes quant à la gravité des anomalies congénitales, au véritable âge gestationnel, à la probabilité de survie et au potentiel de graves invalidités compliquent le processus de décision des parents avant l'accouchement quant à ce qui sera dans l'intérêt de leur bébé. Dans de rares cas, l'équipe soignante peut conclure que la décision des parents n'est pas raisonnable et qu'elle n'est pas dans l'intérêt du bébé.

Le Programme de réanimation néonatale (PRN) respecte le texte suivant, traduit du code de déontologie médicale de l'*American Medical Association* (AMA) :

> Ce qui est le mieux pour le nouveau-né gravement malade constitue la principale préoccupation au moment de prendre une décision à l'égard d'un traitement de survie. Les facteurs à évaluer sont :
>
> 1. la probabilité que la thérapie soit un succès;
> 2. les risques reliés au traitement et à l'absence de traitement;
> 3. le degré selon lequel la thérapie, si elle est un succès, prolongera la vie;
> 4. la douleur et les malaises reliés à la thérapie;
> 5. la qualité de vie prévue du nouveau-né s'il est traité et s'il ne l'est pas.
>
> (American Medical Association, Council on Ethical and Judicial Affairs. *Code of Medical Ethics: Current Opinions with Annotations*, éd. 2004–2005. Chicago, IL: American Medical Association; 2002:92 [sect 2.215])

Quelles lois s'appliquent à la réanimation néonatale?

Aucune loi fédérale américaine n'oblige la réanimation dans toutes les situations. Il existe peut-être des lois dans votre région qui sont applicables aux soins des nourrissons en salle d'accouchement. Les dispensateurs de soins doivent être au courant des lois applicables dans la région où ils exercent. Si vous ne les connaissez pas, vous devriez consulter le comité de déontologie ou le conseiller juridique de votre hôpital. Dans la plupart des cas, il est éthiquement et légalement acceptable de suspendre les efforts de réanimation si les parents et les professionnels de la santé s'entendent pour affirmer que des interventions médicales supplémentaires seraient futiles, ne feraient que prolonger l'agonie ou n'apporteraient pas de bienfaits suffisants pour justifier les fardeaux imposés.

Quel rôle les parents devraient-ils jouer dans les décisions relatives à la réanimation?

Ce sont les parents qui déterminent au premier chef les objectifs des soins administrés à leur nouveau-né. Cependant, le consentement éclairé se fonde sur de l'information complète et fiable qu'il n'est pas toujours possible de transmettre avant l'accouchement ou même quelques heures suivant l'accouchement.

 Avertissement : Assurez-vous de ne pas faire de promesses au sujet de la suspension et de l'amorce de la réanimation avant de détenir l'information nécessaire pour prendre une décision.

Y a-t-il des situations dans lesquelles il n'est pas éthique d'amorcer la réanimation?

La naissance de bébés extrêmement immatures ou qui sont atteints de graves anomalies congénitales suscite des questions sur l'intérêt d'amorcer la réanimation. Bien que le taux de survie des bébés nés entre 22 et 25 semaines de grossesse augmente avec l'ajout de chaque semaine de gestation, l'incidence d'invalidité neurodéveloppementale modérée ou grave est élevée chez les survivants. Lorsque l'âge gestationnel, le poids à la naissance ou les anomalies congénitales s'associent à un décès précoce presque assuré et que le taux de morbidité est inacceptable chez les rares survivants, la réanimation n'est pas indiquée, même si des exceptions s'appliquent dans des cas précis, pour respecter le désir des parents. Voici quelques exemples :

- un âge gestationnel confirmé de moins de 23 semaines ou un poids de naissance inférieur à 400 g;
- une anencéphalie;
- une trisomie 13 (syndrome de Patau) ou 18 (syndrome d'Edwards) confirmée.

Lorsque les troubles s'associent à un pronostic incertain, que la survie est limite, que le taux de morbidité est relativement élevé et que le fardeau est élevé pour l'enfant, certains parents demandent de ne pas tenter de réanimer le bébé. Ce peut être le cas lorsqu'un bébé naît à 23 ou 24 semaines de grossesse. Le point de vue des parents quant à l'amorce ou à la suspension de la réanimation doit alors être soutenu.

Il faut interpréter ces recommandations selon les issues locales à jour et les désirs des parents. Étant donné l'incertitude quant aux évaluations de l'âge gestationnel et du poids à la naissance, soyez prudent avant de prendre des décisions inaltérables au sujet des efforts de réanimation avant la naissance du bébé. Lorsque vous conseillez les parents, informez-les que les décisions relatives à la prise en charge néonatale prévues avant l'accouchement devront peut-être être modifiées dans la salle d'accouchement, selon l'état du bébé à la naissance et l'évaluation de son âge gestationnel après la naissance.

À moins que la conception ait eu lieu par fertilisation *in vitro*, les techniques de datation obstétricales ne sont exactes qu'à une ou deux semaines près, et les évaluations du poids fœtal, qu'à plus ou moins 15 % à 20 %. Même de petits écarts de une ou deux semaines d'âge gestationnel ou de 100 g à 200 g de poids à la naissance peuvent avoir des conséquences sur la survie et la morbidité du bébé à long terme. De plus, le poids fœtal peut être trompeur si le bébé a subi un retard de croissance. Ces incertitudes étayent l'importance d'éviter de prendre des engagements fermes quant à la suspension de la réanimation tant que vous n'aurez pas eu l'occasion d'examiner le bébé après la naissance.

Doit-on parfois réanimer le bébé contre le gré des parents?

Bien que les parents soient généralement considérés comme les meilleurs décideurs substituts de leurs propres enfants, les professionnels de la santé ont une obligation légale et morale de prodiguer des soins adéquats au nourrisson d'après l'information médicale à jour et leur évaluation clinique. Lorsque les troubles s'associent à un taux élevé de survie et à un risque de morbidité acceptable, la réanimation est presque toujours indiquée. Lorsque l'équipe soignante est incapable de s'entendre avec les parents sur une stratégie de traitement raisonnable, l'avis du comité de déontologie ou du conseiller juridique de l'hôpital peut s'imposer. Si le temps manque pour consulter ces ressources et que le médecin responsable conclut que la décision des parents n'est pas dans l'intérêt de l'enfant, il convient alors de réanimer le nourrisson contre le gré des parents. Il est alors essentiel de documenter avec précision les discussions avec les parents et le fondement de la décision.

Quelles discussions avoir avec les parents avant un accouchement à très haut risque?

Il est important de rencontrer les parents avant un accouchement à très haut risque, tant pour les parents que pour l'équipe de soins néonatals. Le médecin accoucheur et le médecin qui s'occupera de l'enfant après la naissance doivent tous deux rencontrer les parents. Des études démontrent que les perspectives obstétricale et néonatale diffèrent souvent. Dans la mesure du possible, il faut discuter de ces différences avant de rencontrer les parents pour que l'information présentée soit harmonieuse. Parfois, lorsque la femme est en travail actif, par exemple, le moment semble peu propice à de telles discussions. Néanmoins, la rencontre ne doit pas être reportée. Des rencontres de suivi peuvent avoir lieu si la situation évolue au cours des heures ou des jours suivants.

Quels conseils prénatals donner aux parents avant un accouchement à haut risque?

Les discussions prénatales représentent une occasion de commencer à nouer une relation de confiance, de fournir de l'information importante, de fixer des objectifs réalistes et d'aider les parents à prendre des décisions éclairées pour leur bébé. S'il n'est pas possible de rencontrer les parents en compagnie d'un membre de l'équipe obstétricale, obtenez les antécédents détaillés avant la rencontre et passez en revue le plan d'intervention obstétrical pendant la rencontre pour garantir des soins cohérents et coordonnés. Vous devez connaître les données d'issues à court et à long terme des très grands prématurés ou des bébés atteints d'anomalies congénitales, tant à l'échelle nationale que dans votre propre établissement. Au besoin, consultez des spécialistes de votre centre de soins spécialisés régional pour obtenir de l'information à jour à ce sujet. Dans la mesure du possible, rencontrez les parents avant que la mère ait pris des médicaments susceptibles de nuire à sa compréhension ou à son souvenir de la conversation et avant les dernières phases du travail.

Avant de rencontrer les parents, assurez-vous auprès de l'infirmière de la mère que le moment est propice à une discussion. Dans la mesure du possible, demandez à l'infirmière d'assister à la rencontre. Si vous avez besoin d'un interprète, utilisez un interprète médical agréé formé par l'hôpital et non un membre de la parenté du patient, et privilégiez des phrases simples et directes pour vous assurer que l'information soit bien transmise. Il est préférable de vous asseoir pendant la rencontre pour avoir des contacts oculaires à la hauteur des parents et pour éviter de donner l'impression d'être pressé. Utilisez un langage clair et simple, sans abréviations et jargon médicaux. Arrêtez de parler lorsque la mère a une contraction ou qu'une intervention doit être effectuée, telle que la vérification des signes vitaux. Reprenez la discussion lorsque la mère est en mesure de se concentrer sur l'information transmise.

Vous pouvez aborder les enjeux suivants :

- Expliquez votre évaluation des chances de survie du bébé et des invalidités éventuelles d'après des statistiques régionales et nationales. Soyez le plus précis possible, et évitez les pronostics trop négatifs ou déraisonnablement positifs.

- Si vous croyez que la viabilité du bébé est minime, et qu'un traitement palliatif ou « de réconfort » peut constituer une possibilité acceptable, n'évitez pas d'en parler. La discussion sera pénible tant pour vous que pour les parents, mais vous devez tous deux comprendre le point de vue de l'autre. Si vous leur présentez toutes les possibilités, la plupart des parents expriment rapidement ce qu'ils veulent que vous fassiez. Vous pouvez leur assurer que vous prendrez toutes les mesures possibles pour respecter leurs désirs, mais il est important de les informer que les décisions au sujet des interventions néonatales prises avant l'accouchement devront peut-être être modifiées en salle d'accouchement, selon l'état du bébé à la naissance, l'évaluation de son âge gestationnel après la naissance et sa réponse aux mesures de réanimation.

- Si vous optez ensemble pour des soins palliatifs ou de réconfort (sous réserve de l'état du bébé tel qu'il est décrit ci-dessus), garantissez aux parents que les soins porteront sur la prévention ou le soulagement de la douleur et de la souffrance. Expliquez-leur que leur bébé mourra, mais que son décès pourra survenir entre quelques minutes et quelques heures après la naissance. Dans le respect de leur culture, discutez des manières dont leur famille peut participer et permettez-leur de faire des suggestions ou des demandes supplémentaires.

- Décrivez le lieu de la réanimation, les personnes qui seront dans la salle d'accouchement et le rôle que ces personnes assumeront. Selon toute probabilité, les événements différeront énormément de l'accouchement intime que les parents imaginaient.

- Offrez du temps à la mère et au père (ou à la personne qui soutient la mère) pour discuter ensemble de ce dont vous venez de leur parler. Certains parents désirent consulter d'autres membres de la famille ou un membre du clergé. Retournez les voir pour confirmer qu'ils comprennent ce qui risque de se passer et que vous comprenez ce qu'ils désirent.

Après avoir rencontré les parents, documentez votre conversation dans le dossier de la mère, sous forme de résumé.

Inscrivez ce dont vous avez discuté avec l'équipe obstétricale et les autres membres de l'équipe de réanimation de l'unité néonatale. *S'il a été entendu de ne pas amorcer la réanimation, assurez-vous que tous les membres de votre équipe, y compris le personnel de garde et l'équipe obstétricale, soient informés de cette décision et l'acceptent.* En cas de mésentente, discutez des points d'achoppement et consultez d'autres professionnels, au besoin.

Que faire dans l'incertitude des chances de survie ou du risque de grave invalidité du bébé immédiatement après sa naissance?

Si les parents n'arrivent pas à se décider ou que, d'après votre examen, l'évaluation prénatale de l'âge gestationnel est erronée, les étapes initiales de la réanimation et le maintien des fonctions vitales vous donnent le temps de colliger de l'information clinique plus complète et de mieux examiner la situation avec les parents. Lorsque les parents et les médecins auront eu la possibilité d'évaluer l'information clinique supplémentaire, ils pourront décider de mettre un terme aux interventions de soins intensifs et d'entreprendre des soins de réconfort. Il convient de souligner que, même s'il n'existe pas de distinction éthique entre l'abstention et l'arrêt de traitement, nombreux sont ceux qui trouvent l'arrêt de traitement plus difficile à assumer. Néanmoins, une réanimation suivie d'un arrêt de traitement permet de colliger plus d'information pronostique. Cette démarche peut également être préférable pour bien des parents, qui se sentent un peu mieux lorsque des mesures sont prises. Vous devez éviter les situations où il est d'abord décidé de s'abstenir de réanimer le bébé puis où des manœuvres de réanimation agressives sont amorcées plusieurs minutes après l'accouchement parce que le plan d'intervention a été modifié. Si le nouveau-né survit à ce délai de réanimation, son risque d'invalidité grave est plus élevé.

Vous avez respecté les recommandations de réanimation et le bébé ne répond pas. Pendant combien de temps les poursuivre?

S'il n'y a pas de fréquence cardiaque après dix minutes de manœuvres de réanimation complètes et adéquates et que rien n'indique la présence d'autres causes de détresse, l'abandon des efforts de réanimation peut être justifié. D'après les données à jour, après dix minutes d'asystolie, les nouveau-nés sont très peu susceptibles de survivre, et les rares survivants sont plus prédisposés à une grave invalidité.

> **L'arrêt des efforts de réanimation après dix minutes d'asystolie ne signifie pas nécessairement que seulement dix minutes se sont écoulées depuis la naissance. Il a peut-être fallu plus de dix minutes pour évaluer l'état du bébé et optimiser les efforts de réanimation.**

Il peut exister d'autres situations dans lesquelles, après des efforts de réanimation complets et adéquats, l'abandon de la réanimation peut être justifié. Cependant, aucune étude n'a permis d'établir des recommandations officielles à cet égard.

Après avoir réanimé un bébé, est-on tenu de maintenir les fonctions vitales?

Outre la recommandation d'abandonner la réanimation après dix minutes d'asystolie, rien ne vous oblige à maintenir les fonctions vitales du bébé si, de l'avis de cliniciens d'expérience, un tel maintien ne serait pas dans l'intérêt du bébé ou n'aurait pas de fonction utile (c'est-à-dire qu'il serait futile). Dans le cas de l'arrêt des interventions de soins intensifs et de l'amorce de soins de réconfort, les parents doivent également être en accord avec la décision.

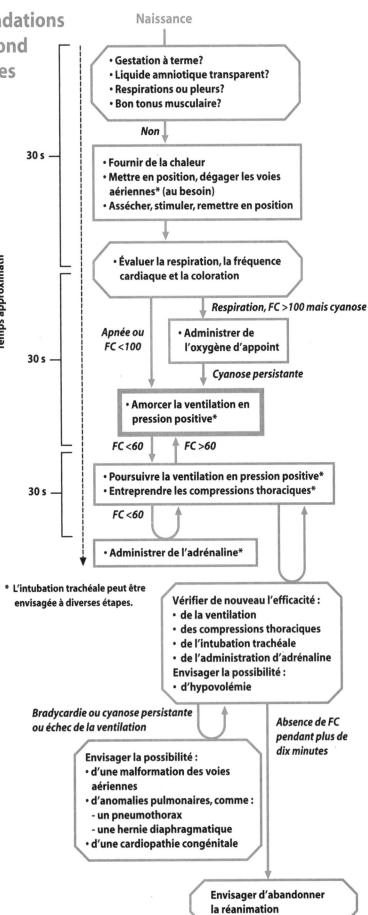

Comment annoncer aux parents que leur bébé est mort ou sur le point de mourir?

Dès que possible, assoyez-vous avec la mère et le père (ou un proche qui soutient la mère) pour les informer du décès ou de la mort imminente de leur bébé. Aucune formule ne rendra cette conversation moins douloureuse. N'utilisez pas d'euphémismes, comme « Votre bébé est parti ». Nommez le bébé par son nom si les parents en avaient déjà choisi un, ou par son sexe s'il n'avait pas de nom. Dites-leur que vous êtes désolé, mais que leur bébé était trop malade ou trop prématuré pour survivre. Rassurez-les en leur disant qu'ils sont des parents bons et aimants et qu'ils ne sont pas responsables de ce qui s'est passé. Votre rôle consiste à soutenir les parents par de l'information claire et honnête, transmise avec empathie et soutien. Des familles ont décrit des commentaires de certains dispensateurs de soins, qu'elles ont trouvés plus bouleversants que réconfortants. Assurez-vous de ne **pas** utiliser les formules suivantes :

- « C'était pour le mieux » ou « C'est le destin ».
- « Vous pourrez avoir d'autres enfants. »
- « Au moins, c'était encore un bébé et vous n'avez pas vraiment eu le temps d'apprendre à la connaître. »

Comment soigner un bébé qui est mort ou sur le point de mourir?

L'objectif le plus important, c'est de lui prodiguer des soins empathiques et compatissants. Offrez aux parents de prendre leur bébé. Éteignez les alarmes des moniteurs et le matériel médical avant de les débrancher. Enlevez les sondes, les adhésifs, les moniteurs ou le matériel médical inutiles et nettoyez doucement la bouche et le visage du bébé. Enveloppez le bébé dans une couverture propre. Préparez les parents à ce qu'ils peuvent voir, ressentir et entendre pendant qu'ils tiendront leur bébé dans leurs bras, y compris la possibilité de gasps, de changements de coloration, de fréquence cardiaque persistante et de mouvements. Si le bébé souffre d'une anomalie congénitale évidente, expliquez brièvement aux parents ce qu'ils verront. Aidez-les à faire abstraction des malformations en attirant leur attention sur une caractéristique agréable ou mémorable de leur bébé.

Il est préférable d'accorder du temps en privé aux parents avec leur bébé, dans un milieu sécurisant, mais un dispensateur de soins devrait vérifier régulièrement s'ils ont besoin de quelque chose. Il faut ausculter le bébé par intermittence pendant au moins 60 secondes, car une fréquence cardiaque très lente peut subsister pendant des heures. Les bruits dérangeants, comme les conversations téléphoniques ou la sonnerie du téléavertisseur, les alarmes des moniteurs et les conversations du personnel, doivent être réduits au minimum. Lorsque les parents seront prêts à vous laisser emporter le bébé, vous devrez l'apporter dans un lieu privé et désigné en attendant son transport à la morgue.

Il est bon de connaître les attentes culturelles et religieuses entourant la mort dans la collectivité où vous travaillez. Certaines familles vivent un deuil discret, tandis que d'autres sont plus démonstratives. Cependant, toutes les manifestations sont acceptables et doivent être respectées. Certains parents préfèrent être seuls, tandis que d'autres voudront compter sur la présence de leur famille élargie, de leurs amis, des membres de leur communauté ou du clergé. Des familles peuvent demander de se rendre à la chapelle de l'hôpital avec leur bébé ou à l'extérieur, dans un lieu plus calme. Elles peuvent aussi demander de l'aide relativement aux dispositions pour bénir le bébé ou effectuer les rites nécessaires pour leur bébé mort ou mourant. Vous devez faire preuve de la plus grande flexibilité possible pour acquiescer à leurs désirs.

Quelles mesures de suivi prévoir pour les parents?

Avant que les parents quittent l'hôpital, assurez-vous de posséder leurs coordonnées, et transmettez-leur l'information pour qu'ils communiquent avec le médecin traitant, des professionnels du deuil et, s'il en existe dans votre région, un groupe de soutien du deuil périnatal. Prévoyez les revoir pour parler des résultats de l'autopsie et répondre à leurs dernières questions. Il est important de faire participer le médecin traitant de la famille afin qu'il puisse apporter un soutien supplémentaire à la mère, au père et aux frères et sœurs vivants. Celui-ci voudra peut-être fixer un rendez-vous de suivi pour répondre aux questions non résolues, transmettre les résultats des études en cours au moment du décès ou les résultats de l'autopsie et évaluer les besoins de la famille. Certains hôpitaux parrainent des groupes de soutien de parents et organisent un service commémoratif annuel, rassemblant ainsi les familles qui ont subi un décès périnatal. Acceptez que certaines familles ne désirent pas maintenir le contact avec le personnel de l'hôpital. Il faut respecter ce désir. Des communications inattendues, comme un sondage d'assurance de la qualité expédié par l'hôpital ou des bulletins sur les soins du bébé, peuvent constituer des rappels indésirables du deuil de la famille.

Comment soutenir le personnel de l'unité néonatale après un décès périnatal?

Les membres du personnel qui ont participé aux soins du bébé et de la famille ont également besoin d'être soutenus. Ils ressentiront de la tristesse et peut-être de la colère et de la culpabilité. Envisagez d'organiser une brève rencontre bilan après le décès du bébé pour discuter ouvertement des questions et des sentiments, dans un cadre professionnel, solidaire et objectif. Cependant, au cours de ces rencontres, il faut éviter les spéculations découlant d'information indirecte, et les questions et les enjeux relatifs aux décisions et aux interventions de soins ne doivent être abordées qu'au cours d'une séance de révision par des pairs qualifiés, conformément à la politique de l'hôpital.

Points de révision

1. Les principes éthiques de la réanimation d'un nouveau-né ne diffèrent pas de ceux de la réanimation d'un enfant plus âgé ou d'un adulte.

2. Aucuns principes éthiques et légaux n'obligent de tenter la réanimation dans toutes les situations. L'abandon des interventions de soins intensifs et l'amorce de soins de réconfort sont considérés acceptables si les professionnels de la santé et les parents s'entendent pour affirmer que des efforts de réanimation supplémentaires seraient futiles, ne feraient que prolonger l'agonie ou n'apporteraient pas de bienfaits suffisants pour justifier le fardeau imposé.

3. Les parents sont considérés comme des décideurs substituts pertinents de leur propre nourrisson. Pour assumer cette responsabilité, ils ont besoin d'information pertinente, exacte et honnête quant aux risques et aux avantages de chaque possibilité de traitement.

4. Lorsque l'âge gestationnel, le poids à la naissance ou les anomalies congénitales s'associent à un décès précoce presque assuré ou à un taux de morbidité probable inacceptable chez les rares survivants, la réanimation n'est pas indiquée, même si des exceptions peuvent être acceptables pour respecter le désir des parents.

5. Lorsque les troubles s'associent à un pronostic incertain, que la survie est limite, que le taux de morbidité est relativement élevé et que le fardeau est élevé pour l'enfant, il faut soutenir les désirs des parents à l'égard de la réanimation.

6. À moins que la conception ait eu lieu par fertilisation *in vitro*, les techniques de datation obstétricales ne sont exactes qu'à une ou deux semaines près. Lorsque vous conseillez des parents au sujet de bébés nés aux limites extrêmes de la prématurité, informez-les que les décisions relatives aux interventions néonatales prises avant l'accouchement devront peut-être être modifiées dans la salle d'accouchement, selon l'état du bébé à la naissance et l'évaluation de son âge gestationnel après la naissance.

7. L'abandon des efforts de réanimation est justifié si la fréquence cardiaque est inexistante après dix minutes d'efforts de réanimation adéquats.

Révision de la leçon 9

(Les réponses suivent.)

1. Les quatre principes communs de la déontologie médicale sont :

   * _____

   * _____

   * _____

   * _____

2. Les parents sont généralement considérés comme les meilleurs décideurs substituts de leur nouveau-né. (Vrai ou faux)

3. Les parents d'un bébé sur le point de naître après 23 semaines de grossesse demandent que s'il existe des risques de lésions cérébrales, vous ne tentiez pas de réanimer leur bébé. Laquelle des réactions suivantes est acceptable? (Sélectionnez toutes les bonnes réponses possibles.)
   a. Appuyez leur souhait et promettez-leur de prodiguer seulement des soins de réconfort au bébé après sa naissance.
   b. Répondez-leur que vous tenterez d'appuyer leur décision, mais que vous devrez attendre d'avoir examiné le bébé après la naissance pour déterminer ce que vous ferez.
   c. Informez-les que ce sont l'équipe médicale et le médecin-chef qui prennent toutes les décisions médicales relatives à la réanimation.
   d. Tentez de les convaincre de changer d'idée.

4. On vous a demandé d'assister à la naissance imminente d'un bébé qui, selon l'échographie prénatale et les évaluations de laboratoire, est atteint de graves malformations congénitales. Énumérez quatre points à aborder lorsque vous rencontrez les parents :

   * _____

   * _____

   * _____

   * _____

Révision de la leçon 9 — *suite*

5. Une mère arrive à l'unité d'accouchement en travail actif à 34 semaines de grossesse, sans avoir profité d'un suivi prénatal. Elle donne naissance à un bébé atteint de malformations importantes qui semblent compatibles avec une trisomie 18. Une tentative de réanimation du bébé dans une pièce adjacente échoue. Laquelle des mesures suivantes est la plus acceptable?

   a. Expliquez la situation aux parents et demandez-leur s'ils veulent prendre leur bébé dans leurs bras.

   b. Emportez le bébé, dites aux parents qu'elle était morte à la naissance et qu'il serait préférable qu'ils ne la voient pas.

   c. Informez les parents qu'elle avait d'importantes malformations et que c'est pour le mieux puisque, de toute façon, elle aurait été handicapée.

6. Laquelle (lesquelles) des affirmations suivantes est (sont) acceptable(s) pour les parents dont le bébé vient de mourir après une réanimation qui a échoué?

   a. « Je suis désolé, nous avons tenté de réanimer votre bébé, mais la réanimation a échoué et votre bébé est mort. »

   b. « C'est une terrible tragédie, mais étant donné les malformations, c'était inévitable. »

   c. « Je suis vraiment désolé de la mort de votre bébé. C'est une belle petite fille. »

   d. « Heureusement, vous êtes tous les deux jeunes et vous pourrez avoir d'autres enfants. »

Réponses aux questions de la leçon 9

1. Les quatre principes sont :
   - **le respect des droits de l'individu de la liberté d'apporter des changements qui ont des répercussions sur sa vie (l'autonomie),**
   - **les actes pour le bien d'autrui (la bienfaisance),**
   - **l'abstention de poser tout acte qui serait un mal pour le patient (la non-malfaisance),**
   - **des traitements impartiaux et sincères (la justice).**

2. **Vrai.**

3. **b.** **Répondez-leur que vous tenterez d'appuyer leur décision, mais que vous devrez attendre d'avoir examiné le bébé après la naissance pour déterminer ce que vous ferez.**

4. Quatre des points suivants :
   - **Passez en revue le plan d'intervention obstétrical et le déroulement anticipé.**
   - **Expliquez qui sera présent et quel sera le rôle de chacun.**
   - **Décrivez les statistiques et votre évaluation des chances de survie et des risques d'invalidité du bébé.**
   - **Déterminez les désirs et les attentes des parents.**
   - **Informez les parents qu'il faudra peut-être modifier les décisions après avoir examiné le bébé.**

5. **a.** **Expliquez la situation aux parents et demandez-leur s'ils veulent prendre leur bébé dans leurs bras.**

6. L'une ou l'autre des affirmations suivantes, ou les deux, sont acceptables :
   - **a.** **« Je suis désolé, nous avons tenté de réanimer votre bébé, mais la réanimation a échoué et votre bébé est mort. »**
   - **c.** **« Je suis vraiment désolé de la mort de votre bébé. C'est une belle petite fille. »**

Formulaire d'évaluation du mégacode (de base)

Stagiaire :
Évaluateur :   Date :
Leçons terminées : 1 à 4   **A RÉUSSI** _____   **RÉÉVALUER** _____

Note : 0 = Non effectué 1 = Mal effectué, incomplet ou effectué dans le désordre 2 = Bien effectué, dans l'ordre
- Le stagiaire <u>doit</u> effectuer correctement chacun des cinq éléments **en caractères gras**.
- Le scénario doit inclure : « La fréquence cardiaque demeure <100 battements à la minute (battements/min), sans excursion thoracique », pour que le stagiaire effectue la mesure corrective (leçon 3).
- Le scénario doit inclure : « La fréquence cardiaque demeure <60 battements/min malgré la ventilation en pression positive » pour que le stagiaire effectue les compressions thoraciques.
- Le stagiaire doit effectuer la ventilation **coordonnée** avec les compressions thoraciques.
- Le scénario lorsque le bébé baigne dans le méconium est facultatif.

Leçon	Élément	0	1	2
1	**Il vérifie le ballon, le masque et l'apport en oxygène.**			
	Il pose quatre questions d'évaluation. (à terme? méconium? respiration? tonus musculaire?)			
2	(facultatif) En présence de méconium, il détermine si l'aspiration trachéale est indiquée.			
	Il met la tête en position, aspire la bouche, puis le nez.			
	Il assèche le bébé, retire les serviettes mouillées et remet la tête en position.			
	Il demande une description de la respiration, de la fréquence cardiaque et de la coloration.			
3	**Il indique le besoin d'une ventilation en pression positive.** (apnée, fréquence cardiaque <100 battements/min, cyanose centrale malgré de l'O$_2$)			
	Il effectue correctement la ventilation en pression positive. (40 ventilations à la minute à 60 ventilations à la minute)			
	Il vérifie si la fréquence cardiaque s'améliore. (*Remarque de l'évaluateur :* La fréquence cardiaque ne s'améliore PAS.)			
	Il prend des mesures correctives en l'absence d'excursion thoracique et d'amélioration de la fréquence cardiaque. (Il rapplique le masque, relève la mâchoire, remet la tête en position, vérifie les sécrétions, ouvre la bouche, accroît la pression au besoin.)			
	Il réévalue la fréquence cardiaque. (*Remarque de l'évaluateur :* La fréquence cardiaque doit demeurer <60 battements/min.)			
4	Il perçoit la nécessité d'amorcer les compressions thoraciques. (fréquence cardiaque <60 battements/min malgré 30 secondes de ventilation en pression positive efficace)			
	Il effectue la bonne technique de compression. (Il place bien les pouces ou les doigts, comprime à une profondeur correspondant au tiers du diamètre antéropostérieur du thorax.)			
	Il adopte le bon rythme et coordonne bien la ventilation avec les compressions. (L'évaluateur demande au stagiaire et à l'assistant d'inverser les rôles.)			
Fin	Il poursuit ou arrête la ventilation en pression positive correctement ou diminue peu à peu l'oxygène à débit libre.			
	Totaux partiels de la note du stagiaire			

A bien effectué les cinq éléments en caractères gras?	O	N	Réévaluer

Note totale du stagiaire (additionner les totaux partiels) Note maximale : 30 points avec le méconium / 28 points sans le méconium

Note de passage minimale : 24 points avec le méconium / 22 points sans le méconium	A réussi / Réévaluer

Formulaire d'évaluation du mégacode (avancé)

Stagiaire :

Évaluateur :

Leçons terminées : 1–4   5   6   Date :

A RÉUSSI _____   RÉÉVALUER _____

Note : 0 = Non effectué   1 = Mal effectué, incomplet ou effectué dans le désordre   2 = Bien effectué, dans l'ordre
- Le stagiaire doit effectuer correctement chacun des cinq éléments en caractères gras.
- Le scénario doit inclure les éléments exigés à chaque leçon terminée par le stagiaire.
- Tous les stagiaires doivent réussir les leçons 1 à 4 et la fin.
- Les stagiaires qui suivent la leçon 6 doivent préparer et insérer un cathéter ombilical veineux, ou assister cette intervention, et administrer des médicaments (si leur rôle ou la portée de la pratique le justifie). Ces compétences ne sont pas évaluées et ne comptent pas dans le calcul des points du stagiaire. Cependant, l'évaluateur peut décider que le stagiaire a besoin d'information et de directives supplémentaires à cet égard.
- Les compétences et les concepts des leçons 7 à 9 peuvent être inclus dans le mégacode. Ces compétences ne sont pas évaluées et ne comptent pas dans le calcul des points du stagiaire. Cependant, l'évaluateur peut décider que le stagiaire a besoin d'information et de directives supplémentaires à cet égard.

Leçon	Pointage possible (encercler)	Élément	0	1	2
1	2	**Il vérifie le ballon, le masque et l'apport en oxygène.**			
	2	Il pose quatre questions d'évaluation. (à terme? méconium? respiration? tonus musculaire?)			
2	2 (facultatif)	(facultatif) En présence de méconium, il détermine si l'aspiration trachéale est indiquée.			
	2	Il met la tête en position, aspire la bouche, puis le nez.			
	2	Il assèche le bébé, retire les serviettes mouillées et remet la tête en position.			
	2	Il demande une description de la respiration, de la fréquence cardiaque et de la coloration.			
3	2	**Il indique le besoin d'une ventilation en pression positive.** (apnée, fréquence cardiaque <100 battements à la minute [battements/min], cyanose centrale malgré de l'O$_2$)			
	2	**Il effectue correctement la ventilation en pression positive.** (40 ventilations à la minute à 60 ventilations à la minute)			
	2	Il vérifie si la fréquence cardiaque s'améliore. (*Remarque de l'évaluateur :* La fréquence cardiaque ne s'améliore PAS.)			
	2	**Il prend des mesures correctives en l'absence d'excursion thoracique et d'amélioration de la fréquence cardiaque.** (Il rapplique le masque, relève la mâchoire, remet la tête en position, vérifie les sécrétions, ouvre la bouche, accroît la pression au besoin).			
	2	Il réévalue la fréquence cardiaque. (*Remarque de l'évaluateur :* La fréquence cardiaque doit demeurer <60 battements/min.)			
4	2	Il perçoit la nécessité d'amorcer les compressions thoraciques. (fréquence cardiaque <60 battements/min malgré 30 secondes de ventilation en pression positive efficace)			
	2	**Il effectue la bonne technique de compression.** (Il place bien les pouces ou les doigts, comprime à une profondeur correspondant au tiers du diamètre antéropostérieur du thorax.)			
	2	Il adopte le bon rythme et coordonne bien la ventilation avec les compressions. (L'évaluateur demande au stagiaire et à l'assistant d'inverser les rôles.)			
5	2	Il perçoit la nécessité d'une intubation.			
	2	Il procède correctement à l'intubation ou y assiste comme il faut.			
6	2	Il perçoit la nécessité d'administrer de l'adrénaline. (fréquence cardiaque <60 battements/min malgré une ventilation en pression positive coordonnée avec des compressions thoraciques)			
	Aucuns points	Il prépare la bonne dose d'adrénaline dans une seringue. (0,1 mL/kg à 0,3 mL/kg par voie intraveineuse ou 0,3 mL/kg à 1,0 mL/kg par voie trachéale)	Aucuns points		
		Il prépare le cathéter veineux ombilical en vue de l'insérer.			
		Il insère le cathéter veineux ombilical.			
		Il administre de l'adrénaline par le cathéter veineux ombilical ou la sonde trachéale.			
	2 (facultatif)	(facultatif) Il perçoit la nécessité d'administrer une solution de remplissage.			
Fin	2	Il poursuit ou arrête la ventilation en pression positive correctement ou diminue peu à peu l'oxygène à débit libre.			
	_____ X 0,85	Total de tous les points encerclés (maximum de 38) Multipler le total par 0,85 = note de passage minimale acceptable			
		Totaux partiels de la note du stagiaire			
		Note totale du stagiaire (additionner les totaux partiels)			
		A bien effectué les cinq éléments en caractères gras?	O	N	Réévaluer
		Le stagiaire a obtenu la note de passage minimale?		O A réussi N Réévaluer	

Annexe

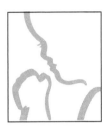

Lignes directrices 2005 de l'*American Heart Association* (AHA) pour la réanimation cardiopulmonaire et les soins cardiovasculaires d'urgence en pédiatrie et en néonatologie : Lignes directrices de réanimation néonatale

American Heart Association, American Academy of Pediatrics

Les auteurs ont indiqué qu'ils n'ont aucune relation financière pertinente à divulguer à l'égard du présent article.

LES LIGNES DIRECTRICES SUIVANTES sont conçues pour les praticiens responsables de la réanimation des nouveau-nés. Elles s'appliquent surtout aux nouveau-nés pendant le passage de la vie intra-utérine à la vie extra-utérine. Les recommandations s'appliquent également aux nouveau-nés qui ont terminé la transition périnatale et ont besoin d'être réanimés pendant les quelques premières semaines ou les quelques premiers mois suivant leur naissance. Les praticiens qui réaniment des nourrissons à la naissance ou pendant leur premier séjour à l'hôpital devraient envisager de respecter les présentes lignes directrices.

Environ 10 % des nouveau-nés ont besoin d'une certaine aide pour commencer à respirer à la naissance. Environ 1 % ont besoin de mesures de réanimation plus complexes. La majorité des nouveau-nés n'ont pas besoin d'interventions pendant le passage de la vie fœtale à la vie néonatale, mais étant donné la multitude d'accouchements, un nombre appréciable de nourrissons auront besoin d'une certaine réanimation.

En général, il est possible de repérer les nouveau-nés qui n'ont pas besoin de réanimation par une rapide évaluation des quatre caractéristiques suivantes :

- Le nourrisson est-il à terme?

- Peut-on affirmer qu'il n'y a ni méconium dans le liquide amniotique, ni signes d'infection?

- Le nourrisson respire-t-il ou pleure-t-il?

- A-t-il un bon tonus musculaire?

Si vous répondez « oui » à ces quatre questions, le nourrisson n'a pas besoin d'être réanimé et ne devrait pas être séparé de sa mère. Vous pouvez l'assécher, le déposer sur la poitrine de sa mère et le recouvrir d'une couverture sèche pour maintenir sa température. Vous devez continuer de vous assurer qu'il respire, qu'il est actif et qu'il a une belle coloration.

Si vous répondez « non » à l'une de ces questions, le nourrisson devrait recevoir au moins l'une des quatre catégories de mesures suivantes, dans l'ordre :

www.pediatrics.org/cgi/doi/10.1542/peds.2006-0349

doi:10.1542/peds.2006-0349

Ce rapport a été publié dans *Circulation*. 2005;112:IV-188 –IV-195.

©2005 par l'*American Heart Association*.

Mots clés
resuscitation, neonatal resuscitation, pediatric advance life support

Abréviations
QDP : qualité des preuves
battements/min : battements à la minute
IV : par voie intraveineuse

Accepté le 23 janvier 2006 en vue d'être publié

PEDIATRICS (Numéros d'ISSN : version imprimée, 0031-4005; version électronique, 1098-4275). Copyright ©2006 par l'*American Academy of Pediatrics*

A. Premières étapes de stabilisation (donner de la chaleur, mettre en position, dégager les voies aériennes, assécher, stimuler, remettre en position)

B. Ventilation

C. Compressions thoraciques

D. Administration d'adrénaline ou de solution de remplissage

La décision de passer d'une catégorie à l'autre dépend de l'évaluation simultanée de trois signes vitaux : respiration, fréquence cardiaque et coloration. Environ 30 secondes sont allouées pour effectuer chaque étape, réévaluer la situation et décider de passer à l'étape suivante ou non (voir la figure 1).

L'ANTICIPATION DES BESOINS DE RÉANIMATION

L'anticipation, une préparation pertinente, une évaluation exacte et une amorce rapide du soutien sont essentielles à la réussite de la réanimation néonatale. À chaque accouchement, au moins une personne doit se consacrer exclusivement au nouveau-né. Cette personne doit posséder les compétences nécessaires pour amorcer la réanimation, y compris l'administration de la ventilation en pression positive et des compressions thoraciques. Cette personne ou une autre personne disponible sur-le-champ doit être en mesure d'effectuer une réanimation complète, y compris l'intubation trachéale et l'administration de médicaments.[1]

Grâce à un examen attentif des facteurs de risque, il est possible de dépister, avant l'accouchement, la ma-

jorité des nouveau-nés qui auront besoin d'une réanimation. Dans ce cas, il faut recruter du personnel compétent supplémentaire et préparer le matériel nécessaire. Si un accouchement prématuré (moins de 37 semaines de grossesse) est prévu, des préparatifs particuliers s'imposent. Les prématurés ont des poumons immatures qui peuvent être plus difficiles à ventiler et sont plus vulnérables aux lésions causées par la ventilation en pression positive. Les vaisseaux sanguins de leur cerveau sont également immatures et vulnérables aux hémorragies. Leur peau mince et le rapport élevé entre la surface de la peau et la masse corporelle contribuent à une perte rapide de la chaleur. En outre, ces nourrissons sont plus vulnérables à l'infection et au choc hypovolémique causé par un petit volume sanguin.

LES ÉTAPES INITIALES

Les étapes initiales de la réanimation consistent à donner de la chaleur au nourrisson en le plaçant sur une unité chauffante, à lui mettre la tête en position de reniflement pour ouvrir ses voies aériennes, à dégager les voies aériennes à l'aide d'une poire ou d'un cathéter d'aspiration à l'assécher et à stimuler sa respiration. Des études récentes ont porté sur divers aspects de ces étapes initiales. Elles sont résumées ci-dessous.

LE CONTRÔLE DE LA TEMPÉRATURE

Les prématurés de très petit poids à la naissance (moins de 1 500 g) deviendront probablement hypothermiques malgré le recours aux techniques habituelles pour limiter la perte de chaleur (qualité des preuves [QDP] 5).[2] Pour cette raison, il est recommandé d'utiliser des techniques de réchauffement supplémentaires, comme couvrir le nourrisson d'un emballage de plastique (de qualité alimentaire et résistant à la chaleur) et le placer sur une unité chauffante (catégorie IIa; QDP 2[3,4], QDP 4[5,6], QDP 5[7]). Il faut surveiller attentivement la température en raison du risque d'hyperthermie léger, mais tout de même possible (QDP 2)[4]. D'autres techniques pour maintenir la température pendant la stabilisation du nourrisson en salle d'accouchement (p. ex., assécher et emmailloter le nourrisson, appliquer des coussins chauffants, augmenter le chauffage, placer le nourrisson en contact peau à peau avec la mère et les recouvrir d'une couverture) ont été utilisées (QDP 8).[8,9] Toutefois, ces techniques n'ont été ni évaluées dans le cadre d'essais contrôlés ni comparées à la technique de l'enveloppement de plastique pour les prématurés. Toutes les interventions de réanimation, y compris l'intubation trachéale, les compressions thoraciques et l'insertion de sondes, peuvent être exécutées après la mise en place de ces techniques de contrôle de la température.

Il est démontré que les nourrissons nés d'une mère fiévreuse ont une incidence plus élevée de dépression respiratoire périnatale, de convulsions néonatales et

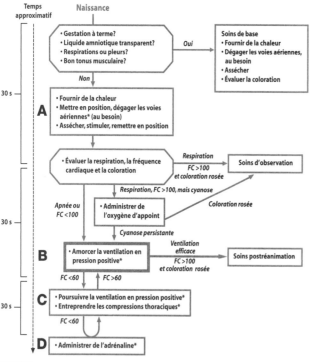

FIGURE 1
Algorithme de la réanimation. FC signifie fréquence cardiaque (indiquée en battements/min). *L'intubation trachéale peut être envisagée à diverses étapes.

infirmité motrice cérébrale et courent un plus grand [s]que de mourir (QDP 4)[10-12]. D'après des études sur des [an]imaux (QDP 6)[13,14], une hyperthermie pendant ou [ap]rès une ischémie s'associe à une progression des lé[si]ons cérébrales. Il faut donc éviter l'hyperthermie (caté[go]rie IIb), chercher à obtenir une normothermie et [pr]évenir l'hyperthermie iatrogène.

[L]E DÉGAGEMENT DU MÉCONIUM DANS LES VOIES [A]ÉRIENNES

[L']aspiration du méconium avant et pendant l'accouche[m]ent ou pendant la réanimation peut provoquer une [gr]ave pneumonie par aspiration. Pour tenter de réduire [ce] syndrome, on avait l'habitude de recourir à une tech[ni]que obstétricale qui consistait à aspirer le méconium [d]ans les voies aériennes du nourrisson après l'accouche[m]ent de la tête, mais avant celle des épaules (l'aspiration [in]trapartum). D'après certaines études (QDP 3),[15-17] [l']aspiration intrapartum serait efficace pour réduire le [ri]sque de syndrome d'aspiration méconiale, mais des [do]nnées probantes tirées d'un vaste essai aléatoire mul[ti]centre effectué par la suite (QDP 1)[18] n'ont pas étayé [ce]s conclusions. Par conséquent, il n'est plus recom[m]andé de procéder systématiquement à l'aspiration [o]ropharyngée et nasopharyngée intrapartum des nour[ri]ssons nés d'une mère dont le liquide amniotique con[ti]ent du méconium (catégorie I).

D'après l'enseignement classique (QDP 5)[19-21], les [no]urrissons baignant dans le méconium doivent subir [u]ne intubation trachéale immédiatement après la nais[sa]nce, suivie d'une aspiration par la sonde qui est simul[ta]nément retirée. Des essais aléatoires et contrôlés [(Q]DP 1)[15,22] démontrent que cette pratique n'apporte [a]ucun bienfait chez un nourrisson vigoureux [(c]atégorie I). Le terme vigoureux est défini comme des [ef]forts respiratoires énergiques, un bon tonus musculaire [e]t une fréquence cardiaque supérieure à 100 battements [à] la minute (battements/min). Il faut procéder à l'aspira[ti]on trachéale des nourrissons qui ne sont pas vigoureux [im]médiatement après la naissance (catégorie indéter[m]inée).

[L']ÉVALUATION PÉRIODIQUE À INTERVALLES DE [3]0 SECONDES

[A]près l'évaluation effectuée immédiatement après la [na]issance et les étapes initiales, les manœuvres de réa[n]imation dépendent de l'évaluation simultanée de la res[pi]ration, de la fréquence cardiaque et de la coloration du [no]uveau-né. Après les premiers efforts respiratoires, le [no]uveau-né doit pouvoir respirer de manière assez [ré]gulière pour améliorer sa coloration et maintenir une [fr]équence cardiaque supérieure à 100 battements/min. [L]es gasps et l'apnée indiquent le besoin d'une ventilation [as]sistée.[23] Une augmentation ou une diminution de la [fr]équence cardiaque peut également constituer une

preuve d'amélioration ou de détérioration de l'état du nourrisson.

Un nouveau-né en santé aura les muqueuses rosées sans qu'il soit nécessaire de lui administrer de l'oxygène d'appoint. Cependant, d'après les données obtenues par saturométrie continue, la transition néonatale est un processus graduel. Il peut falloir plus de dix minutes aux nourrissons à terme et en santé pour obtenir une saturation en oxygène préductale supérieure à 95 %, et près d'une heure pour parvenir à une saturation postductale supérieure à 95 % (QDP 5).[24-26] La cyanose centrale est déterminée par l'examen du visage, du tronc et des muqueuses. L'acrocyanose (une coloration bleutée limitée aux mains et aux pieds) constitue généralement une observation normale à la naissance et non un indicateur fiable d'hypoxémie, mais elle peut indiquer la présence d'autres problèmes, comme une agression par le froid. La pâleur ou les marbrures peuvent être un signe de diminution du débit cardiaque, d'anémie grave, d'hypovolémie, d'hypothermie ou d'acidose.

L'ADMINISTRATION D'OXYGÈNE

L'oxygène 100 % peut avoir des effets néfastes sur la physiologie respiratoire et la circulation cérébrale, et les radicaux libres de l'oxygène peuvent provoquer des dommages tissulaires. Par contre, le manque d'oxygène pendant et après l'asphyxie peut également être responsable de dommages tissulaires. Des études (QDP 6)[27-31] portant sur la tension artérielle, la perfusion cérébrale et plusieurs mesures biochimiques des dommages cellulaires chez des animaux asphyxiés réanimés à l'aide d'oxygène 100 % plutôt que d'oxygène 21 % (air ambiant) ont donné des résultats contradictoires. Une étude (QDP 2)[32] auprès de nourrissons prématurés (moins de 33 semaines d'âge gestationnel) exposés à de l'oxygène 80 % a révélé un débit sanguin cérébral plus faible que chez ceux qui avaient été stabilisés à l'aide d'oxygène 21 %. Des données auprès d'animaux (QDP 6)[27] font état de l'effet opposé, c'est-à-dire que la tension artérielle et la perfusion cérébrale étaient plus faibles avec de l'oxygène 21 % (air ambiant) qu'avec de l'oxygène 100 %. Une méta-analyse de quatre études auprès d'humains (QDP 1)[33,34] a révélé une diminution du taux de mortalité et l'absence de dommages chez les nourrissons réanimés avec de l'air ambiant plutôt qu'avec de l'oxygène 100 %. Ces résultats devraient toutefois être considérés avec circonspection, en raison d'importantes réserves quant à la méthodologie employée.

L'oxygène d'appoint est recommandé lorsque la ventilation en pression positive est indiquée pour la réanimation. L'oxygène à débit libre devrait être administré aux nourrissons qui respirent mais qui présentent une cyanose centrale (catégorie indéterminée). La démarche de réanimation standard consiste à utiliser de l'oxygène 100 %. Certains cliniciens amorcent la réanimation avec une concentration d'oxygène inférieure à 100 %, et certains l'amorcent même sans oxygène d'appoint (c'est-à-dire avec l'air ambiant). D'après certaines données probantes, ces deux pratiques sont raisonnables pendant la réanimation des nouveau-nés. Si le clinicien amorce la réanimation avec l'air ambiant, il est recommandé qu'il passe à l'oxygène d'appoint si l'état du bébé ne s'améliore pas de manière appréciable au bout de 90 secondes de vie. Dans les situations où il n'y a pas d'oxygène d'appoint, il faut appliquer la ventilation en pression positive avec l'air ambiant (catégorie indéterminée).

L'administration de concentrations variables d'oxygène, orientées d'après la saturométrie, peut accélérer le passage à une normoxie. Étant donné les dangers de lésions par oxydants, le clinicien devrait s'assurer de ne pas utiliser trop d'oxygène, surtout chez le prématuré.

LA VENTILATION EN PRESSION POSITIVE

Si le nourrisson demeure apnéique ou qu'il gaspe, si sa fréquence cardiaque demeure inférieure à 100 battements/min 30 secondes après les étapes initiales de la réanimation ou s'il continue à présenter une cyanose centrale malgré l'administration d'oxygène d'appoint, il faut amorcer la ventilation en pression positive.

LES PREMIÈRES RESPIRATIONS ET LA VENTILATION ASSISTÉE

Chez les nourrissons à terme, les premières respirations, qu'elles soient spontanées ou assistées, créent une capacité résiduelle fonctionnelle (QDP 5).[35-41] La pression optimale, la durée d'inspiration et le débit nécessaires pour obtenir une capacité résiduelle fonctionnelle efficace ne sont pas déterminés. Des pressions inspiratoires de pointe initiales moyennes de 30 cm d'eau à 40 cm d'eau (durée indéfinie) permettent généralement de bien ventiler un nourrisson à terme qui ne réagit pas (QDP 5).[36,38,40-43] Un rythme de ventilation assistée de 40 ventilations à la minute à 60 ventilations à la minute est généralement retenu, mais l'efficacité relative de divers rythmes n'a pas été évaluée.

Une amélioration rapide de la fréquence cardiaque constitue la première mesure d'une bonne ventilation initiale. Il faut évaluer l'excursion thoracique si la fréquence cardiaque ne s'améliore pas. Les pressions inspiratoires de pointe initiales nécessaires sont variables et imprévisibles. Elles doivent être personnalisées pour accroître la fréquence cardiaque ou l'excursion thoracique à chaque respiration. Si la pression inspiratoire est surveillée, une pression inspiratoire initiale de 20 cm d'eau peut être efficace, mais au moins 30 cm d'eau à 40 cm d'eau peuvent être nécessaires pour certains nourrissons à terme sans ventilation spontanée (catégorie IIb). Si la pression n'est pas surveillée, il faut utiliser l'inspiration minimale requise pour obtenir une augmentation de la fréquence cardiaque. Les données probantes sont insuffisantes pour recommander une durée d'inspiration opti-

male. Bref, il faut administrer la ventilation assistée à u rythme de 40 ventilations à la minute à 60 ventilations la minute (catégorie indéterminée; QDP 8) pour obteni rapidement ou maintenir une fréquence cardiaqu supérieure à 100 battements/min.

LES APPAREILS

Il est possible d'obtenir une ventilation efficace à l'aid d'un ballon d'anesthésie, d'un ballon autogonflable o d'un insufflateur néonatal (QDP 4[44,45], QDP 5[46]). L'in sufflateur néonatal est un appareil mécanique à clape conçu pour contrôler le débit et limiter la pression. L valve de surpression du ballon autogonflable dépend d débit, et les pressions produites peuvent être supérieure à la valeur indiquée par le fabricant (QDP 6).[47] Dans le modèles mécaniques, on obtient les pressions inspira toires ciblées et de longues durées d'inspiration avec plu de fiabilité à l'aide des insufflateurs néonatals qu'avec le ballons (QDP 6),[48] mais les répercussions cliniques d cette constatation ne sont pas claires. Pour fournir l pression voulue, les dispensateurs de soins ont besoi d'une formation plus poussée sur les ballons d'anesthési que sur les ballons autogonflables (QDP 6).[49] Le ballo autogonflable, le ballon d'anesthésie et l'insufflateu néonatal peuvent tous être utilisés pour ventiler u nouveau-né (catégorie IIb).

Il est démontré que les masques laryngés qui cou vrent le passage laryngé sont efficaces pour ventiler le nouveau-nés presque à terme et à terme (QDP 2[50] et QDP 5[51]). Les données sont toutefois limitée (QDP 5)[52,53] quant à l'usage de ces appareils chez les pe tits prématurés. Des données tirées de trois séries de ca (QDP 5)[51,54,55] révèlent que le recours au masque laryn gé peut assurer une ventilation efficace dans un délai res pectueux des lignes directrices de réanimatio courantes, même si les enfants à l'étude n'étaient pas e cours de réanimation. Un essai aléatoire et contrôl (QDP 2)[50] n'a permis de repérer aucune différence cl niquement significative entre le recours au masqu laryngé et l'intubation trachéale lorsque la ventilation a ballon et masque échouait. On ne sait pas si cette étud peut être généralisée, car le masque laryngé était insér par des dispensateurs expérimentés. D'après des rappor de cas (QDP 5),[56-58] lorsque la ventilation au ballon masque est inefficace et que l'intubation trachéal échoue ou n'est pas réalisable, le masque laryngé assu rera peut-être une ventilation efficace. On ne possèd pas assez de données probantes pour étayer l'usag systématique du masque laryngé comme principa appareil de ventilation des voies aériennes pendant l réanimation néonatale, lorsqu'il y a du méconium dar le liquide amniotique, que des compressions thoraciqu s'imposent, que le nouveau-né est de très petit poids o qu'il faut administrer des médicaments d'urgence pa voie trachéale (catégorie indéterminée).

LA VENTILATION ASSISTÉE DU PRÉMATURÉ

D'après des données provenant d'études sur des animaux (QDP 6),[59] les poumons des prématurés sont facilement traumatisés par une ventilation à fort volume immédiatement après la naissance. Selon d'autres études sur les animaux (QDP 6)[60,61], lorsque la ventilation en pression positive est appliquée immédiatement après la naissance, une pression expiratoire positive protège le nourrisson des lésions pulmonaires et améliore la compliance pulmonaire et l'échange gazeux (QDP 6).[60,61] Des données tirées de séries de cas de nourrissons humains indiquent que la plupart des prématurés apnéiques peuvent être ventilés au moyen d'une pression inspiratoire initiale de 20 cm d'eau à 25 cm d'eau. Toutefois, certains nourrissons qui ne répondent pas à cette pression initiale ont besoin d'une pression plus élevée (QDP 5).[62,63]

Lorsqu'on ventile un prématuré après la naissance, une excursion thoracique excessive peut indiquer une ventilation pulmonaire à fort volume, qu'il faut éviter. La surveillance de la pression peut contribuer à assurer une ventilation constante et à éviter les pressions trop élevées (catégorie IIb). Si le prématuré a besoin d'une ventilation en pression positive, une pression inspiratoire initiale de 20 cm d'eau à 25 cm d'eau suffit dans la plupart des cas (catégorie indéterminée). En l'absence d'une amélioration rapide de la fréquence cardiaque ou de l'excursion thoracique, il faudra peut-être appliquer une pression plus élevée. S'il faut poursuivre la ventilation en pression positive, l'application d'une pression expiratoire de pointe positive peut être bénéfique (catégorie indéterminée). Une pression positive continue appliquée après la réanimation d'un prématuré qui respire spontanément peut également avoir des effets bénéfiques[63] (catégorie indéterminée).

INSTALLATION DE LA SONDE TRACHÉALE

L'intubation trachéale peut être indiquée à diverses étapes de la réanimation néonatale :

- s'il faut aspirer le méconium dans la trachée,
- si la ventilation au ballon et masque est inefficace ou prolongée,
- si des compressions thoraciques sont exécutées,
- s'il faut administrer des médicaments par voie trachéale,
- dans des circonstances particulières, en présence d'une hernie diaphragmatique congénitale ou d'un bébé de très petit poids à la naissance (moins de 1 000 g), par exemple.

Le moment de l'intubation trachéale peut également dépendre de la dextérité et de l'expérience des dispensateurs disponibles.

Après l'intubation trachéale et l'administration d'une pression positive intermittente, une augmentation rapide de la fréquence cardiaque représente le meilleur indicateur de la bonne position de la sonde dans l'arbre tra-

chéobronchique et d'une ventilation efficace (QDP 5).[64] La détection du CO_2 expiré est efficace pour confirmer la position de la sonde trachéale chez les nouveau-nés, y compris s'ils sont de très petit poids (QDP 5).[65-68] Des résultats positifs (détection du CO_2 expiré) chez les patients présentant un débit cardiaque suffisant confirment la position de la sonde trachéale dans la trachée, tandis que des résultat négatifs (le CO_2 n'est pas décelé) laissent présager une intubation œsophagienne (QDP 5).[65,67] Un débit pulmonaire minime ou inexistant peut donner des résultats faux négatifs (aucun CO_2 n'est décelé même si la sonde est dans la trachée), mais la position de la sonde trachéale est bien évaluée chez pratiquement tous les patients qui ne sont pas en arrêt cardiaque (QDP 7).[69] Un résultat faux négatif peut également entraîner l'extubation inutile de nourrissons en phase critique ayant un faible débit cardiaque.

D'autres indicateurs cliniques révèlent la bonne position de la sonde trachéale : une condensation à l'intérieur de la sonde pendant l'expiration et la présence ou l'absence d'excursion thoracique, mais ces constatations n'ont pas fait l'objet d'évaluations systématiques chez les nouveau-nés. Il faut évaluer visuellement la position de la sonde trachéale pendant l'intubation et par des méthodes de confirmation après l'intubation si la fréquence cardiaque demeure faible et ne s'améliore pas. Sauf si l'intubation est effectuée pour retirer du méconium, la détection du CO_2 expiré représente la méthode de confirmation recommandée (catégorie IIa).

LES COMPRESSIONS THORACIQUES

Les compressions thoraciques sont indiquées lorsque la fréquence cardiaque est inférieure à 60 battements/min malgré une ventilation efficace avec de l'oxygène d'appoint pendant 30 secondes. Puisque la ventilation est la mesure de réanimation néonatale la plus efficace et que les compressions thoraciques risquent de nuire à l'efficacité de la ventilation, les intervenants doivent s'assurer que la ventilation est administrée de manière optimale avant d'amorcer les compressions thoraciques.

Les compressions doivent être administrée sur le tiers inférieur du sternum[70,71] jusqu'à une profondeur correspondant environ au tiers du diamètre antéropostérieur du thorax. Deux techniques ont été décrites : la compression avec les deux pouces, les autres doigts encerclant le torse et soutenant le dos[72-74] (la techniques des pouces) ou la compression à deux doigts, la deuxième main soutenant le dos. Puisque la technique des pouces peut assurer une meilleure pression systolique de pointe et une meilleure pression de perfusion coronarienne que la technique à deux doigts (QDP 5[75], QDP 6[76]), la technique des pouces est recommandée pour effectuer les compressions thoraciques chez les nouveau-nés. Cependant, la technique à deux doigts peut être préférable pour avoir accès à l'ombilic pendant l'insertion d'un cathéter ombilical.

Un ratio de compression et de relâchement comportant une phase de compression légèrement plus courte que la phase de relâchement offre des avantages théoriques pour le débit sanguin des très jeunes nourrissons.[77] De plus, il faut coordonner les compressions avec la ventilation pour éviter de les administrer simultanément (QDP 6).[78] Il faut favoriser un expansion thoracique maximale pendant le relâchement, mais les pouces de l'intervenant ne doivent pas quitter le thorax. Il faut calculer un ratio de trois compressions par ventilation, soit 90 compressions et 30 ventilations pour obtenir 120 gestes à la minute environ, afin d'assurer la meilleure ventilation possible à un rythme réalisable (catégorie indéterminée). Ainsi, environ une demi-seconde sera attribuée à chaque geste, l'expiration se produisant pendant la première compression suivant chaque ventilation.

Il faut réévaluer la respiration, la fréquence cardiaque et la coloration environ toutes les 30 secondes et continuer de coordonner les compressions thoraciques avec la ventilation jusqu'à ce que la fréquence cardiaque spontanée atteigne au moins 60 battements/min (catégorie IIa; QDP 8).

LES MÉDICAMENTS

Il est rarement indiqué d'administrer des médicaments pendant la réanimation du nouveau-né.[79] La bradycardie du nouveau-né résulte généralement d'une mauvaise ventilation pulmonaire ou d'une hypoxémie profonde. Une ventilation adéquate constitue l'étape la plus importante pour corriger ces problèmes. Toutefois, si la fréquence cardiaque demeure inférieure à 60 battements/min malgré une ventilation adéquate à l'aide d'oxygène 100 % coordonnée avec des compressions thoraciques, il peut être indiqué d'administrer de l'adrénaline, une solution de remplissage ou ces deux produits. Dans de rares cas, des solutions tampons, un antagoniste des narcotiques ou des vasopresseurs peuvent être utiles après la réanimation.

LA VOIE D'ADMINISTRATION ET LA DOSE D'ADRÉNALINE

Par le passé, les lignes directrices préconisaient d'administrer les premières doses d'adrénaline par la sonde trachéale parce que l'intervention était plus rapide que si l'on préparait une voie intraveineuse (IV). Cependant, les études sur des animaux (QDP 6),[80-82] qui révélaient l'effet positif de l'adrénaline par voie trachéale faisaient appel à des doses beaucoup plus élevées que celles qui sont actuellement recommandées, et la seule étude sur des animaux (QDP 6)[83] qui faisait appel aux doses recommandées par voie trachéale ne donnait aucun résultat. Étant donné l'absence de données sur l'effet de l'adrénaline administrée par voie trachéale, la voie IV doit être privilégiée dès que l'accès veineux est établi.

La dose IV recommandée est de 0,01 mg/kg à 0,03 mg/kg par dose. Il n'est pas recommandé d'admi-

nistrer de plus fortes doses IV (catégorie III), car des études sur des animaux (QDP 6)[84,85] et sur des enfants (QDP 7)[86] révèlent une exagération de l'hypertension, une diminution de la fonction myocardique et une aggravation de la fonction neurologique après l'administration de dose IV de 0,1 mg/kg. Si la voie trachéale est privilégiée, des doses de 0,01 mg/kg ou de 0,03 mg/kg resteront probablement sans effet. Par conséquent, l'administration de 0,01 mg/kg à 0,03 mg/kg par voie IV par dose est privilégiée (catégorie IIa). Pendant la préparation de l'accès IV, l'administration d'une dose plus élevée (pouvant atteindre 0,1 mg/kg) par la sonde trachéale peut être envisagée (catégorie indéterminée), mais ni l'innocuité, ni l'efficacité de cette pratique n'ont été évaluées. Quelle que soit la voie utilisée, la concentration d'adrénaline doit être de 1:10 000 (0,1 mg/mL).

LES SOLUTIONS DE REMPLISSAGE

Envisagez d'administrer une solution de remplissage si vous présumez une perte sanguine ou si le nourrisson semble en état de choc (pâleur, mauvaise perfusion, pouls faible) et qu'il ne répond pas convenablement aux autres mesures de réanimation. Un soluté crystalloïde isotonique est recommandé de préférence à l'albumine comme solution de remplissage en salle d'accouchement (catégorie IIb; QDP 7).[87-89] La dose recommandée est de 10 mL/kg, et il faudra peut-être en administrer de nouveau. Pendant la réanimation d'un prématuré, il faut s'assurer de ne pas administrer de solutions de remplissage trop rapidement parce que l'infusion rapide de forts volumes peut provoquer une hémorragie intraventriculaire.

LA NALOXONE

L'administration de naloxone n'est pas recommandé dans le cadre de la réanimation initiale effectuée en salle d'accouchement pour des nourrissons qui souffrent de dépression respiratoire. Si l'administration de naloxone est envisagée, il faut d'abord rétablir la fréquence cardiaque et la coloration au moyen d'une ventilation assistée. On favorise la voie intraveineuse ou intramusculaire. Étant donné l'absence de données cliniques chez les nouveau-nés, il n'est pas recommandé d'administrer de la naloxone par voie trachéale (catégorie indéterminée). La dose recommandée est de 0,1 mg/kg, mais aucune étude n'en a évalué l'efficacité chez le nouveau-né. Dans un rapport de cas, la naloxone administrée à un nourrisson dont la mère était dépendante des opiacés provoquait des convulsions (QDP 8).[90] Par conséquent, il faut éviter la naloxone chez les nourrissons dont on soupçonne la mère d'avoir été exposée à des opiacés pendant une période prolongée (catégorie indéterminée). Il se peut que la naloxone ait une demi-vie plus courte que l'opiacé pris par la mère. C'est pourquoi il faut surveiller le nouveau-né de près afin de déceler toute trace d'apnée récurrente ou d'hypoventilation, et il faudra peut-être administrer de nouvelles doses de naloxone.

ES SOINS POSTRÉANIMATION

'état des nourrissons qui ont besoin d'être réanimés isque de se détériorer après le retour à la normale de eurs signes vitaux. Une fois la ventilation et la circula- ion du nourrisson bien établies, il faut maintenir ou ransférer le nourrisson dans un environnement où il era possible de le surveiller de près ou de lui offrir des oins préventifs.

E GLUCOSE

'hypoglycémie s'associe à des issues neurologiques égatives dans des modèles animaux asphyxiés, puis éanimés (QDP 6).[91] Des animaux nouveau-nés QDP 6)[92,93] hypoglycémiques au moment d'une agres- ion anoxique ou hypoxique ischémique présentaient de plus vastes zones d'infarctus cérébral ou une réduction es possibilités de survie, ou les deux, que les sujets té- noins. Une étude clinique (QDP 4)[94] a démontré une as- ociation entre l'hypoglycémie et les mauvaises issues eurologiques après une asphyxie périnatale.

Aucune étude clinique néonatale n'a porté sur le lien ntre l'hyperglycémie et les issues neurologiques, mais hez les adultes, l'hyperglycémie (QDP 7 [extrapolée])[95] st reliée à des issues moins reluisantes. D'après les don- ées disponibles, il est impossible de définir la plage de oncentration de glucose associée aux lésions cérébrales es plus bénignes après une asphyxie et une réanimation. es nourrissons qui ont besoin d'une réanimation impor- ante doivent être surveillés et traités pour maintenir eur glycémie dans la plage normale (catégorie indéter- ninée).

'HYPOTHERMIE PROVOQUÉE

Dans un essai multicentre (QDP 2)[96] portant sur des iouveau-nés atteints d'une asphyxie présumée (révélée par e besoin de réanimation à la naissance, une acidose nétabolique et une encéphalopathie précoce), un re- roidissement sélectif de la tête (34 °C à 35 °C) était relié à une réduction non significative du nombre total de sur- ivants atteints d'une incapacité marquée à 18 mois, mais à les bienfaits considérables dans le sous-groupe atteint d'une ncéphalopathie modérée. Les nourrissons atteints d'une rave suppression électrographique et de convulsions ne iraient pas profit d'un traitement par hypothermie modeste QDP 2).[96] Un deuxième vaste essai multicentre (QDP 2)[97] uprès de nouveau-nés asphyxiés (révélés par le besoin de éanimation à la naissance ou la présence d'encéphalopathie nétabolique) évaluait un traitement par hypothermie sys- émique à 33,5 °C (92,3 °F) après une encéphalopathie nodérée à grave. L'hypothermie s'associait à une diminu- ion marquée (18 %) des décès ou des incapacités modérées 18 mois.[97] Une troisième petite étude pilote contrôlée QDP 2)[98,99] de nourrissons asphyxiés traités par hypother- nie systémique précoce a révélé un moins grand nombre de lécès et d'incapacités à 12 mois.

Une modeste hypothermie s'associe à une brady- cardie et à une élévation de la tension artérielle qui n'ont généralement pas besoin d'être traitées, mais une aug- mentation rapide de la température corporelle peut provoquer une hypotension (QDP 5).[100] Un refroidisse- ment à une température centrale inférieure à 33 °C peut provoquer une arythmie, des saignements, une throm- bose et une septicémie, mais jusqu'à présent, aucune étude n'a fait état de ces complications chez les nourris- sons traités à l'aide d'une modeste hypothermie (p. ex., 33 °C à 34,5 °C [91,4 °F à 94,1 °F]) (QDP 2).[96,101]

Les données ne sont pas suffisantes pour recomman- der le recours systématique à une modeste hypothermie cérébrale systémique ou sélective après la réanimation des nouveau-nés présentant une asphyxie présumée (catégorie indéterminée). D'autres essais cliniques de- vront être effectués pour déterminer quels nourrissons en profitent le plus et quelle méthode de refroidissement est la plus efficace. Il est particulièrement important d'éviter l'hyperthermie (une température corporelle élevée) chez les nourrissons qui ont peut-être subi un événement hypoxique ischémique.

LES LIGNES DIRECTRICES POUR S'ABSTENIR DE RÉANIMER ET ARRÊTER LA RÉANIMATION

La morbidité et la mortalité des nouveau-nés varient selon la région et l'accès aux ressources (QDP 5).[102] D'après des études en sciences sociales,[103] les parents désirent jouer un rôle plus important dans la décision d'amorcer la réanimation et de maintenir les fonctions vitales lorsque leur nouveau-né est gravement atteint. L'avis des dispensateurs de soins néonatals varie énormé- ment quant aux bienfaits et aux inconvénients de traite- ments agressifs auprès de ces nouveau-nés (QDP 5).[104]

L'ABSTENTION DE RÉANIMER

Il est possible de repérer les pathologies reliées à un taux de mortalité élevé et à des issues négatives et pour lesquelles l'abstention de réanimer peut être considérée comme raisonnable, notamment lorsque les parents ont eu l'occasion de donner leur accord (QDP 5).[2,105]

Dans chaque cas, il est important de tenter d'obtenir une démarche harmonieuse et coordonnée de la part des équipes obstétricale et néonatale et des parents. Il n'existe pas de différence éthique entre l'abstention de réanimer et l'arrêt du traitement de survie pendant ou après la réanimation. Les cliniciens ne doivent pas hésiter à ar- rêter de soutenir les fonctions vitales du nourrisson lorsque sa survie fonctionnelle devient improbable. Les lignes directrices suivantes doivent être interprétées compte tenu des issues régionales courantes :

● Lorsque l'âge gestationnel, le poids à la naissance ou les anomalies congénitales s'associent à un décès pré- coce presque assuré et que le taux de morbidité est inac- ceptable chez les rares survivants, la réanimation n'est pas indiquée (catégorie IIa). Des exemples sont une extrême prématurité (âge gestationnel confirmé de moins de 23 semaines ou poids de naissance inférieur à 400 g), une anencéphalie et des anomalies chromosomiques incompatibles avec la vie, comme une trisomie 13 (syndrome de Patau).

- Dans le cas de pathologies associées à un taux élevé de survie et à une morbidité acceptable, la réanimation est presque toujours indiquée (catégorie IIa). D'ordinaire, il s'agit de nourrissons d'au moins 25 semaines d'âge gestationnel (à moins d'une détresse fœtale démontrée, comme une infection intra-utérine ou un événement hypoxique ischémique) ou la plupart des malformations congénitales.

- Lorsque les troubles s'associent à un pronostic incertain, que la survie est limite, que le taux de morbidité est relativement élevé et que le fardeau anticipé est élevé pour l'enfant, il faut soutenir les souhaits des parents au sujet de l'amorce de la réanimation (catégorie indéterminée).

L'ARRÊT DES EFFORTS DE RÉANIMATION

Les nourrissons qui restent sans signe de vie (aucune fréquence cardiaque et aucun effort respiratoire) au bout de dix minutes de réanimation présentent un risque élevé de mortalité ou de graves incapacités neurodéveloppementales (QDP 5).[106,107] Ainsi, en l'absence de signes de vie, l'abandon des manœuvres de réanimation peut être justifié après dix minutes d'efforts continus et adéquats (catégorie IIb).

LES COLLABORATEURS AUX LIGNES DIRECTRICES DE RÉANIMATION NÉONATALE

John Kattwinkel, MD
Jeffrey M. Perlman, MB, ChB
David Boyle, MD
William A. Engle, MD
Marilyn Escobedo, MD
Jay P. Goldsmith, MD
Louis P. Halamek, MD
Jane McGowan, MD
Nalini Singhal, MD
Gary M. Weiner, MD
Thomas Wiswell, MD
Jeanette Zaichkin, RNC, MN
Wendy Marie Simon, MA, CAE

REMERCIEMENTS

Le comité directeur du Programme de réanimation néonatale de l'*American Academy of Pediatrics* tient à remercier John Kattwinkel, MD, pour sa participation fondamentale à ce document.

RÉFÉRENCES

1. American Academy of Pediatrics, American College of Obstetricians and Gynecologists. In: Gilstrap LC, Oh W, éd. *Guidelines for Perinatal Care*. 5e éd. Elk Grove Village, IL: American Academy of Pediatrics;2002:187
2. Costeloe K, Hennessy E, Gibson AT, Marlow N, Wilkinson AR. The EPICure study: outcomes to discharge from hospital for infants born at the threshold of viability. *Pediatrics*. 2000;106:659–671
3. Vohra S, Frent G, Campbell V, Abbott M, Whyte R. Effect of polyethylene occlusive skin wrapping on heat loss in very low birth weight infants at delivery: a randomized trial. *J Pediatr*. 1999;134:547–551
4. Vohra S, Roberts RS, Zhang B, Janes M, Schmidt B. Heat Loss Prevention (HeLP) in the delivery room: a randomized controlled trial of polyethylene occlusive skin wrapping in very preterm infants. *J Pediatr*. 2004;145:750–753
5. Lyon AJ, Stenson B. Cold comfort for babies. *Arch Dis Child Fetal Neonatal Ed*. 2004;89:F93–F94
6. Lenclen R, Mazraani M, Jugie M et coll. Use of a polyethylene bag: a way to improve the thermal environment of the premature newborn at the delivery room [in French]. *Arch Pediatr*. 2002;9:238–244. Publié en français sous le nom Utilisation d'un sac en polyéthylène : un moyen d'améliorer l'environnement thermique du prématuré en salle de naissance, à l'adresse www.sciencedirect.com (version à jour le 1er septembre 2006)
7. Bjorklund LJ, Hellstrom-Westas L. Reducing heat loss at birth in very preterm infants. *J Pediatr*. 2000;137:739–740
8. Baum JD, Scopes JW. The silver swaddler: device for preventing hypothermia in the newborn. *Lancet*. 1968;1(7544):672–673
9. Besch NJ, Perlstein PH, Edwards NK, Keenan WJ, Sutherland JM. The transparent baby bag: a shield against heat loss. *N Engl J Med*. 1971;284:121–124
10. Petrova A, Demissie K, Rhoads GG, Smulian JC, Marcella S, Ananth CV. Association of maternal fever during labor with neonatal and infant morbidity and mortality. *Obstet Gynecol*. 2001;98:20–27
11. Lieberman E, Lang J, Richardson DK, Frigoletto FD, Heffner LJ, Cohen A. Intrapartum maternal fever and neonatal outcome. *Pediatrics*. 2000;105:8–13
12. Grether JK, Nelson KB. Maternal infection and cerebral palsy in infants of normal birth weight. *JAMA*. 1997;278:207–211
13. Coimbra C, Boris-Moller F, Drake M, Wieloch T. Diminished neuronal damage in the rat brain by late treatment with the antipyretic drug dipyrone or cooling following cerebral ischemia. *Acta Neuropathol (Berl)*. 1996;92:447–453
14. Dietrich WD, Alonso O, Halley M, Busto R. Delayed posttraumatic brain hyperthermia worsens outcome after fluid percussion brain injury: a light and electron microscopic study in rats. *Neurosurgery*. 1996;38:533–541; discussion 541
15. Wiswell TE, Gannon CM, Jacob J et coll. Delivery room management of the apparently vigorous meconium-stained neonate: results of the multicenter, international collaborative trial. *Pediatrics*. 2000;105:1–7
16. Falciglia HS, Henderschott C, Potter P, Helmchen R. Does DeLee suction at the perineum prevent meconium aspiration syndrome? *Am J Obstet Gynecol*. 1992;167:1243–1249
17. Carson BS, Losey RW, Bowes WA Jr, Simmons MA. Combined obstetric and pediatric approach to prevent meconium aspiration syndrome. *Am J Obstet Gynecol*. 1976;126:712–715
18. Vain NE, Szyld EG, Prudent LM, Wiswell TE, Aguilar AM, Vivas NI. Oropharyngeal and nasopharyngeal suctioning of meconium-stained neonates before delivery of their shoulders: multicentre, randomised controlled trial. *Lancet*. 2004;364:597–602
19. Gregory GA, Gooding CA, Phibbs RH, Tooley WH. Meconium aspiration in infants: a prospective study. *J Pediatr*. 1974;85:848–852
20. Rossi EM, Philipson EH, Williams TG, Kalhan SC. Meconium aspiration syndrome: intrapartum and neonatal attributes. *Am J Obstet Gynecol*. 1989;161:1106–1110
21. Davis RO, Philips JB III, Harris BA Jr, Wilson ER, Huddleston JF. Fatal meconium aspiration syndrome occurring despite airway management considered appropriate. *Am J Obstet Gynecol*. 1985;151:731–736

22. Halliday HL. Endotracheal intubation at birth for preventing morbidity and mortality in vigorous, meconium-stained infants born at term. *Cochrane Database Syst Rev*. 2001;(1):CD000500

23. Dawes GS. *Foetal and Neonatal Physiology: A Comparative Study of the Changes at Birth*. Chicago, IL: Year Book Medical Publishers Inc; 1968

24. Harris AP, Sendak MJ, Donham RT. Changes in arterial oxygen saturation immediately after birth in the human neonate. *J Pediatr*. 1986;109:117–119

25. Reddy VK, Holzman IR, Wedgwood JF. Pulse oximetry saturations in the first 6 hours of life in normal term infants. *Clin Pediatr (Phila)*. 1999;38:87–92

26. Toth B, Becker A, Seelbach-Gobel B. Oxygen saturation in healthy newborn infants immediately after birth measured by pulse oximetry. *Arch Gynecol Obstet*. 2002;266:105–107

27. Solas AB, Kutzsche S, Vinje M, Saugstad OD. Cerebral hypoxemia-ischemia and reoxygenation with 21% or 100% oxygen in newborn piglets: effects on extracellular levels of excitatory amino acids and microcirculation. *Pediatr Crit Care Med*. 2001;2:340–345

28. Solas AB, Munkeby BH, Saugstad OD. Comparison of short- and long-duration oxygen treatment after cerebral asphyxia in newborn piglets. *Pediatr Res*. 2004;56:125–131

29. Solas AB, Kalous P, Saugstad OD. Reoxygenation with 100 or 21% oxygen after cerebral hypoxemia-ischemia-hypercapnia in newborn piglets. *Biol Neonate*. 2004;85:105–111

30. Huang CC, Yonetani M, Lajevardi N, Delivoria-Papadopoulos M, Wilson DF, Pastuszko A. Comparison of postasphyxial resuscitation with 100% and 21% oxygen on cortical oxygen pressure and striatal dopamine metabolism in newborn piglets. *J Neurochem*. 1995;64:292–298

31. Kutzsche S, Kirkeby OJ, Rise IR, Saugstad OD. Effects of hypoxia and reoxygenation with 21% and 100%-oxygen on cerebral nitric oxide concentration and microcirculation in newborn piglets. *Biol Neonate*. 1999;76:153–167

32. Lundstrom KE, Pryds O, Greisen G. Oxygen at birth and prolonged cerebral vasoconstriction in preterm infants. *Arch Dis Child Fetal Neonatal Ed*. 1995;73:F81–F86

33. Tan A, Schulze A, O'Donnell CP, Davis PG. Air versus oxygen for resuscitation of infants at birth. *Cochrane Database Syst Rev*. 2005;(2):CD002273

34. Davis PG, Tan A, O'Donnell CP, Schulze A. Resuscitation of newborn infants with 100% oxygen or air: a systematic review and meta-analysis. *Lancet*. 2004;364:1329–1333

35. Karlberg P, Koch G. Respiratory studies in newborn infants, III: development of mechanics of breathing during the first week of life. A longitudinal study. *Acta Paediatr*. 1962;(suppl 135):121–129

36. Vyas H, Milner AD, Hopkin IE, Boon AW. Physiologic responses to prolonged and slow-rise inflation in the resuscitation of the asphyxiated newborn infant. *J Pediatr*. 1981;99:635–639

37. Vyas H, Field D, Milner AD, Hopkin IE. Determinants of the first inspiratory volume and functional residual capacity at birth. *Pediatr Pulmonol*. 1986;2:189–193

38. Boon AW, Milner AD, Hopkin IE. Lung expansion, tidal exchange, and formation of the functional residual capacity during resuscitation of asphyxiated neonates. *J Pediatr*. 1979;95:1031–1036

39. Mortola JP, Fisher JT, Smith JB, Fox GS, Weeks S, Willis D. Onset of respiration in infants delivered by cesarean section. *J Appl Physiol*. 1982;52:716–724

40. Hull D. Lung expansion and ventilation during resuscitation of asphyxiated newborn infants. *J Pediatr*. 1969;75:47–58

41. Upton CJ, Milner AD. Endotracheal resuscitation of neonates using a rebreathing bag. *Arch Dis Child*. 1991;66:39–42

42. Boon AW, Milner AD, Hopkin IE. Physiological responses of the newborn infant to resuscitation. *Arch Dis Child*. 1979;54:492–498

43. Milner AD, Vyas H, Hopkin IE. Efficacy of facemask resuscitation at birth. *BMJ*. 1984;289:1563–1565

44. Allwood AC, Madar RJ, Baumer JH, Readdy L, Wright D. Changes in resuscitation practice at birth. *Arch Dis Child Fetal Neonatal Ed*. 2003;88:F375–F379

45. Hoskyns EW, Milner AD, Hopkin IE. A simple method of face mask resuscitation at birth. *Arch Dis Child*. 1987;62:376–378

46. Cole AF, Rolbin SH, Hew EM, Pynn S. An improved ventilator system for delivery-room management of the newborn. *Anesthesiology*. 1979;51:356–358

47. Ganga-Zandzou PS, Diependaele JF, Storme L et coll. Is Ambu ventilation of newborn infants a simple question of finger-touch [in French]? *Arch Pediatr*. 1996;3:1270–1272. Publié en français sous le nom La ventilation à l'Ambu chez le nouveau-né : une simple question de doigté ? à l'adresse www.sciencedirect.com (version à jour le 1er septembre 2006)

48. Finer NN, Rich W, Craft A, Henderson C. Comparison of methods of bag and mask ventilation for neonatal resuscitation. *Resuscitation*. 2001;49:299–305

49. Kanter RK. Evaluation of mask-bag ventilation in resuscitation of infants. *Am J Dis Child*. 1987;141:761–763

50. Esmail N, Saleh M, Ali A. Laryngeal mask airway versus endotracheal intubation for Apgar score improvement in neonatal resuscitation. *Egyptian J Anesthesiol*. 2002; 18:115–121

51. Gandini D, Brimacombe JR. Neonatal resuscitation with the laryngeal mask airway in normal and low birth weight infants. *Anesth Analg*. 1999;89:642–643

52. Brimacombe J, Gandini D. Airway rescue and drug delivery in an 800 g neonate with the laryngeal mask airway. *Paediatr Anaesth*. 1999;9:178

53. Lonnqvist PA. Successful use of laryngeal mask airway in low-weight expremature infants with bronchopulmonary dysplasia undergoing cryotherapy for retinopathy of the premature. *Anesthesiology*. 1995;83:422–424

54. Paterson SJ, Byrne PJ, Molesky MG, Seal RF, Finucane BT. Neonatal resuscitation using the laryngeal mask airway. *Anesthesiology*. 1994;80:1248–1253

55. Trevisanuto D, Ferrarese P, Zanardo V, Chiandetti L. Laryngeal mask airway in neonatal resuscitation: a survey of current practice and perceived role by anaesthesiologists and paediatricians. *Resuscitation*. 2004;60:291–296

56. Hansen TG, Joensen H, Henneberg SW, Hole P. Laryngeal mask airway guided tracheal intubation in a neonate with the Pierre Robin syndrome. *Acta Anaesthesiol Scand*. 1995;39:129–131

57. Osses H, Poblete M, Asenjo F. Laryngeal mask for difficult intubation in children. *Paediatr Anaesth*. 1999;9:399–401

58. Stocks RM, Egerman R, Thompson JW, Peery M. Airway management of the severely retrognathic child: use of the laryngeal mask airway. *Ear Nose Throat J*. 2002;81:223–226

59. Ingimarsson J, Bjorklund LJ, Curstedt T et coll. Incomplete protection by prophylactic surfactant against the adverse effects of large lung inflations at birth in immature lambs. *Intensive Care Med*. 2004;30:1446–1453

60. Nilsson R, Grossmann G, Robertson B. Bronchiolar epithelial lesions induced in the premature rabbit neonate by short periods of artificial ventilation. *Acta Pathol Microbiol Scand [A]*. 1980;88:359–367

61. Probyn ME, Hooper SB, Dargaville PA et coll. Positive end expiratory pressure during resuscitation of premature lambs rapidly improves blood gases without adversely affecting arterial pressure. *Pediatr Res*. 2004;56:198–204

62. Hird MF, Greenough A, Gamsu HR. Inflating pressures for effective resuscitation of preterm infants. *Early Hum Dev*. 1991;26:69–72

63. Lindner W, Vossbeck S, Hummler H, Pohlandt F. Delivery room management of extremely low birth weight infants: spontaneous breathing or intubation? *Pediatrics*. 1999;103:961–967

64. Palme-Kilander C, Tunell R. Pulmonary gas exchange during facemask ventilation immediately after birth. *Arch Dis Child*. 1993;68:11–16

65. Aziz HF, Martin JB, Moore JJ. The pediatric disposable end-tidal carbon dioxide detector role in endotracheal intubation in newborns. *J Perinatol*. 1999;19:110–113

66. Bhende MS, Thompson AE. Evaluation of an end-tidal CO_2 detector during pediatric cardiopulmonary resuscitation. *Pediatrics*. 1995;95:395–399

67. Repetto JE, Donohue PCP, Baker SF, Kelly L, Nogee LM. Use of capnography in the delivery room for assessment of endotracheal tube placement. *J Perinatol*. 2001;21:284–287

68. Roberts WA, Maniscalco WM, Cohen AR, Litman RS, Chhibber A. The use of capnography for recognition of esophageal intubation in the neonatal intensive care unit. *Pediatr Pulmonol*. 1995;19:262–268

69. Bhende MS, Karasic DG, Karasic RB. End-tidal carbon dioxide changes during cardiopulmonary resuscitation after experimental asphyxial cardiac arrest. *Am J Emerg Med.* 1996;14:349–350

70. Orlowski JP. Optimum position for external cardiac compression in infants and young children. *Ann Emerg Med.* 1986;15:667–673

71. Phillips GW, Zideman DA. Relation of infant heart to sternum: its significance in cardiopulmonary resuscitation. *Lancet.* 1986;1(8488):1024–1025

72. Thaler MM, Stobie GH. An improved technique of external cardiac compression in infants and young children. *N Engl J Med.* 1963;269:606–610

73. David R. Closed chest cardiac massage in the newborn infant. *Pediatrics.* 1988;81:552–554

74. Todres ID, Rogers MC. Methods of external cardiac massage in the newborn infant. *J Pediatr.* 1975;86:781–782

75. Menegazzi JJ, Auble TE, Nicklas KA, Hosack GM, Rack L, Goode JS. Two-thumb versus two-finger chest compression during CRP in a swine infant model of cardiac arrest. *Ann Emerg Med.* 1993;22:240–243

76. Houri PK, Frank LR, Menegazzi JJ, Taylor R. A randomized, controlled trial of two-thumb vs two-finger chest compression in a swine infant model of cardiac arrest. *Prehosp Emerg Care.* 1997;1:65–67

77. Dean JM, Koehler RC, Schleien CL et coll. Age-related effects of compression rate and duration in cardiopulmonary resuscitation. *J Appl Physiol.* 1990;68:554–560

78. Berkowitz ID, Chantarojanasiri T, Koehler RC et coll. Blood flow during cardiopulmonary resuscitation with simultaneous compression and ventilation in infant pigs. *Pediatr Res.* 1989;26:558–564

79. Perlman JM, Risser R. Cardiopulmonary resuscitation in the delivery room: associated clinical events. *Arch Pediatr Adolesc Med.* 1995;149:20–25

80. Ralston SH, Voorhees WD, Babbs CF. Intrapulmonary epinephrine during prolonged cardiopulmonary resuscitation: improved regional blood flow and resuscitation in dogs. *Ann Emerg Med.* 1984;13:79–86

81. Ralston SH, Tacker WA, Showen L, Carter A, Babbs CF. Endotracheal versus intravenous epinephrine during electromechanical dissociation with CPR in dogs. *Ann Emerg Med.* 1985;14:1044–1048

82. Redding JS, Pearson JW. Metabolic acidosis: a factor in cardiac resuscitation. *South Med J.* 1967;60:926–932

83. Kleinman ME, Oh W, Stonestreet BS. Comparison of intravenous and endotracheal epinephrine during cardiopulmonary resuscitation in newborn piglets. *Crit Care Med.* 1999;27:2748–2754

84. Berg RA, Otto CW, Kern KB et coll. A randomized, blinded trial of high-dose epinephrine versus standard-dose epinephrine in a swine model of pediatric asphyxial cardiac arrest. *Crit Care Med.* 1996;24:1695–1700

85. Burchfield DJ, Preziosi MP, Lucas VW, Fan J. Effects of graded doses of epinephrine during asphxia-induced bradycardia in newborn lambs. *Resuscitation.* 1993;25:235–244

86. Perondi MB, Reis AG, Paiva EF, Nadkarni VM, Berg RA. A comparison of high-dose and standard-dose epinephrine in children with cardiac arrest. *N Engl J Med.* 2004;350:1722–1730

87. So KW, Fok TF, Ng PC, Wong WW, Cheung KL. Randomised controlled trial of colloid or crystalloid in hypotensive preterm infants. *Arch Dis Child Fetal Neonatal Ed.* 1997;76:F43–F46

88. Emery EF, Greenough A, Gamsu HR. Randomised controlled trial of colloid infusions in hypotensive preterm infants. *Ar Dis Child.* 1992;67:1185–1188

89. Oca MJ, Nelson M, Donn SM. Randomized trial of norma saline versus 5% albumin for the treatment of neonatal h potension. *J Perinatol.* 2003;23:473–476

90. Gibbs J, Newson T, Williams J, Davidson DC. Naloxone haza in infant of opioid abuser. *Lancet.* 1989;2(8655):159–160

91. Brambrink AM, Ichord RN, Martin LJ, Koehler RC, Traystma RJ. Poor outcome after hypoxia-ischemia in newborns is asse ciated with physiological abnormalities during early recover possible relevance to secondary brain injury after head traum in infants. *Exp Toxicol Pathol.* 1999;51:151–162 92.

92. Vannucci RC, Vannucci SJ. Cerebral carbohydrate metabolis during hypoglycemia and anoxia in newborn rats. *Ann Neuro* 1978;4:73–79

93. Yager JY, Heitjan DF, Towfighi J, Vannucci RC. Effect insulin-induced and fasting hypoglycemia on perinatal hypoxi ischemic brain damage. *Pediatr Res.* 1992;31:138–142

94. Salhab WA, Wyckoff MH, Laptook AR, Perlman JM. Initi hypoglycemia and neonatal brain injury in term infants wi severe fetal acidemia. *Pediatrics.* 2004;114:361–366

95. Kent TA, Soukup VM, Fabian RH. Heterogeneity affecting ou come from acute stroke therapy: making reperfusion wors *Stroke.* 2001;32:2318–2327

96. Gluckman PD, Wyatt JS, Azzopardi D et coll. Selective hea cooling with mild systemic hypothermia after neonat encephalopathy: multicentre randomised trial. *Lancet.* 200 365:663–670

97. Donovan EF, Fanaroff AA, Poole WK et coll. Whole-boc hypothermia for neonates with hypoxic-ischemic encephalo pathy. *N Engl J Med.* 2005;353:1574–1584

98. Eicher DJ, Wagner CL, Katikaneni LP et coll. Modera hypothermia in neonatal encephalopathy: safety outcome *Pediatr Neurol.* 2005;32:18–24

99. Eicher DJ, Wagner CL, Katikaneni LP et coll. Modera hypothermia in neonatal encephalopathy: efficacy outcome *Pediatr Neurol.* 2005;32:11–17

100. Thoresen M, Whitelaw A. Cardiovascular changes during mi therapeutic hypothermia and rewarming in infants wi hypoxic-ischemic encephalopathy. *Pediatrics.* 2000;106:92–99

101. Shankaran S, Laptook A, Wright LL et coll. Whole-bod hypothermia for neonatal encephalopathy: animal observation as a basis for a randomized, controlled pilot study in ter infants. *Pediatrics.* 2002;110:377–385

102. De Leeuw R, Cuttini M, Nadai M et coll. Treatment choices f extremely preterm infants: an international perspectiv *J Pediatr.* 2000;137:608–616

103. Lee SK, Penner PL, Cox M. Comparison of the attitudes health care professionals and parents toward active treatmen of very low birth weight infants. *Pediatrics.* 1991;88:110–114

104. Kopelman LM, Irons TG, Kopelman AE. Neonatologists judg the "Baby Doe" regulations. *N Engl J Med.* 1988;318:677–68

105. Draper ES, Manktelow B, Field DJ, James D. Tables for predic ing survival for preterm births are updated. *BMJ.* 2003; 327:87

106. Jain L, Ferre C, Vidyasagar D, Nath S, Sheftel D. Cardiopu monary resuscitation of apparently stillborn infants: surviv and long-term outcome. *J Pediatr.* 1991;118:778–782

107. Haddad B, Mercer BM, Livingston JC, Talati A, Sibai BM. Ou come after successful resuscitation of babies born with Apga scores of 0 at both 1 and 5 minutes. *Am J Obstet Gyneco* 2000;182:1210–1214

Index

Index

Index

trachéotomie d'urgence, 7-5
transfusion sanguine, 7-14
transillumination thoracique, 7-6
transsudats, 7-6
trisomie 13, 9-5
trisomie 18, 9-5
troubles d'alimentation, 7-15
tubulure à oxygène, 2-16

U

unité chauffante, 2-5

V

vallécule, 5-9, 5-13
valve de contrôle du débit, 3-11
 ballon d'anesthésie, 3-48
 insufflateur néonatal, 3-9
valve de PEP, insufflateur néonatal, 3-54
valve de surpression, 3-11
 ballon autogonflable, 3-44
 utilisation pour vérifier la pression
  inspiratoire, 3-24
valve unidirectionnelle, ballon
 autogonflable, 3-45
vasoconstriction périphérique, 6-6
vasopresseurs, 6-4
veine ombilicale, 6-4–6-5
ventilation, 2-14
 à l'extérieur de l'hôpital, 7-20

après une intubation trachéale, 5-15
des grands prématurés, 8-10–8-12
des prématurés, 8-9, 8-12
interruption pendant l'intubation
 trachéale, 5-21
ratio de compressions thoraciques
 et de, e6
ventilation en pression positive, 1-8,
 1-9, 2-11, 2-14
 arrêt de la, 3-23
 avec masque laryngé, 5-38
 causes d'échec possibles, 7-3
 compressions thoraciques ajoutées
  à la, 4-2–4-3
 contrôle des limites respiratoires, 3-12
 coordination avec les compressions
  thoraciques, 4-10–4-11
 cyanose persistante, 2-17
 détermination de la concentration
  d'oxygène nécessaire, 3-14
 exercices de coordination avec les
  compressions thoraciques, 4-11
 feuille de contrôle de la performance,
  3-40–3-43
 mesures à prendre en cas d'échec,
  3-29–3-30, 7-3
 prolongée, 3-26–3-27
 rythme d'administration, 3-22
 signes d'efficacité, 3-9
 vérification de l'efficacité, 3-21, 3-23

vérifications d'usage avant la,
 3-18–3-19
ventilation en pression positive,
 appareils, 1-26
 avantages et inconvénients, 3-7–3-9
 caractéristiques principales, 3-10–3-11
 mécanismes de sécurité, 3-11–3-12
 préparation des, 3-17, 5-8
 types de, 3-5–3-7
voie intraosseuse, administration de
 médicaments par la, 6-6
voie ombilicale, feuille de contrôle de la
 performance sur l'administration
 de médicaments par, 6-18–6-20
voie veineuse. *Voir* cathéter veineux
 ombilical
voies aériennes
 anatomie des, 5-9
 causes possibles de lésions et mesures
  à prendre, 5-25
 dégagement à l'extérieur de l'hôpital,
  7-20
 dégagement des, 2-9
 malformation et absence de réponse
  à l'adrénaline, 6-12
 obstruction des, 3-24, 7-4–7-5
 pression élevé des, 3-22
volume respiratoire d'un nouveau-né,
 3-22
volumes pulmonaires élevés, 3-22

Le manuel de réanimation néonatale, 5ᵉ édition
Évaluation

1. Pendant quel cours du Programme de réanimation néonatale avez-vous utilisé le *Manuel de réanimation néonatale, 5ᵉ édition?*
   ☐ Cours standard   ☐ Cours de perfectionnement   ☐ Cours de l'évaluateur avec volet standard

2. Veuillez encercler vos titres de compétence.
   Médecin   Ostéopathe   Infirmière autorisée   Infirmière praticienne en néonatologie
   Inhalothérapeute   Adjoint au médecin   Auxiliaire médical   Technicien ambulancier
   Autre (précisez) : _____

3. Avez-vous déjà suivi un cours du PRN?   ☐ Oui   ☐ Non

4. D'après l'échelle suivante, veuillez évaluer les diverses qualités du *Manuel de réanimation néonatale, 5ᵉ édition :*

   1 = En total désaccord   **2** = En désaccord   **3** = D'accord   **4** = En accord total

Le manuel est bien écrit.	1	2	3	4
Le manuel communique les principes du PRN avec efficacité.	1	2	3	4
L'algorithme de réanimation est facile à utiliser.	1	2	3	4
L'information suit une séquence logique d'une leçon à l'autre.	1	2	3	4
Le manuel prépare bien le professionnel de la santé à participer à une réanimation néonatale.	1	2	3	4
Les scénarios de cas sont utiles.	1	2	3	4
Les illustrations sont utiles.	1	2	3	4
Les listes de contrôle de la performance correspondent au contenu du cours.	1	2	3	4
Le mégacode favorise l'intégration des compétences.	1	2	3	4
Le manuel est attrayant et bien conçu.	1	2	3	4
La section des photos couleur est utile.	1	2	3	4
La conception globale du manuel favorise l'autoapprentissage.	1	2	3	4
Les exercices contribuent au processus d'apprentissage.	1	2	3	4

5. Utiliseriez-vous un dévédérom multimédia du *Manuel de réanimation néonatale?*   ☐ Oui ☐ Non
   _____
   _____
   _____
   _____

6. Quels aspects ou quelles caractéristiques du manuel ont-elles le mieux favorisé votre apprentissage?
   _____
   _____
   _____
   _____
   _____

7. Comment pourrait-on améliorer le manuel?
   _____
   _____
   _____
   _____